SAUVE-MOI

Guillaume Musso

Sauve-moi

ROMAN

XO
EDITIONS

© XO Editions 2005.
ISBN : 2-84563-219-3

La phrase d'exergue est tirée du *Dernier Métro* de François Truffaut.

« *Penser à vous fait battre mon cœur plus vite,*
Et c'est la seule chose qui compte pour moi. »

1

Aujourd'hui est le premier jour du reste de ta vie.

Inscription anonyme gravée sur un banc
de Central Park

C'est un matin de janvier, dans la baie de New York, à l'heure où le jour l'emporte sur la nuit...

Très haut dans le ciel, au milieu des nuages qui filent vers le nord, nous survolons Ellis Island et la statue de la Liberté. Il fait froid. La ville entière est paralysée par la neige et le blizzard.

Soudain, un oiseau au plumage argenté crève les nuages et descend en flèche vers la ligne de gratte-ciel. Ignorant les flocons, il se laisse guider par une force mystérieuse qui l'entraîne vers le nord de Manhattan. Tout en lançant des petits cris d'excitation, il survole Greenwich Village, Times Square et l'Upper West Side à une vitesse stupéfiante pour finir par se poser sur le portail d'entrée d'un parc public.

Nous sommes au bout de Morningside Park, tout près de l'université de Columbia.

Dans moins d'une minute, une lumière s'allumera au dernier étage d'un petit immeuble du quartier.

Pour l'instant, une jeune Française, Juliette Beaumont, profite de ses trois dernières secondes de sommeil.

6:59:57

:58

:59

7:00:00

Lorsque la sonnerie retentit, Juliette lança un bras aléatoire vers la table de nuit qui projeta le radio-réveil sur le sol et fit cesser immédiatement le terrible *buzzer*.

Elle émergea de sa couette en se frottant les yeux, posa un pied sur le parquet brillant et fit quelques pas à l'aveuglette avant de se prendre les pieds dans le tapis qui glissa sur les lattes cirées. Vexée, elle se releva avec célérité et attrapa sa paire de lunettes qu'elle détestait porter, mais que sa myopie rendait indispensable car elle n'avait jamais supporté les lentilles de contact.

Dans l'escalier, une collection hétéroclite de petits miroirs chinés dans les brocantes lui renvoya l'image d'une jeune femme de vingt-huit ans aux cheveux mi-longs et au regard espiègle. Elle lança une moue boudeuse à la glace puis tenta de remettre un peu d'ordre dans sa coiffure en arrangeant à la va-vite quelques mèches dorées qui virevoltaient autour de sa tête. Son tee-shirt échancré et sa petite culotte en dentelle lui donnaient une allure sexy et mutine. Mais cet agréable spectacle ne dura pas : Juliette s'entortilla dans une épaisse couverture écossaise et pressa sa bouillotte encore tiède contre son ventre. Le système de chauffage n'avait jamais été le point fort de cet appartement qu'elle partageait depuis trois ans avec Colleen, sa colocataire.

Et dire que nous payons deux mille dollars de loyer ! soupira-t-elle.

Ainsi emmitouflée, elle descendit à pieds joints les marches de l'escalier, puis poussa la porte de la cuisine d'un petit coup de hanche. Un chat rond et tigré qui la guettait depuis plusieurs minutes lui sauta dans les bras puis sur l'épaule, au risque de lui labourer le cou avec ses griffes.

— Halte-là, Jean-Camille ! cria-t-elle en empoignant le félin pour le remettre à terre.

Le matou poussa un miaulement de mécontentement avant de partir se rouler en boule dans son panier.

Pendant ce temps, Juliette mit une casserole d'eau sur le feu et tourna le bouton de la radio :

... violente tempête de neige qui paralyse Washington et Philadelphie depuis quarante-huit heures a continué de s'étendre sur le nord-est du pays, touchant de plein fouet New York et Boston.

Manhattan s'est donc réveillée ce matin sous une épaisse couche de neige qui paralyse la circulation et fait tourner la ville au ralenti.

Le transport aérien sera très affecté par les intempéries : tous les vols au départ de JFK et de La Guardia ont été annulés ou reportés.

Les conditions routières sont aussi très difficiles et les autorités conseillent d'éviter autant que possible de se déplacer en voiture.

Le métro devrait fonctionner normalement mais les services d'autobus seront très perturbés. La compagnie ferroviaire Amtrack annonce un service réduit et, pour la première fois depuis sept ans, les musées de la ville fermeront leurs portes ainsi que le zoo et les principaux monuments.

Cette tempête, due à la rencontre entre une masse d'air humide en provenance du golfe du Mexique et une masse d'air froid descendant du Canada, progressera dans la journée en direction de la Nouvelle-Angleterre.

Nous vous recommandons la plus extrême prudence.

Vous êtes sur Manhattan 101.4, votre radio.

Manhattan 101.4. Vous nous donnez dix minutes, nous vous donnons le monde...

Juliette frissonna en écoutant ces nouvelles. Vite, quelque chose pour se réchauffer. Elle chercha dans le placard : pas de café soluble, pas de thé. Un peu honteuse, elle en fut réduite à récupérer dans l'évier le sachet de thé utilisé la veille par Colleen.

Encore toute ensommeillée, elle se posa sur le rebord de la fenêtre pour regarder à travers la vitre la ville drapée d'un manteau blanc.

La jeune Française était pleine de nostalgie, car elle savait qu'avant la fin de la semaine elle aurait quitté Manhattan.

Cette décision n'avait pas été facile à prendre mais il fallait bien se rendre à l'évidence : si Juliette aimait New York, New York n'aimait pas Juliette. Aucun de ses espoirs, aucun de ses rêves ne s'était jamais réalisé dans cette ville.

Après le lycée, elle avait fait une classe prépa littéraire puis une maîtrise à la Sorbonne tout en jouant dans des clubs de théâtre universitaires. Puis elle avait été admise au cours Florent où elle passait pour l'une des élèves les plus prometteuses. Parallèlement, elle avait enchaîné les castings, tourné deux ou trois pubs, fait de la figuration sur quelques téléfilms. Mais tous ses efforts étaient restés vains. Alors, progressivement, elle avait revu ses ambitions à la baisse, acceptant des prestations dans des supermarchés ou des comités d'entreprise, des pièces de théâtre dans les goûters d'anniversaire, des animations à Euro Disney déguisée en Winnie l'ourson.

Son horizon semblait bouché mais elle ne s'était pas découragée pour autant. Prenant le taureau par les cornes, elle avait fait le grand saut vers les États-Unis. Des rêves de Broadway dans la tête, elle avait débarqué, pleine d'espoir, dans la Grande Pomme avec un statut de jeune fille au pair. Ne disait-on pas que celui qui avait réussi à New York pouvait réussir n'importe où ?

Pendant la première année, sa garde d'enfant lui avait laissé du temps libre pour améliorer son anglais, perdre son accent et prendre des cours d'art dramatique. Mais aucune des auditions qu'elle avait passées n'avait débouché sur autre chose que de petits rôles dans des pièces expérimentales ou d'avant-garde données dans des théâtres minuscules, des greniers ou des salles paroissiales.

Par la suite, pour gagner sa vie, elle avait enchaîné les petits boulots : caissière à mi-temps dans une supérette, femme de ménage dans un hôtel sordide d'Amsterdam Avenue, serveuse dans un *coffee shop*...

Un mois plus tôt, elle avait pris la décision de rentrer en France. Colleen allait quitter l'appartement pour vivre avec son copain et elle n'avait ni le courage ni l'envie de rechercher une autre colocataire. Il était temps pour elle d'admettre son échec. Elle avait joué à un jeu risqué et avait perdu. Longtemps, elle avait cru être plus maligne que les autres, se jouant des pièges de la routine et des obligations. Mais aujourd'hui, elle se sentait complètement perdue, sans repères ni structures. D'ailleurs, toutes ses économies étaient épuisées et son visa de jeune fille au pair avait expiré depuis longtemps, ce qui faisait d'elle une étrangère en situation irrégulière.

Son vol de retour vers Paris était prévu pour le surlendemain, si la météo le permettait.

Allez, ma petite. Arrête de t'apitoyer sur ton sort!

Elle fit un effort pour se lever, puis migra vers la salle de bains. Elle laissa tomber sa couverture, retira ses sous-vêtements et sauta dans la cabine de douche.

— Aaaahhhh! hurla-t-elle en sentant le jet d'eau glacé sur sa peau.

Colleen s'était lavée la première et il ne restait plus une seule goutte d'eau chaude.

Pas très sympa, pensa Juliette.

Se laver à l'eau froide fut une véritable torture mais, comme elle n'était pas rancunière, elle s'empressa de trouver des excuses à son amie : Colleen terminait de brillantes études d'avocate et passait aujourd'hui un entretien d'embauche avec un prestigieux cabinet de la ville.

Juliette n'était pas narcissique même si, ce matin-là, elle resta un peu plus longtemps devant son miroir. De plus en plus souvent une question la taraudait :

Suis-je encore jeune?

Elle venait d'avoir vingt-huit ans. Bien sûr qu'elle était encore jeune, mais force était de reconnaître que ce n'était plus comme quand elle avait vingt ans.

Tout en se séchant les cheveux, elle s'approcha du miroir, scruta son visage et aperçut de minuscules rides au coin des yeux.

Le métier de comédienne, déjà très dur pour les hommes, était encore plus difficile pour les femmes : chez elles, on ne tolérait pas l'imperfection alors que chez un homme elle passait pour une marque de charme et de caractère, chose qui l'avait toujours irritée.

Elle se recula. Elle avait encore de beaux seins, mais peut-être n'étaient-ils déjà plus aussi hauts que deux ans auparavant.

Non, tu te fais des idées.

Juliette avait toujours refusé de faire subir à son corps quelques « ajustements » : doper son sourire au colla-gène, gommer les rides du front à coup de toxine botulique, rehausser ses pommettes, se créer une petite fossette ou se payer une nouvelle poitrine...Tant pis si elle était naïve, mais elle aurait voulu s'imposer telle qu'elle était vraiment : naturelle, sensible et rêveuse.

Le problème, c'est qu'elle avait perdu toute confiance en elle. Progressivement, elle avait dû abandonner ses espoirs : devenir actrice de théâtre, vivre une véritable histoire d'amour. Trois ans auparavant, elle avait l'impression que tout était encore possible. Elle pouvait être Julia Roberts ou Juliette Binoche. Puis, peu à peu, le quotidien l'avait usée. Tout son argent passait dans son loyer. Ça faisait des lustres qu'elle ne s'était plus acheté une robe et qu'elle était obligée de se nourrir de raviolis en boîte ou de pâtes à l'eau.

Elle n'était devenue ni Julia Roberts ni Juliette Binoche. Elle servait des cappuccinos dans un café pour cinq dollars de l'heure et, comme cela ne suffisait pas pour payer le loyer, elle était contrainte d'avoir un deuxième job le week-end.

Mentalement, elle continua à interroger son miroir :
Ai-je encore le pouvoir de séduire ? De susciter le désir ?

Sans doute, pensa-t-elle, *mais pour combien de temps ?*

Se regardant droit dans les yeux, elle se lança en guise d'avertissement :

— Un jour viendra, dans pas si longtemps, où plus aucun homme ne se retournera sur ton passage...

En attendant, dépêche-toi de t'habiller si tu ne veux pas être en retard.

Elle enfila un collant et deux paires de chaussettes. Puis un jean noir, une chemise rayée, un pull à grosses mailles et un cardigan en laine frangée.

Son regard accrocha la pendule et elle s'affola de l'heure déjà bien avancée. Mieux valait ne pas traîner : son patron n'était pas commode et, même si c'était son dernier jour de travail, les intempéries ne seraient pas une excuse.

Elle dévala les escaliers, s'empara d'un bonnet et d'une écharpe multicolore accrochés au portemanteau puis claqua la porte derrière elle en prenant garde de ne pas « guillotiner » son chat, le téméraire Jean-Camille qui pointait déjà son museau, attiré par l'épaisse couche de neige tombée pendant la nuit.

Dès qu'elle eut mis le nez dehors, Juliette fut happée par un souffle glacé. Elle n'avait jamais vu New York aussi calme.

En quelques heures, Manhattan s'était transformée en station de ski géante. La neige donnait aux rues de la métropole des airs de ville fantôme et rendait la circulation très périlleuse. D'épaisses congères s'étaient formées sur les trottoirs et aux carrefours. Les rues, d'habitude bruyantes et encombrées, n'étaient plus empruntées que par des 4 × 4, quelques taxis jaunes et de rares passants chaussés de skis de fond.

Retrouvant un moment le parfum de l'enfance, Juliette leva la tête et attrapa un flocon avec sa bouche. Elle faillit tomber et écarta les bras pour garder son équilibre. Heureusement, la station de métro n'était pas loin. Il suffisait juste d'être prudente et de ne pas gliss...

Trop tard. En moins de temps qu'il ne faut pour le dire, elle valdingua et atterrit le nez dans la poudreuse.

Deux étudiants passèrent à côté d'elle sans l'aider à se relever et se mirent à rire méchamment. Juliette se sentit humiliée et eut soudain envie de pleurer.

Décidément la journée commençait mal.

2

Et nous sommes encore tout mêlés l'un à l'autre
Elle à demi vivante et moi mort à demi.

Victor Hugo

À quelques kilomètres de là, un peu plus au sud, la silhouette imposante d'un 4 × 4 Land Rover traversait le parking désert du cimetière de Brooklyn Hill.

Dans le coin droit du pare-brise, une carte plastifiée révélait l'identité et la profession de son conducteur :

```
Docteur Sam Galloway
St. Matthew's Hospital
New York City
```

La voiture se gara près de l'entrée. L'homme qui en sortit avait tout juste trente ans. Avec sa carrure massive, son manteau droit et son costume bien coupé, il dégageait une impression de solidité et d'élégance, mais son étrange regard – un œil bleu et un œil vert – était voilé par la mélancolie.

L'air était froid et piquant. Sam Galloway noua son écharpe et souffla sur ses mains pour les réchauffer. Il fit quelques pas dans la neige en direction du portail. À cette heure de la journée, les grilles du cimetière étaient encore fermées. Mais Sam avait fait l'an dernier une donation au cimetière pour aider à l'entretien des tombes, ce qui lui permettait de posséder sa propre clé.

Depuis un an, il venait ici une fois par semaine, toujours le matin, avant de partir travailler à l'hôpital. Un rituel qui était devenu une drogue.

Le seul moyen d'être encore un peu avec elle...

Sam ouvrit la petite barrière en fonte – normalement réservée au gardien – et actionna le système d'éclairage avant de laisser ses pas le guider machinalement à travers les allées.

C'était un vaste cimetière vallonné aux allures de parc. En été, de nombreux promeneurs venaient profiter de la variété de ses arbres et de ses chemins ombragés. Mais ce matin, aucun chant d'oiseau ni aucun mouvement ne venait troubler le silence du lieu, hormis la neige qui s'entassait en strates silencieuses.

Au bout de trois cents mètres, Sam arriva devant la tombe de sa femme.

La neige avait complètement recouvert la pierre tombale de granit rose. Avec la manche de son manteau Sam en dégagea la partie haute, laissant apparaître l'inscription :

Federica Galloway
(1974-2004)
Repose maintenant dans la paix du Seigneur

suivie d'une photo noir et blanc d'une femme de trente ans, aux cheveux bruns relevés en chignon et au regard fuyant l'objectif.

Insaisissable.

— Bonjour, dit-il d'une voix douce, il fait frisquet ce matin, n'est-ce pas?

Depuis un an qu'elle était morte, Sam continuait à parler à Federica comme si elle était vivante.

Pourtant, Sam Galloway n'avait rien d'un illuminé. Il ne croyait ni en Dieu ni en l'existence d'un au-delà hypothétique. À vrai dire, Sam ne croyait pas à grand-chose en dehors de la médecine. C'était un excellent pédiatre qui, de l'avis de tous, faisait preuve d'une grande compassion envers ses patients. Malgré son jeune âge, il avait publié de nombreux articles dans des revues médicales et, alors qu'il terminait à peine son clinicat, il recevait déjà des propositions d'établissements prestigieux.

Sam s'était spécialisé dans un domaine de la psychiatrie, la *résilience*, qui partait du principe que même les personnes terrassées par les pires tragédies pouvaient trouver la force de se reconstruire sans se résigner à la fatalité du malheur. Une partie de son travail consistait donc à réparer les traumatismes psychiques les plus graves subis par certains enfants : la maladie, les agressions, les viols, la mort prématurée d'un proche...

Mais s'il était très fort pour aider ses patients à dépasser leur douleur afin de recouvrer la maîtrise de leur existence, Sam semblait incapable de s'appliquer à lui-même les conseils qu'il leur prodiguait. Car il avait été brisé par la disparition de sa femme, un an auparavant.

Entre Federica et lui c'était une histoire compliquée. Ils se connaissaient depuis le début de l'adolescence et tous deux avaient été élevés à Bedford-Stuyvesant, un quartier maudit de Brooklyn connu pour ses vendeurs de crack et son taux record d'homicides.

Originaires de Colombie, les parents de Federica avaient fui les rues de Medellín lorsqu'elle avait six ans sans savoir qu'ils quittaient un enfer pour un autre. Ils n'étaient pas en Amérique depuis un an que son père prenait une balle perdue lors d'une fusillade entre deux clans rivaux du quartier. Federica s'était alors retrouvée seule avec une mère qui avait peu à peu sombré dans l'alcool, la maladie et la drogue.

Elle fréquentait une école délabrée, au milieu des immondices et des carcasses de voitures calcinées. L'air était irrespirable, l'ambiance électrique et les dealers guettaient toujours au coin de la rue.

À onze ans, habillée en garçon, elle avait elle-même revendu de la drogue dans une *crack house* sordide de Bushwick Avenue. Parce qu'on était à Brooklyn au milieu des années 1980 et parce que c'était le seul moyen de se procurer la drogue dont sa mère avait besoin. C'est elle d'ailleurs qui lui avait appris la règle essentielle du deal : ne jamais lâcher la marchandise avant de tenir les dollars de l'acheteur.

Au collège, elle avait rencontré deux garçons un peu plus jeunes qu'elle qui semblaient différents des autres : Sam Galloway et Shake Powell. Toujours un livre à la main, Sam était l'intellectuel de la classe, un garçon solitaire élevé par sa grand-mère. C'était aussi le seul « Blanc » de l'école, ce qui lui valait pas mal d'inimitié dans cet endroit à majorité afro-américaine.

Shake, lui, était une force de la nature. À treize ans, il était aussi grand et baraqué que la plupart des adultes du quartier, mais il cachait une vraie sensibilité sous ses allures de mauvais garçon.

Tous trois avaient uni leurs forces pour survivre au milieu de la folie qui les entourait. Leur entraide et leur amitié s'étaient construites sur leur complémentarité et chacun avait trouvé son équilibre grâce aux deux autres. La Colombienne, le Blanc et le Black : le Cœur, l'Intelligence et la Force.

En grandissant, ils avaient continué à rester aussi loin que possible des tourbillons du quartier. Ils avaient suffisamment vu les ravages des drogues dures sur leur entourage pour ne jamais avoir envie d'y toucher.

Sam et Federica n'auraient jamais imaginé qu'ils quitteraient un jour ce cloaque humain. Là-bas, la vie des gens était suspendue à un fil. Le risque de vivre, partout présent, incitait à ne pas faire de projet sur le long terme. Ils n'avaient donc pas de réelle ambition parce que personne autour d'eux n'en avait.

Pourtant, contre toute attente, à la faveur des circonstances, ils s'en étaient sortis, tous les deux. En devenant médecin, Sam avait entraîné sa copine d'enfance dans son sillage et c'était donc presque naturellement qu'il l'avait épousée.

La neige continuait à tomber sur le cimetière en flocons lourds et drus. Sam ne détachait pas son regard de la photo de sa femme. Sur le cliché, Federica avait noué ses cheveux en chignon autour d'un long pinceau. Elle portait son éternel tablier qu'elle mettait toujours lorsqu'elle peignait. C'est Sam qui avait pris la photo. Elle était un peu floue. Normal : Federica ne se laissait jamais prendre.

À l'hôpital, personne ne connaissait l'origine sociale de Sam et il n'en parlait jamais. Même lorsqu'il vivait avec Federica, il revenait rarement sur ce monde qu'ils avaient quitté. Il faut bien dire que la communication n'était pas précisément le premier des talents de sa femme. Pour se protéger de la noirceur de son enfance, elle s'était construit très tôt, grâce à la peinture, un monde où rien ne pouvait l'atteindre. Une carapace d'une telle épaisseur que, longtemps après avoir quitté Bed-Stuy, elle n'avait jamais vraiment baissé la garde. Avec le temps, Sam s'était dit qu'il arriverait à la « guérir », comme il avait guéri beaucoup de ses patients. Mais les choses n'avaient pas évolué ainsi. Dans les mois précédant sa mort, Federica s'était réfugiée de plus en plus souvent dans son monde de peinture et de silence.

Et elle et Sam s'étaient encore éloignés davantage l'un de l'autre.

Jusqu'à ce funeste soir où, en ouvrant la porte de leur maison, le jeune médecin découvrit que sa femme avait décidé de quitter une vie qui lui était devenue intolérable.

Sam était brusquement tombé dans un état de torpeur. Jamais Federica ne lui avait envoyé de réels signaux évoquant la possibilité d'en finir. Il se souvenait même qu'elle paraissait plus paisible ces derniers jours. Il comprenait maintenant que c'était uniquement parce qu'elle avait déjà pris sa décision et que, d'une certaine manière, elle s'était abandonnée à cette issue fatale comme à une délivrance.

Sam avait traversé tous les stades : désespoir, honte, révolte... Et aujourd'hui encore, il ne se passait pas un jour sans qu'il se pose la question :

Qu'aurais-je dû faire que je n'ai pas fait ?

La culpabilité qui le rongeait l'empêchait de faire son deuil. Pas question pour lui de « refaire sa vie ». Il avait gardé son alliance à son doigt, travaillait soixante-dix heures par semaine, et il était fréquent qu'il reste plusieurs nuits d'affilée à l'hôpital.

À certains moments, il nourrissait un sentiment de colère vis-à-vis de Federica, lui reprochant d'être partie sans rien lui avoir laissé à quoi se raccrocher : pas de mot d'adieu, pas d'explication. Jamais il ne saurait précisément ce qui l'avait conduite à ce geste aussi personnel et intime. Mais c'était comme ça. Il est des questions qui restent sans réponse et il fallait qu'il l'accepte.

Bien sûr, au fond de lui, il savait que sa femme n'avait jamais vraiment guéri de son enfance. Dans sa tête, elle vivait toujours au milieu des HLM de Bed-Stuy, cernée par la violence, la peur et les éclats de verre des flacons de crack.

Certaines blessures ne sont ni réversibles ni réparables. Il devait bien l'admettre même s'il affirmait quotidiennement le contraire à ses patients.

Au fond du cimetière, un vieil arbre craqua sous le poids de la neige.

Sam alluma une cigarette et, comme chaque semaine, raconta à sa femme les événements marquants de ces derniers jours.

Au bout d'un moment, il s'arrêta de parler. Il se contenta d'être là, avec elle, et se laissa envahir par les souvenirs qui l'assaillaient. Le froid glacial figeait son visage. Enveloppé par un tourbillon de flocons qui s'accrochaient à ses cheveux et à sa barbe naissante, il était bien. Avec elle.

Parfois, la nuit, après certaines gardes épuisantes, il développait une perception sensorielle étrange, proche d'une hallucination : il lui semblait entendre la voix de Federica et l'entrapercevoir au détour d'une chambre ou d'un couloir de l'hôpital. Il savait pertinemment que tout cela n'était pas réel, mais il s'en accommodait comme si c'était un moyen d'être encore un peu avec elle.

Lorsque le froid se fit trop vif, Sam décida de faire demi-tour pour regagner sa voiture. Mais alors qu'il était déjà en chemin, il revint soudain sur ses pas.

— Tu sais, il y a longtemps que je voulais te dire quelque chose, Federica...

Sa voix s'était brisée.

— Quelque chose que je ne t'ai jamais avoué... que je n'ai jamais dit à personne...

Il s'interrompit un moment, comme s'il n'était pas encore certain de vouloir continuer cette confession.

Faut-il tout dire à celle ou à celui qu'on aime ? Il ne le pensait pas. Pourtant, il continua.

— Je ne t'en ai jamais parlé parce que... si tu es vraiment là-haut, sans doute que tu le sais déjà.

Jamais il n'avait autant senti la présence de sa femme que ce matin. Peut-être à cause de ce paysage irréel, de tout ce blanc qui le cernait et qui lui donnait l'impression d'être, lui aussi, au milieu du ciel.

Alors il parla longtemps, sans s'arrêter, et lui révéla enfin ce qui lui broyait le cœur depuis toutes ces années.

Ce n'était pas l'aveu d'un adultère, ce n'était pas un problème de couple, ce n'était pas une histoire d'argent. C'était *autre chose*.

Bien plus grave.

Quand il eut fini, il se sentit vidé et exténué.

Avant de tourner les talons, il trouva encore la force de murmurer :

— J'espère seulement que tu m'aimes encore...

3

*Sauver la vie de quelqu'un c'est comme tomber amoureux :
il n'y a pas de meilleure drogue. Après, pendant des jours, on
marche dans les rues et tout ce qu'on voit est transfiguré. On
se croit devenu immortel, comme si c'était sa propre vie qu'on
avait sauvée.*

Extrait du film *À tombeau ouvert*
de Martin Scorsese

St. Matthew's Hospital
17 h 15

Comme tous les soirs, Sam terminait la tournée de ses
patients par les deux mêmes chambres. Il gardait toujours ces deux malades pour la fin, peut-être parce qu'il
les suivait depuis longtemps et qu'il en était venu, sans se
l'avouer vraiment, à les considérer un peu comme sa
propre famille.

Doucement, il poussa la porte de la chambre 403 du
service d'oncologie pédiatrique.

— Bonsoir, Angela.

— Bonsoir, docteur Galloway.

Une adolescente de quatorze ans, maigre et diaphane,
se tenait en tailleur sur l'unique lit de la pièce. Un ordinateur portable aux couleurs acidulées était posé sur ses
genoux.

— Quoi de neuf aujourd'hui ?

Angela lui raconta sa journée sur le mode de l'ironie.
Souvent sur la défensive, elle détestait toute forme de
compassion et refusait qu'on s'apitoie sur sa maladie. Elle
n'avait pas de vraie famille. On l'avait abandonnée à sa
naissance dans la maternité d'une petite ville du New Jersey. Enfant rebelle, peu sociable, elle avait été ballottée
de foyers en familles d'accueil et Sam avait mis longtemps

avant de gagner sa confiance. Comme elle avait déjà effectué plusieurs séjours à l'hôpital, il la sollicitait parfois pour qu'elle rassure des enfants plus jeunes, avant un traitement ou une opération.

Comme toujours lorsqu'il la voyait rire, il pensa qu'il était bien difficile d'imaginer que des cellules cancéreuses étaient en train d'envahir son sang.

La jeune fille souffrait en effet d'une forme grave de leucémie. Elle avait déjà subi deux tentatives de greffe mais, chaque fois, la moelle avait été rejetée.

— Tu as réfléchi à ce que je t'ai dit?

— À propos de la nouvelle intervention?

— Oui.

La maladie en était arrivée au point où, si l'on ne tentait pas une nouvelle greffe, les blastes allaient envahir son foie, sa rate, et Angela finirait par en mourir.

— Je ne sais pas si j'en aurai la force, docteur. Est-ce qu'il faudra refaire une nouvelle chimiothérapie?

— Oui, malheureusement. Et il faudra aussi t'isoler de nouveau en chambre stérile.

Certains collègues de Sam estimaient qu'il avait tort de s'acharner et que la meilleure chose à faire était sans doute de laisser Angela vivre paisiblement ses derniers moments. Son organisme était déjà si épuisé que le pourcentage de réussite d'une nouvelle intervention ne dépassait pas les cinq pour cent. Mais Sam s'était tellement impliqué auprès d'elle qu'il n'envisageait pas de la perdre.

Même s'il ne restait qu'une chance sur un million, je la tenterais, pensa-t-il.

— Je vais encore y réfléchir, docteur.

— Bien sûr. Prends ton temps. C'est toi qui décides.

Il fallait y aller doucement. Angela était courageuse mais pas invulnérable.

Sam contrôla la fiche journalière de suivi médical et y apposa sa signature. Il allait sortir lorsqu'elle le rappela :

— Attendez, docteur.

— Oui ?

La jeune fille cliqua sur l'écran de son ordinateur et enclencha l'imprimante qui délivra un drôle de dessin. Pour mettre à distance sa maladie, Sam l'avait encouragée à pratiquer différentes activités artistiques et, depuis quelque temps, la peinture et le dessin aidaient Angela à supporter la tristesse de son quotidien.

Elle regarda son travail avec attention et, satisfaite, le tendit à Sam.

— Tenez, je l'ai fait pour vous.

Il prit la feuille et l'examina avec surprise. Les gros tourbillons pourpre et ocre qui envahissaient l'espace lui rappelèrent certaines peintures de Federica. À sa connaissance, c'était la première fois qu'Angela dessinait quelque chose de non figuratif. Il allait demander ce que cela représentait, puis se ravisa en se souvenant que sa femme détestait qu'on lui pose cette question.

— Merci, je l'accrocherai dans mon bureau.

Il plia le dessin, le rangea dans la poche de sa blouse. Il savait qu'elle n'aimait pas qu'on la complimente et il s'abstint donc de le faire.

— Dors bien, dit-il seulement en se dirigeant vers la sortie.

— Je vais crever, n'est-ce pas ?

Il s'arrêta net sur le seuil de la porte et se tourna vers elle. De nouveau, Angela l'interpella :

— Si on ne me fait pas cette putain de greffe, je vais crever ?

Il revint lentement vers elle et s'assit sur le bord du lit. Elle le regardait avec un mélange d'insolence et de fragilité, et il savait bien que, derrière son air de défi, se cachait une grande angoisse.

— Oui, c'est vrai, tu risques de mourir, admit-il.

Il laissa passer quelques secondes puis ajouta :

— Mais ça n'arrivera pas.

Puis :

— Je te le promets.

*

Café Starbucks – Cinquième Avenue
16 h 59

— Un grand cappuccino et un muffin à la myrtille, s'il vous plaît.

— Tout de suite.

Tout en exécutant la commande de son client, Juliette regarda à travers la vitre : même si la neige avait cessé depuis le milieu de la matinée, la ville était toujours engourdie par le froid et le vent.

— Voilà.

— Merci.

Elle jeta un coup d'œil à l'horloge murale du café : plus qu'une minute et elle aurait terminé son service.

— Un *espresso macchiato* et une bouteille d'Evian.

— Tout de suite.

Dernière cliente, dernier jour de travail et, dans deux jours, bye-bye New York.

Elle tendit ses boissons à une *working girl* impeccable qui tourna les talons sans la remercier.

Lorsqu'elle les croisait au café ou dans la rue, Juliette regardait les New-Yorkaises avec curiosité et jalousie. Comment lutter contre ces femmes à la silhouette longiligne et élancée, vêtues comme dans les magazines de mode et qui connaissaient toutes les règles et tous les codes ?

Elles sont tout ce que je ne suis pas, pensa-t-elle, *brillantes, sportives, sûres d'elles-mêmes... Elles savent parler avec assurance, se mettre en valeur, mener le jeu...*

Et surtout, elles étaient *financially secure*, autrement dit, elles avaient un bon emploi et les revenus qui allaient avec.

Elle passa au vestiaire, quitta son uniforme de serveuse, puis retourna dans la grande salle du café, un peu déçue

28

tout de même qu'aucune des autres employées ne lui souhaite *good luck* avant son départ.

Elle envoya un signe de la main vers le comptoir mais on lui répondit mollement. Toujours cette sensation d'être invisible.

Elle traversa la longue salle pour la dernière fois. Alors qu'elle s'apprêtait à sortir, une voix, près de l'entrée, l'interpella en français :

— Mademoiselle !

Juliette leva les yeux vers un homme aux cheveux poivre et sel et à la barbe impeccablement taillée qui était attablé contre la fenêtre. Même s'il était déjà âgé, tout dans son apparence respirait la puissance. Ses larges épaules et sa haute stature rendaient presque minuscule le mobilier du café. La jeune Française connaissait ce client. Il venait de temps en temps, surtout le soir très tard. Plusieurs fois, lorsque le manager était absent, Juliette l'avait même autorisé à laisser entrer son chien, un dogue au pelage noir répondant à l'étrange nom de Cujo.

— Je suis venu vous dire au revoir, Juliette. J'ai cru comprendre que vous rentrez bientôt en France.

— Comment le savez-vous ?

— Je l'ai entendu dire, se contenta-t-il de répondre.

L'homme la rassurait et lui faisait peur en même temps. C'était une impression bizarre.

— Je me suis permis de vous commander un cidre chaud, fit-il en désignant un gobelet devant lui.

Juliette resta interdite car l'homme semblait bien la connaître, alors qu'elle ne lui avait jamais vraiment parlé auparavant. Devant lui, elle se sentait comme un livre ouvert.

— Asseyez-vous un moment, proposa-t-il.

Elle hésita, osa soutenir son regard mais ne vit nulle hostilité dans ses yeux. Juste un mélange de profonde humanité et de grande fatigue. Ainsi qu'une flamme intense qu'elle avait du mal à interpréter.

Finalement, elle se décida à s'installer en face de lui et prit une gorgée de cidre.

L'homme savait que, sous une apparence enjouée et dynamique, la jeune Française cachait une personnalité fragile et indécise.

Il aurait bien aimé ne pas la brusquer. Mais il avait peu de temps. Sa vie était compliquée. Ses journées étaient longues et ses tâches pas toujours agréables. Aussi alla-t-il directement à l'essentiel :

— Contrairement à ce que vous pensez, votre vie n'est pas un échec...

— Pourquoi me dites-vous ça ?

— Parce que c'est ce que vous ressassez tous les matins devant votre miroir.

Très surprise, Juliette marqua un mouvement de recul.

— Comment savez-vous que... ?

Mais l'homme ne la laissa pas continuer.

— Cette ville est très dure, poursuivit-il.

— C'est vrai, admit Juliette. Chacun court dans son coin sans s'occuper du voisin. Les gens sont écrasés les uns contre les autres et pourtant si seuls.

— C'est ainsi, répondit-il en écartant les bras. Le monde est comme il est et non pas tel que nous aime-rions qu'il soit : un monde juste où les bonnes choses arrivent aux bonnes gens...

L'homme laissa passer quelques secondes avant d'ajou-ter :

— Mais vous, vous êtes quelqu'un de bien, Juliette : un jour, je vous ai même vue servir un client qui ne pouvait pas payer tout en sachant très bien que l'addition serait retenue sur votre paye...

— Ce n'est pas grand-chose, protesta la Française en haussant les épaules.

— Ce n'est pas grand-chose et en même temps c'est beaucoup. Rien n'est jamais anodin mais on n'appré-hende pas toujours correctement les répercussions de ses actes.

— Pourquoi me dites-vous tout ça ?

— Parce qu'il fallait que vous en ayez conscience avant de partir.

— Avant de rentrer en France ?

— Prenez soin de vous, Juliette, dit-il en se levant sans répondre vraiment à la question.

— Attendez ! cria-t-elle.

Elle ne savait pas pourquoi, mais il fallait absolument qu'elle le retienne. Elle courut après lui, malheureusement l'homme avait déjà quitté le café.

Un peu de neige fondue n'avait pas été balayée près des portes à tambour. Pour la troisième fois de la journée, Juliette glissa. Elle fut déséquilibrée en arrière, se rattrapa de justesse au bras d'un homme qui, son plateau à la main, cherchait une place pour s'asseoir. Malheureusement, elle l'entraîna avec elle dans sa chute et tous deux furent projetés par terre, les habits arrosés de cappuccino brûlant.

Voilà, c'est tout moi, ça ! L'éternelle gaffeuse qui voudrait avoir la grâce d'Audrey Hepburn et qui atterrit toujours le nez dans le ruisseau.

Rouge de honte, elle se releva en vitesse, s'excusa courtoisement auprès de son client – qui, furibond, menaçait déjà de l'attaquer en justice – et se précipita à l'extérieur.

Dans la rue, Manhattan avait retrouvé sa frénésie habituelle. La ville était de nouveau grouillante, stressante. Juste devant le café, le bruit d'un engin de déblayage se mélangeait au bourdonnement de la circulation. Juliette attrapa ses lunettes, scruta l'avenue vers le nord puis vers *downtown*.

Mais l'homme avait disparu.

*

Au même moment, Sam prit l'ascenseur de l'hôpital pour monter quatre étages et se retrouva devant la porte de la chambre 808.

— Bonsoir Leonard.

— Entrez donc, docteur.

La dernière personne que Sam passait voir ce soir n'était pas à proprement parler son patient. Leonard McQueen était l'un des plus anciens résidents de St. Matthew's. Sam l'avait croisé l'été précédent lors d'une nuit de garde. Le vieux McQueen n'arrivait pas à trouver le sommeil et s'était fait la belle sur le toit en terrasse de l'hôpital pour griller une cigarette. Bien entendu, cela était formellement interdit. D'autant plus que McQueen souffrait d'un cancer du poumon en phase terminale. Lorsque Sam l'avait rencontré sur le toit, il avait eu la décence de ne pas infantiliser le vieil homme en le grondant comme s'il s'agissait d'un gosse désobéissant. Il s'était juste assis près de lui et, dans la fraîcheur du soir, ils avaient discuté un moment. Depuis, Sam revenait très régulièrement prendre de ses nouvelles et les deux hommes se portaient une estime réciproque.

— Alors, comment vous sentez-vous aujourd'hui ?

McQueen se releva un peu dans son lit et dit, d'un ton impertinent :

— Vous savez quoi, docteur ? On ne se sent jamais aussi vivant qu'au seuil de la mort

— Vous n'en n'êtes pas encore à ce stade, Leonard.

— Ne vous fatiguez pas docteur, je sais très bien que j'approche de la fin.

Et, comme pour prouver la pertinence de ses propos, il fut pris d'une longue toux qui témoignait de son état de santé aggravé.

Sam l'aida à s'installer sur un fauteuil roulant et le poussa tout près de la fenêtre.

La toux de McQueen s'était calmée. Il observait, comme hypnotisé, la ville qui s'étendait à ses pieds. L'hôpital bordait l'East River et, d'ici, on apercevait, tout près, le siège des Nations unies qui s'élevait verticalement, tout de marbre, de verre et d'acier.

— Alors, docteur, toujours célibataire ?

— Toujours *veuf*, Leonard, ce n'est pas la même chose.

— Vous savez ce qu'il vous faudrait : une bonne partie de jambes en l'air. Je crois que ça vous rendrait moins grave. À votre âge, il n'est pas bon de ne pas utiliser trop longtemps sa tuyauterie, si vous voyez ce que je veux dire...

Sam ne put s'empêcher de sourire.

— Effectivement, je pense que ce n'est pas la peine de me faire un dessin.

— Sérieusement, docteur, vous avez besoin de quelqu'un dans votre vie.

Sam soupira :

— C'est encore trop tôt. Le souvenir de Federica...

Mais McQueen ne le laissa pas continuer :

— Avec tout le respect que je vous dois, docteur, vous me fatiguez avec votre Federica. J'ai été marié trois fois et je peux vous assurer que, si vous avez déjà aimé sincèrement une fois dans votre vie, vous avez toutes les chances d'aimer de nouveau.

— Je ne sais pas...

Le vieil homme désigna la ville qui fourmillait sous les fenêtres.

— Ne me dites pas que, parmi les millions de personnes de Manhattan, il n'y a pas quelqu'un que vous puissiez aimer autant que votre femme.

— Je crois que ce n'est pas aussi simple, Leonard.

— Et moi, je crois que c'est vous qui compliquez tout, docteur. Si j'avais votre âge et votre santé, je n'emploierais pas mes soirées à faire la conversation à un vieil homme comme moi.

— C'est pour ça que je vais vous quitter Leonard.

— Avant que vous partiez, j'ai quelque chose pour vous, docteur. Il fouilla dans sa poche et il lui tendit un petit trousseau de clés.

— Si le cœur vous en dit, venez chez moi un de ces jours. Ma cave déborde de grands crus que j'ai bêtement conservés pour des occasions exceptionnelles au lieu de les boire.

Il laissa passer quelques secondes puis murmura, comme pour lui-même.

— On est con parfois.

— Vous savez, je ne suis pas très porté sur...

— Attention, ce n'est pas de la piquette, répondit McQueen, vexé. Je vous parle de millésimes français qui valent une fortune. Bien meilleurs que tous ces machins de Californie ou d'Amérique du Sud. Trinquez à ma santé, ça me fera plaisir, sincèrement. Promettez-moi que vous le ferez.

— C'est promis, répondit Sam en souriant.

McQueen lança les clés en l'air et Sam s'en saisit à la volée.

— Bonne soirée, Leonard.

— Bonne soirée, docteur.

Alors qu'il sortait de la pièce, Sam repensa à ce que lui avait dit Leonard : « On ne se sent jamais aussi vivant qu'au seuil de la mort. »

4

On aime être ce qu'on n'est pas.

Albert Cohen

— Colleen? Tu es là?

Juliette ouvrit la porte de son appartement en prenant garde de ne pas renverser les plats chinois et la bouteille de vin qu'elle venait d'acheter avec ses pourboires de la semaine.

— Colleen? C'est moi. Tu es rentrée?

En fin de matinée, sa colocataire l'avait appelée au coffee shop pour lui annoncer que son entretien s'était bien déroulé et qu'elle venait d'être embauchée. Les deux jeunes femmes avaient donc prévu de passer une soirée entre filles pour fêter l'événement.

— Tu es là?

Elle n'eut pour toute réponse qu'un miaulement de Jean-Camille qui accourut de la chambre et se frotta contre ses jambes en ronronnant de plaisir.

Juliette déposa ses paquets sur la table de la cuisine, prit le chat dans ses bras et se précipita dans le salon, seule pièce de l'appartement où le chauffage était resté allumé.

Pendant un long moment, elle ferma les yeux en se pressant contre le radiateur réglé pour l'occasion sur la puissance maximale. Une onde de chaleur remonta le long de ses jambes pour envahir son corps tout entier.

Hum... Mieux que n'importe quel homme !

Les yeux toujours clos, elle rêva un instant qu'elle se trouvait dans un monde parfait : un monde où il resterait suffisamment d'eau dans le cumulus pour prendre un formidable bain chaud en sortant du travail.

Mais il ne fallait pas trop demander.

En ouvrant les yeux, elle réalisa que le voyant lumineux du répondeur clignotait. Elle quitta le radiateur à regret pour consulter ses appels.

Vous avez un nouveau message :

Salut Juliette, c'est moi. Désolée mais je ne serai pas là ce soir. Et tu ne devineras jamais pourquoi. Jimmy m'invite à aller deux jours à la Barbade ! Tu te rends compte : la BAR-BADE ! Si je ne te revoie pas d'ici là, bon retour en France.

Un fort sentiment de déception envahit Juliette.

Voilà, c'était ça l'amitié à l'américaine : vous partagez un appartement avec une personne pendant trois ans et au moment des adieux, tout ce qu'elle vous laisse, ce sont deux phrases sur un répondeur !

Mais elle ne devait pas rêver. Bien sûr que Colleen préférait passer le week-end avec son fiancé plutôt qu'avec elle !

Juliette déambula dans l'appartement en ressassant ses griefs et s'arrêta devant les nombreuses photos qui retraçaient les étapes importantes de leur vie.

En débarquant à Manhattan, chacune des deux jeunes femmes avait un but bien précis : Colleen voulait devenir avocate et Juliette désirait être actrice. Elles s'étaient donné trois ans pour réussir. Résultat des courses : l'une venait d'être embauchée dans un prestigieux cabinet et l'autre était serveuse dans un café !

Avec sa ténacité et sa force de travail, Colleen finirait par devenir associée. Elle gagnerait beaucoup d'argent, s'habillerait chez DKNY et traiterait ses dossiers dans l'atmosphère feutrée d'un confortable bureau d'une tour de verre. Elle serait ce qu'elle avait toujours espéré : l'une de ces *executive women* speedées et inaccessibles qu'elle croisait le matin sur Park Avenue.

Juliette s'en voulait d'envier la réussite de sa colocataire. Mais le contraste avec l'échec de sa propre vie était tellement flagrant qu'elle en avait mal au ventre.

Que deviendrait son existence lorsqu'elle rentrerait en France ? À quoi lui servirait son diplôme de lettres classiques ? Et dire que, dans les premiers temps, elle serait même obligée de retourner vivre chez ses parents ! Elle pensa aussi à Aurélia, sa sœur, plus jeune qu'elle et pourtant déjà casée. Professeur des écoles, elle avait suivi son mari, un gendarme qui venait d'être muté dans la région de Limoges. Aurélia et son mari jugeaient sévèrement la « vie de bohème » de Juliette qu'ils qualifiaient d'irresponsable.

À Paris, beaucoup de ses anciens amis avaient réussi. La plupart avaient des professions valorisantes. Des tâches prétendument créatives dans lesquelles « on se réalisait » : ingénieur, architecte, journaliste, informaticien... Ils vivaient en couple, avaient pris un crédit pour la maison et déjà un ou deux enfants jouaient à l'arrière de leur Renault Mégane.

Juliette, elle, n'avait rien de tout cela : ni métier stable, ni amoureux, ni enfant. Partir pour New York afin de tenter sa chance en tant que comédienne avait été un pari insensé, elle le savait. Tout son entourage le lui avait d'ailleurs assez répété : ce n'est pas *raisonnable*. Et c'est vrai que l'époque n'était pas à la prise de risques. L'époque était à la frilosité, au principe de précaution, à l'obsession du « risque zéro ». La société prônait la prudence, les plans de retraite dès vingt-cinq ans, les radars automatiques, les régimes obligatoires, la stigmatisation des fumeurs...

Mais Juliette n'avait écouté personne. S'accrochant à sa bonne étoile, elle s'était toujours dit qu'un jour elle les étonnerait tous et qu'ils feraient moins les malins lorsqu'ils la verraient en couverture de *Paris Match* : Une jeune Française décroche un premier rôle à Hollywood ! Elle n'avait jamais baissé les bras et s'était battue avec ses armes. Mais peut-être était-elle trop gentille, trop « brave fille » pour réussir. Bien sûr, les choses auraient été plus faciles si elle avait été la « fille de ». Mais son père ne s'appelait pas Gérard Depardieu. Il s'appelait Gérard Beaumont et était opticien à Aulnay-sous-Bois.

Au fond, peut-être n'avait-elle aucun talent? Mais, si elle ne croyait pas en elle, qui le ferait? Beaucoup d'acteurs et d'actrices avaient galéré avant d'atteindre la gloire : Tom Hanks avait joué des années dans des théâtres minables, Michelle Pfeiffer avait été caissière de supermarché, Pacino s'était vu refuser l'entrée à l'Actors Studio, Sharon Stone n'avait eu son premier grand rôle que très tard et Brad Pitt, déguisé en poulet, avait vendu des sandwichs dans une grande surface.

Pourtant, le plus important – et ça, personne ne le comprenait vraiment – c'est que Juliette ne se sentait vivante que lorsqu'elle jouait. Peu importait que ce soit dans une pièce universitaire, peu importait qu'il n'y ait que deux personnes dans la salle : elle n'existait que lorsqu'elle tenait un rôle. Elle n'était elle-même qu'en devenant quelqu'un d'autre. Comme s'il y avait un vide à combler en elle ; comme si la vraie vie ne lui suffisait pas. Et, chaque fois qu'elle se disait ça, Juliette en venait à penser qu'il y avait peut-être quelque chose de patho-logique dans ce besoin de chercher une alternative à la réalité.

Elle chassa ses idées sombres en fredonnant les paroles d'Aznavour : « Je m'voyais déjà, en haut de l'affiche... » Tout en chantonnant, elle pénétra dans la chambre de Colleen. Sur la chaise, soigneusement pliés, se trouvaient les habits hors de prix que sa colocataire avait achetés pour ses entretiens d'embauche. Un inves-tissement risqué mais qui serait bientôt remboursé. Juliette ne résista pas à la tentation de les essayer. Ça tombait bien : Colleen et elle avaient à peu près la même taille.

La jeune femme enleva son jean et son vieux pull pour enfiler le tailleur gris Ralph Lauren de son amie. Elle fit un clin d'œil au miroir :

Pas mal.

Elle passa également un élégant col roulé noir en cachemire, un manteau droit en tweed et chaussa une paire de mocassins Ferragamo.

Prise dans son élan, elle se maquilla légèrement : un peu de poudre pour le visage, un peu de mascara, un trait d'eye-liner.

— Alors, joli miroir, dis-moi qui est la plus belle ?

Elle était étonnée par sa transformation. Dans cet accoutrement, elle ressemblait tout à fait à une femme d'affaires. Décidément, l'habit faisait bien le moine.

Troublée, elle repensa à ce film dans lequel Dustin Hoffman échange ses vêtements pour ceux d'une femme et crée alors le rôle de sa vie.

Enhardie, elle lança au miroir :

— Juliette Beaumont, enchantée. Je suis avocate.

Ainsi vêtue, elle descendit l'escalier, rappelée par un long miaulement de Jean-Camille qui réclamait son repas.

Elle versa dans l'écuelle le contenu d'un des plats chinois.

— Voilà quelque chose de délicieux : poulet aux cinq parfums et riz thaïlandais.

Elle caressa la tête du chat, qui ronronna de plaisir, et lui annonça :

— Juliette Beaumont, enchantée. Je suis avocate.

Soudain, elle décida de ne pas passer la soirée chez elle toute seule comme une vieille fille. Et si elle s'offrait un petit spectacle ? Une comédie musicale sur Broadway, par exemple. Une heure avant la représentation, les théâtres de Times Square proposaient parfois des places non vendues à des prix très raisonnables. Et avec la neige, beaucoup de gens se seraient sans doute décommandés. C'était le moment ou jamais de tenter sa chance. Pourquoi pas *Le Fantôme de l'Opéra* ou *Cats* ?

De nouveau, elle se regarda devant le miroir de la salle de bains et, pour la première fois depuis longtemps, elle se trouva jolie.

— Désolé, Jean-Camille, mais New York m'attend! clama-t-elle d'un air théâtral.

Elle remonta dans la chambre de Colleen, attrapa son écharpe Burberry et sortit alors dans la nuit cristalline, bien décidée à profiter de ses dernières heures à Manhattan...

5

À New York, tout le monde cherche quelque chose. Des hommes cherchent des femmes, et des femmes cherchent des hommes. À New York, tout le monde cherche quelque chose. Et de temps à autre... quelqu'un trouve.

Donald Westlake

Sam était concentré sur un dossier lorsque Beckie, l'infirmière en chef, lui tapa sur l'épaule.

— Votre service est fini depuis une demi-heure, docteur, fit-elle en désignant le tableau des emplois du temps.

— Juste un dernier cas à vérifier, demanda Sam comme une faveur.

— C'est vous qu'il faudrait soigner, répondit-elle en lui retirant le dossier. Rentrez chez vous, docteur.

Sam obtempéra en esquissant un léger sourire.

Alors que Beckie le regardait s'éloigner, une interne stagiaire lui souffla au creux de l'oreille.

— Qu'est-ce qu'il est craquant celui-là...

— N'y pense même pas chérie, t'as aucune chance.

— Marié ?

— Pire...

Sam ouvrit la porte de la salle de repos réservée au personnel de l'hôpital. Il pendit sa blouse froissée sur un cintre et la rangea au fond de son casier en métal. Il réajusta sa cravate, enfila sa veste et son lourd manteau sans même jeter un coup d'œil à son reflet dans le miroir : depuis longtemps déjà, il avait abandonné tout désir de séduction sans se douter qu'aux yeux de beaucoup de femmes c'était justement cela qui le rendait séduisant.

Il s'engouffra dans l'ascenseur en compagnie d'un infirmier asiatique qui poussait une civière. Un drap recouvrait entièrement le corps et ne laissait que peu de doutes sur l'état du « malade ». L'infirmier chercha une plaisanterie mais le regard sombre de Sam l'en dissuada. Au rez-de-chaussée, la porte s'ouvrit sur le grand hall bourdonnant qui ressemblait à la zone d'embarquement d'un aéroport. Sam ne put s'empêcher de jeter un œil dans la salle d'attente des urgences : elle était déjà bien remplie

Et ça sera pire dans les prochaines heures.

Dans un coin de la pièce, un vieil homme s'était recroquevillé sur son siège. Enveloppé dans un imperméable usé, il regardait en frissonnant les poissons exotiques qui tournaient sans fin dans l'aquarium. Le regard de Sam croisa celui d'une jeune femme. Très amaigrie, elle avait ramené ses genoux sous son menton. Ses yeux étaient rougis par la drogue ou par l'insomnie. À côté d'elle, accroché à sa jambe, un enfant pleurnichait.

Et si je restais pour la garde du soir ?

*

— Ça fera six dollars ma p'tite dame.

Juliette paya sa course au chauffeur de taxi haïtien et ajouta un modeste pourboire pour le remercier d'avoir fait la conversation en français.

Le *yellow cab* l'avait déposée à la croisée de Broadway et de la Septième Avenue : Times Square, le coin le plus fréquenté de Manhattan, quelle que soit l'heure du jour ou de la nuit.

Juliette se sentait attirée par cet endroit comme un bout de fer par un aimant. La plupart des grandes salles de spectacle de la ville s'étaient concentrées autour de ce petit triangle de bitume cerné de gratte-ciel.

Qu'il pleuve, qu'il vente ou qu'il neige, Times Square était toujours en effervescence avec ses écrans géants et ses panneaux électroniques qui brillaient de mille feux sur les façades des buildings. Le spectacle était étourdissant. Partout, théâtres, cinémas et restaurants aspiraient et déversaient des flots de clients dans une agitation fiévreuse.

Juliette acheta un bretzel à un vendeur ambulant et le dégusta en prenant garde de ne pas tacher de ketchup *son* beau manteau. Elle consulta un écran géant à cristaux liquides qui annonçait le programme des spectacles, puis se dirigea vers l'édifice de marbre blanc devant lequel se regroupait la foule, chaque 31 décembre, pour voir tomber la fameuse Grosse Pomme, symbole de New York, dont la chute annonçait le début d'une nouvelle année.

La jeune Française voulait profiter une dernière fois de ce mélange grisant d'énergie et de glamour. Elle avait beau pester contre Manhattan, au fond, elle adorait cette ville. Plus *rat des villes* que *rat des champs*, elle ne rêvait pas de campagne, de silence ni de petits oiseaux. Elle avait besoin de mouvement, de magasins ouverts vingt-quatre heures sur vingt-quatre juste pour savoir que c'était possible.

Bien sûr, tout ça était excessif et superficiel, comme une sorte de boîte de nuit géante au milieu de Manhattan ! Bien sûr, on pouvait trouver cet endroit horrible avec ces publicités agressives, cette musique assourdissante et cette fumée qui sortait de partout.

Mais ici elle se sentait vivante. Ça grouillait de monde mais au moins on n'était pas seul.

Bon sang, c'était New York, c'était Broadway, la *plus longue rue du monde* comme le clamaient les guides touristiques, celle qui traversait tout Manhattan et se prolongeait au-delà du Bronx...

*

Le hurlement d'une sirène déchira le froid de la nuit.

Les portes automatiques du St. Matthew's Hospital se refermèrent lourdement derrière Sam, juste au moment où une ambulance entrait en trombe dans le parking Son premier mouvement fut d'aller prêter main-forte aux ambulanciers, mais il se freina : le docteur Freeman – chef des urgences – venait de refuser sa proposition de garde sous prétexte qu'il n'avait pas assez dormi les nuits précédentes.

C'était la première fois qu'il mettait le nez dehors depuis ce matin et il en avait presque oublié la tempête de la nuit précédente. La température, incroyablement basse, lui donna presque des vertiges.

Avant de quitter tout à fait l'enceinte de l'hôpital, il vit le personnel médical qui s'affairait autour de la civière. Des bribes de phrases lui parvenaient : *Brûlures au second degré... tension à 8/5... pouls à 65... Glasgow à 6...* Puis les voix s'estompèrent et il regagna sa voiture.

Les mains sur le volant, il laissa le moteur tourner quelques secondes à l'arrêt. Il lui fallait toujours un long moment pour faire le vide dans sa tête et tenter d'oublier les patients qui avaient croisé sa route dans la journée. Le plus souvent d'ailleurs, il n'y parvenait pas.

Ce soir, il était particulièrement fatigué. Il remonta la Première Avenue en se laissant guider vers le nord. Pour une fois, la circulation n'était pas trop dense.

Il tourna le bouton de la radio :

... le maire de New York estime que la tempête coûtera au moins dix millions de dollars, alors que la ville est déjà en déficit de quatorze millions pour le déblaiement des routes cette saison.

Pour l'heure, les services de l'équipement éprouvent encore des difficultés à dégager durablement les principales artères et les routes restent très glissantes, c'est pourquoi nous vous recommandons toujours la plus extrême prudence...

*

Juliette se sentait comme une minuscule goutte d'eau emportée par le torrent d'une foule disparate qui déambulait à la lumière aveuglante des immenses enseignes lumineuses. Les sirènes, les musiciens de rue, la foule, le jaune rapide et fuyant des taxis... tout cela lui donnait maintenant mal à la tête. Comme hypnotisée, elle leva les yeux vers ces écrans placardés sur tous les murs et fut prise de vertige. Il y en avait tellement qu'elle ne savait plus où poser son regard : cours de Bourse, vidéo-clips, images de journal télévisé, prévisions météo...

La tête ailleurs, elle se fit bousculer et décida de rejoindre le trottoir d'en face pour trouver un peu de calme.

Des voitures arrivaient de tous côtés mais elle semblait ne pas les voir...

*

Sam remontait maintenant sur Broadway. Il avait mis un CD de vieux jazz et se laissait bercer par un air de saxo au milieu de l'agitation et des buildings de verre. Il écrasa un bâillement tout en portant la main vers le paquet de cigarettes dans la poche de sa chemise. Une mauvaise habitude qu'il avait gardée de sa jeunesse. À son époque, la majeure partie des gamins de Bed-Stuy commençait le tabac vers sept ou huit ans avant de se tourner vers des substances plus nocives. La voiture devant lui arborait un autocollant coloré sur son pare-brise. Machinalement, Sam plissa les yeux pour le déchiffrer et lut : *If you can read this, you're too near*[1]. Un coup de klaxon prolongé le tira de sa réflexion. Il proféra machinalement une insulte à la voiture qui le dépassait. Ce faisant, son regard croisa le slogan d'un panneau publicitaire pour un produit anti-tabac qui recouvrait la façade d'un immeuble. Un top model plein de fraîcheur, en short et body, vantait les ver-tus du sport et les méfaits de la cigarette en proclamant : *Il est encore temps de changer de vie !*

— Parle pour toi ! lança-t-il tout haut.

De toute manière, à quoi bon ? Il avait déjà changé une fois dans sa vie et c'était suffisant. Il tira sur sa cigarette

---

1. Si vous pouvez lire cela, c'est que vous êtes trop près.

d'un air de défi et inspira profondément la fumée, une façon pour lui de dire qu'il se fichait de mourir en bonne santé et qu'il n'avait peur ni de Dieu ni de la mort : il ne croyait pas au premier et ne pouvait rien contre la seconde.

En remettant son briquet dans sa poche, il sentit le dessin qu'Angela lui avait remis tout à l'heure. Il le déplia et, au dos de la feuille, découvrit une foule de petits signes cabalistiques qu'il n'avait pas remarqués auparavant : des cercles, des triangles, des étoiles qui s'entremêlaient mystérieusement. Quel était le sens de ces signes étranges ?

Absorbé par sa réflexion, Sam n'aperçut qu'au dernier moment la jeune femme qui traversait la rue devant lui.

Bon Dieu ! Trop tard pour freiner. Il donna un brusque coup de volant vers la droite, adressa une prière au Dieu auquel il ne croyait pourtant pas et hurla de toutes ses forces :

— Attention ! ! !

*

— Attention ! ! !

Juliette s'arrêta net. La voiture l'évita de justesse et, pour la première fois de sa vie, la jeune Française sentit le souffle de la mort rôder autour d'elle.

Emporté dans sa course, le 4 × 4 empiéta sur le trottoir et stoppa dans un crissement de pneus. Ce fut un miracle qu'il ne renverse personne.

— Espèce de dingue ! Assassin ! lança Juliette en direction du chauffard, tout en sachant très bien qu'elle avait une part de responsabilité dans ce qui venait d'arriver.

En deux secondes, ses pulsations cardiaques avaient explosé.

Elle était encore dans la lune. Comme toujours. Décidément, cette ville n'était pas faite pour les rêveurs. Le danger y était partout, à chaque coin de rue...

— Et merde ! lâcha Sam.

Cette fois, il avait eu vraiment peur. L'existence pouvait basculer comme ça, en deux secondes. On vit constamment au bord du gouffre, il le savait mieux que personne. N'empêche que ça foutait toujours la trouille.

Déjà, il avait bondi hors de la voiture, empoignant sa trousse médicale toujours à portée de main sur le siège passager.

— Ça va ? Vous n'avez rien ? Je suis médecin, je peux vous examiner ou vous conduire à l'hôpital.

— C'est bon, je n'ai rien, assura Juliette.

Il lui prit le bras pour l'aider à se relever et, pour la première fois, elle leva la tête vers lui.

Une seconde plus tôt, elle n'existait pas et soudain, elle était là, devant lui.

— Vous êtes sûre, tout va bien ? répéta-t-il maladroitement.

— *It's OK.*

— Un petit verre pour vous remonter ?

— Non merci, refusa Juliette, ce n'est pas la peine.

Sam s'entendit insister :

— Je vous en prie, pour me faire pardonner.

Il désigna l'immense façade de l'hôtel Marriott dont la silhouette futuriste dominait le côté ouest de Times Square.

— Je vais mettre ma voiture au parking de l'hôtel. J'en ai pour une minute. Vous m'attendez dans le hall ?

— D'accord.

Il fit quelques pas pour regagner son 4 × 4 mais, alors qu'il était déjà en chemin, il se retourna brusquement et revint en arrière pour se présenter :

— Je m'appelle Sam Galloway, dit-il, je suis médecin.

Elle le regarda et fut envahie par un désir de plaire. Au moment précis où elle ouvrit la bouche, elle sut qu'elle allait faire une connerie, mais il était déjà trop tard :

— Enchantée, Juliette Beaumont, je suis avocate.

6

Ce fut le temps d'un battement de paupières, et elle me regarda sans me voir, et ce fut la gloire et le printemps et le soleil et la mer tiède...

Albert Cohen

Malgré le froid et le vent qui enveloppaient toujours la ville, la foule était nombreuse à se presser devant l'hôtel. Juliette demeura dans le hall plusieurs minutes à regarder le ballet des taxis et des limousines qui venaient déposer les spectateurs en smoking et robe de soirée. Puis Sam arriva par l'ascenseur du parking.

Avec ses cinquante étages de verre et de béton, le Marriott était le deuxième plus grand hôtel de Manhattan. Juliette, qui n'en avait jamais franchi le seuil, écarquilla les yeux en pénétrant dans l'immense atrium central qui s'élevait sur près de quarante étages. L'intense luminosité qu'il dégageait pouvait faire oublier un instant que l'on était en plein hiver.

Elle suivit Sam dans l'escalator qui les mena au deuxième étage. De là, ils prirent l'un des ascenseurs transparents qui, telles des capsules spatiales, semblaient voler à travers le bâtiment. Sam appuya sur le bouton du quarante-neuvième et ils débutèrent leur vertigineux voyage vers le sommet du building.

Ils n'avaient toujours pas échangé la moindre parole...

Pourquoi est-ce que j'ai invité cette fille? pensa-t-il, se sentant dépassé par la situation.

— Vous êtes à New York pour affaires?

49

— Oui, répondit-elle d'une voix qui se voulait assurée, pour un congrès juridique...

Bon sang, pourquoi ai-je dit que j'étais avocate ? Ça m'apprendra à mentir.

— Vous restez longtemps à Manhattan ?

— Je repars en France demain soir.

Ça, au moins, ce n'est pas un mensonge.

Au niveau du trentième étage, elle se pencha légèrement vers la paroi de verre, regarda vers le bas et fut prise de vertiges, comme si elle était suspendue dans le vide.

Oups... Ce n'est pas le moment de vomir.

L'ascenseur s'ouvrit sur un vestibule où une hôtesse prit leurs manteaux et proposa de les placer.

Le bar panoramique s'étendait sur une bonne partie du dernier étage. Par chance, il était loin d'être plein et ils purent avoir une table juste devant la fenêtre qui leur offrait une vue imprenable sur New York.

La pièce était baignée d'une lumière tamisée. Sur une petite estrade, une jeune femme au piano reprenait des ballades élégantes aux accents jazzy à la manière de Diana Krall.

Juliette regarda la carte : le moindre truc était hors de prix. Sam opta pour un martini dry et elle choisit un cocktail compliqué à base de vodka, de jus d'airelle et de citron vert.

L'atmosphère était paisible mais elle n'arrivait pas à se détendre tant elle était troublée. Soudain, elle prit conscience qu'imperceptiblement le bâtiment semblait bouger !

Il remarqua son trouble.

— Le bar tourne, expliqua-t-il en riant.

— Comment ça ?

— Le bar est posé sur une plate-forme qui tourne sur elle-même.

— Très impressionnant, fit-elle en lui rendant son sourire.

Il était 19 h 3.

*

19 h 8

À la lumière de la bougie, elle remarqua ses traits fatigués et ses yeux vairons, vert et bleu : le signe du diable d'après l'Eglise...

N'empêche, il était vraiment pas mal. *Gorgeous* [1], comme disent les Américains.

Et puis, surtout, il y avait sa voix, enveloppante et sécurisante.

Elle prit une grande inspiration : son cœur battait plus vite qu'elle ne l'aurait voulu.

19 h 11

Elle : Vous êtes déjà allé en France ?

Lui : Non. Vous savez, je ne suis qu'un Américain inculte qui n'a jamais quitté son pays, sauf pour passer ses vacances à Hawaii.

Elle : Vous savez que nous avons l'eau courante dans presque toutes les habitations ?

Lui : Sans blague ? Et l'électricité ?

Elle : C'est pour bientôt...

19 h 12

Il aimait son absence de sophistication. Malgré son uniforme de *working girl*, elle était simple et naturelle. Elle parlait parfaitement anglais mais avec un accent attachant. Son visage s'illuminait quand elle souriait.

Et chaque fois qu'il la regardait, il ressentait comme une petite décharge d'électricité.

---

1. Canon.

19 h 15

M'aurait-il invitée à prendre un verre si je lui avais dit que j'étais serveuse ?

19 h 20

Il vit qu'elle frissonnait avec son petit pull. Alors, il se leva et passa sa veste autour de ses épaules.

— Non, ça ira, je vous jure, dit-elle pour la forme.

Mais il avait l'impression que son visage disait exactement le contraire.

— Vous me la rendrez tout à l'heure, proposa-t-il tranquillement.

Et je vous trouve belle à tomber.

19 h 22

Discussion sur les hommes et les femmes.

Elle : Vous avez raison, il n'est pas difficile de plaire aux hommes. Il suffit d'avoir de longues jambes, des fesses dures, un ventre plat, une taille de guêpe, un sourire sexy, des yeux de biche et une poitrine ferme et généreuse...

Rire de lui.

19 h 25

Silence.

Elle prit une gorgée de son cocktail.

Il regarda par la fenêtre, devina l'agitation et le bour-donnement de la ville qui s'étendait cinquante étages plus bas. Si loin ; si proche.

Au moment où il posa les yeux sur ses ongles rongés, elle les fit disparaître en serrant le poing. Il lui lança un sourire, amusé.

Même lorsqu'ils ne parlaient pas, c'était comme un dialogue sans mots.

19 h 26

Dis-lui.
Dis-lui la vérité. Maintenant.
Dis-lui que tu n'es pas avocate.

19 h 34

Elle : Film préféré ?
Lui : *Le Parrain.* Et vous ?
Elle : *La Femme d'à côté*, de François Truffaut.

Il essaya de répéter le nom du réalisateur et ça donna quelque chose comme : « Fwansoi Twoufo », ce qui la fit beaucoup rire.

Lui : Ne vous moquez pas de moi.

19 h 35

Elle : Écrivain préféré ? Moi, c'est Paul Auster.
Lui (*peu convaincu*) : Laissez-moi réfléchir...

19 h 40

Lui : Tableau préféré ?
Elle : *La Sieste* de Van Gogh. Vous ?

Au lieu de répondre, il lui tendit le dessin d'Angela et lui expliqua pourquoi, sans ce petit bout de papier, ils ne se seraient jamais rencontrés...

19 h 41

Si un homme aussi génial a envie de moi, c'est que je ne suis pas si moche que ça...

19 h 43

Elle : Plat préféré ?
Lui : Un bon cheeseburger.
Elle (*en haussant les épaules*) : Pff...
Lui : Qu'est-ce que vous proposez de mieux ?
Elle : Brioche d'escargots au foie gras...

19 h 45

Pourquoi croise-t-on des milliers de personnes et ne s'éprend-on que d'une seule ?

19 h 46

Lui : Je connais un restaurant qui vous plairait : on y trouve un excellent hamburger au foie gras.
Elle : Vous me faites marcher ?
Lui : Pas du tout, c'est même la spécialité maison : un petit pain au parmesan fourré aux côtelettes braisées, au foie gras et aux truffes noires, le tout servi avec vos fameuses *french fries*.
Elle : Pitié, stop, vous me donnez faim.
Lui : Je vous indiquerai l'adresse.

Je vous y amènerai.

19 h 51

C'est peut-être la bonne personne mais pas au bon moment...

19 h 52

Lui : Endroit préféré à New York ?

Elle : Le marché aux légumes frais d'Union Square en automne, lorsque le parc est recouvert de feuilles multicolores. Vous ?

Lui : Ici, ce soir et avec vous, au milieu de cette forêt de gratte-ciel qui brillent dans la nuit...

Elle (*ravie mais pas dupe*) : C'est du baratin...

19 h 55

Elle : Le dernier patient qui vous ait marqué ?

Lui : Il y a quelques semaines, une vieille Portugaise qui venait de faire un infarctus. Ce n'était pas à proprement parler ma patiente, j'ai seulement assisté à sa prise en charge. Mes collègues ont pratiqué une angioplastie pour dilater l'artère bouchée, mais elle avait le cœur fragile...

Il marqua une pause comme s'il revivait en direct une opération dont l'issue était encore incertaine.

Elle : Elle n'a pas résisté à l'opération ?

Lui : Non, on n'a pas pu la sauver. Son mari est resté des heures à la veiller, dans la nuit agitée de l'hôpital. Il semblait habité par une tristesse infinie. Plusieurs fois, je l'ai entendu murmurer : *Estou com saudades de tu.*

Elle : Ça veut dire « tu me manques », n'est-ce pas ?

Lui : En quelque sorte. Lorsque j'ai essayé de le réconforter, il m'a expliqué que, dans son pays, on parlait de *saudade* pour désigner le chagrin provoqué par l'absence de ceux qui sont loin ou qui ont disparu. C'est intraduisible dans les autres langues. Ça exprime un état d'âme indéfinissable, une tristesse éthérée qui contamine tout le présent...

Elle : Et qu'est-il devenu ?

Lui : Il est mort à son tour quelques jours plus tard. Bien sûr, son organisme était usé, mais personne n'a su dire exactement de quoi il était décédé. (*Il laissa passer quelques secondes avant d'ajouter* :) Je sais qu'on peut se laisser mourir lorsque plus rien ne nous retient ici-bas...

20 h 1

Lui : Dernier procès que vous ayez gagné ?

Elle (*après une hésitation*) : On ne va pas perdre son temps à parler boulot...

20 h 2

Pendant un moment, ils écoutent sans parler le phrasé lascif de la chanteuse dont la voix joue avec les notes, tantôt mutine tantôt plus rauque. Ses chansons parlent de l'amour naissant et des traces laissées par la désillusion, le chagrin et le deuil...

20 h 5

Il la regarde pendant qu'elle s'enroule machinalement une mèche de cheveux autour du doigt.

20 h 6

Elle : Parfois j'ai l'impression que vous m'écoutez avec moins d'attention. C'est le décolleté de la serveuse qui vous déconcentre ?

Lui (*en souriant*) : Vous me faites une scène, là?

Elle : Ne rêvez pas !

Sur ce, elle se leva pour aller aux toilettes.

*

Resté seul, il s'aperçut qu'il était en plein désarroi.

Casse-toi d'ici, Sam. Barre-toi avant qu'il ne soit trop tard.

Cette femme était dangereuse. Il y avait une lueur dans son regard. Une expression douce et sincère dans son visage à laquelle il avait été trop sensible.

Car il n'était pas encore prêt. Bien sûr, pendant quelques minutes, il s'était senti léger, euphorique, tout-puissant, heureux. C'était une illusion qui était repartie aussi vite qu'elle était venue.

Il regarda sa montre et respira profondément. Pour se calmer, il posa son paquet de cigarettes sur la table mais cela le rendit encore plus nerveux. La loi interdisait désormais de fumer dans tous les bars et les restaurants de la ville. La « ville qui ne dormait jamais » avait succombé à la dictature du risque zéro.

Puis il repensa à ce que lui avait dit McQueen. Pourquoi pas « une partie de jambes en l'air »? Ouais, une bonne baise pour dire les choses plus crûment. Ce n'était pas un crime. Mais il chassa cette idée de son esprit : ce qu'il éprouvait pour cette Juliette n'était pas seulement de l'ordre du désir sexuel.

Et c'était bien là le problème...

Juliette referma sur elle la porte des toilettes, complètement paniquée.

Qu'est-ce qui m'arrive ? On ne peut quand même pas tomber amoureuse de quelqu'un en trois quarts d'heure !

Ce n'était pas le moment : elle repartait en France après-demain. Et puis elle n'était pas assez naïve pour croire à ce qu'on appelait ici *love at first sight*[1].

Contrairement à ce qu'on croit souvent, Manhattan n'est pas la ville de la romance. Les gens ne viennent pas ici pour trouver l'amour. On débarque à New York pour le business, pour réaliser ses ambitions professionnelles ou artistiques, rarement pour y chercher l'âme sœur.

Et, du point de vue affectif, Juliette devait bien reconnaître que ces trois années ne resteraient pas comme des millésimes impérissables. Au début, pourtant, elle avait fait des efforts. Elle s'était prêtée au jeu des *dates* mais n'avait jamais été à l'aise avec les rencontres à la sauce américaine.

Ici, les rendez-vous amoureux se prenaient sur Palm Pilot et ressemblaient à des entretiens d'embauche. La conversation tournait toujours autour du boulot et de l'argent. Tout était trop prévisible, trop codifié. Dans cette ville où quatre mariages sur cinq se terminaient par un divorce, un premier rendez-vous galant consistait à débiter son CV et à se poser la fameuse question : *combien gagnez-vous ?* – histoire de s'assurer qu'on rentabilisait bien son temps en discutant.

Très vite, la jeune Française avait renoncé à ces rituels qui lui donnaient plus le sentiment de passer le grand oral de l'ENA que de chercher la magie de l'amour.

Mais cette fois, c'était différent. Cet homme, Sam Galloway, n'était pas comme les autres. Dès qu'ils avaient commencé à parler, elle avait senti en elle comme une brûlure intense.

Non, arrête de te faire des films, ma petite, tu n'as plus seize ans !

---

1. L'amour au premier regard.

Juliette luttait pour ne pas perdre la maîtrise de ses émotions. Et puis il y avait ce mensonge énorme. Et une relation qui débute sur un mensonge ne peut pas bien se terminer. Cet homme allait la faire souffrir, elle en était sûre. Le mieux était peut-être de ne pas retourner dans la salle...

Elle leva les yeux au ciel et pesta contre le sort : juste au moment où elle avait décidé de se montrer plus raisonnable, voilà qu'une rencontre inattendue semait le trouble dans son esprit.

— Je n'ai pas besoin d'homme dans ma vie en ce moment ! affirma-t-elle tout haut comme pour s'en convaincre.

— Tant mieux pour toi, chérie, lui répondit une voix de femme depuis les toilettes d'à côté, ça en fera un de plus pour les copines !

Mortifiée, Juliette regretta de s'être laissée aller et quitta la pièce.

Sam était toujours là. Une force, puissante et invisible, le retenait scotché à son siège.

Alors, dans un dernier effort, il essaya de rationaliser ses émotions.

Le coup de foudre, ça n'existe pas, ou ce n'est qu'un phénomène biologique.

Son cerveau avait reçu des informations relatives à Juliette : sa façon de sourire, de se mordre la lèvre inférieure, la forme de son visage, la courbe de ses reins, son petit accent français... Un peu à la manière d'un ordinateur, il avait traité ces informations puis libéré dans son organisme des hormones et des neurotransmetteurs. Voilà pourquoi il s'était senti euphorique.

Tu vois, pas le peine de faire tout un plat pour une simple réaction chimique. Alors, maintenant, lève-toi et pars avant qu'elle ne revienne.

Sans se faire voir, Juliette demanda son manteau à l'une des hôtesses et se dirigea vers le palier des ascenseurs. Elle avait pris la bonne décision. La seule raisonnable. La porte de l'ascenseur s'ouvrit dans un bruit de carillon.

Elle hésita...

Il paraît qu'il y a des gens qui savent reconnaître le moment précis où leur destin est en train de se jouer.

Et si pour elle c'était maintenant ?

— Tout va bien ?
— Oui et vous ?

Elle venait de se rasseoir devant lui.

Il remarqua qu'elle avait repris son manteau. Elle remarqua qu'il avait récupéré sa veste.

Il termina son martini dry ; elle avala une ultime gorgée de son cocktail.

Pour la dernière fois, elle admira les lumières de la ville qui scintillaient comme des milliers d'étoiles. Elle avait l'impression d'être dans l'une de ces comédies romantiques avec Meg Ryan qui généralement s'achevaient en happy end. Elle savait que cela ne durerait pas.

Lorsque Sam constata qu'un flocon venait de s'écraser contre la vitre, il posa sa main sur l'avant-bras de Juliette.

— Vous avez un petit ami ?
— Peut-être, dit-elle pour ne pas céder trop facilement. Et vous ?
— Je n'ai pas de petit ami.
— Vous m'avez très bien comprise !

Alors que Sam ouvrait la bouche pour répondre, un flash traversa son esprit et le visage de Federica lui apparut soudain. Les cheveux au vent, elle marchait au milieu de l'eau, sur la longue promenade en bois de Key West. C'était lors d'une semaine de vacances, trois ans auparavant, l'une des brèves périodes où ils avaient vraiment été heureux.

Sam cligna plusieurs fois des yeux pour chasser cette image. Enfin, il regarda Juliette et articula :

— En fait... en fait, je suis marié.

7

L'amour est comme la fièvre, il naît et s'éteint sans que la volonté y ait la moindre part.

Stendhal

Ils n'échangèrent ni un mot ni un regard durant toute la descente. Ils avaient vécu un moment de grâce mais le charme s'était brisé et il était temps, à présent, de retrouver la terre ferme et avec elle l'envers du décor de leur petite vie.

— Je vous raccompagne ? proposa-t-il alors qu'ils sortaient dans le froid mordant de l'avenue.

— Non merci, fit-elle d'un ton pincé.

— Vous êtes à quel hôtel ?

— Ça ne vous regarde pas.

— Vous devriez peut-être me laisser votre numéro de téléphone au cas où...

— Au cas où quoi ? le coupa-t-elle en mettant ses deux poings sur ses hanches.

— Rien, vous avez raison.

Il la regarda avec regret. De la buée sortait de sa bouche et il la trouva encore plus belle lorsqu'elle était en colère.

Déjà, il se reprochait son mensonge. C'était pourtant la seule arme qu'il avait trouvée pour éviter de se mettre en danger et ne pas être malhonnête envers elle.

— Alors salut ! lui dit-elle en s'apprêtant à tourner les talons. Mes amitiés à votre femme !

— Attendez... commença-t-il pour la retenir.

— N'insistez pas : je ne donne pas dans les hommes mariés.

— Je comprends très bien.

— Vous ne comprenez rien. Vous êtes... vraiment tous les mêmes !

— Vous n'avez pas le droit de me juger, se défendit-il. Vous ne savez rien de ma vie, vous ne me connaissez pas...

— ... et je n'ai pas envie de vous connaître davantage.

— Très bien, merci quand même pour ce moment.

— Merci à vous de ne pas m'avoir écrasée, répondit-elle ironiquement. À l'avenir je vous recommande néanmoins un peu plus de prudence en conduisant...

Et toc !

— Merci du conseil.

— Ciao.

— C'est ça.

Juliette lui tourna le dos et partit en pressant le pas vers la bouche de métro la plus proche.

Jamais avec un homme marié : c'était une règle qui ne souffrait aucune exception. Elle n'avait peut-être pas d'argent, pas d'enfants, pas de vrai métier, pas de mec dans sa vie. Mais elle avait des valeurs. Et c'est à ces valeurs qu'elle s'était souvent raccrochée quand tout allait mal.

Sam s'était ravisé. Il lui courut après sur quelques mètres et l'attrapa par le bras.

Lorsque la jeune femme se retourna, Sam vit des larmes brûlantes couler en silence sur ses joues glacées.

— Écoutez, je suis désolé que cette soirée se termine si mal. Je vous trouve vraiment... adorable et, pour tout vous dire, je ne m'étais plus senti aussi bien avec quelqu'un depuis une éternité.

— Je suis sûre que votre femme sera enchantée de le savoir !

Elle se défendait et, en même temps, elle était troublée par les accents de vérité qu'elle percevait dans sa voix.

— Ce n'est pas bien de se quitter comme ça, affirma Sam.

— Lâchez-moi ! cria-t-elle en se débattant.

Des passants se retournèrent dans leur direction et lancèrent à Sam des regards accusateurs. Un policier en tenue s'approcha, bien décidé à remettre de l'ordre dans cette discussion.

— Ça va ! Ça va ! Mêlez-vous de vos affaires ! lança Sam en revenant sur ses pas.

Déjà le voiturier lui tendait les clés du 4 × 4 qu'il venait de ramener. Le policier lui ordonna de démarrer pour dégager la circulation. Sam regarda la jeune Française qui redescendait l'avenue.

— Juliette ! cria-t-il, mais elle ne se retourna pas.

Ne la laisse pas partir ! Trouve quelque chose, comme dans les films... Qu'aurait fait Cary Grant pour retenir Grace Kelly ? Qu'aurait fait George Clooney pour retenir Julia Roberts ?

Il n'en savait fichtrement rien.

Alors, il laissa un pourboire de vingt dollars au jeune voiturier et fit une manœuvre dangereuse pour reprendre la rue dans le bon sens. Il zigzagua un peu et parvint finalement à remonter au niveau de Juliette. Il baissa sa vitre et dit :

— Écoutez, la seule vérité sur cette terre, c'est qu'on ne sait jamais de quoi demain sera fait...

Elle semblait ne pas l'entendre mais il continua quand même :

— Il n'y a que le *présent* qui vaille la peine. Ici et maintenant.

Ses paroles étaient emportées par le vent et la neige.

Elle ralentit et le regarda avec un mélange de curiosité et de pudeur outragée.

— Et qu'avez-vous à me proposer, ici et maintenant ?

— Un seul jour et une seule nuit. En respectant deux conditions : pas d'attachement et aucune question sur ma femme. Elle n'est pas à Manhattan ce week-end.

— Allez vous faire foutre !

Blessé par ces dernières paroles, il n'insista pas et repartit tristement dans la nuit.

Elle le regarda s'éloigner en réalisant tout à coup qu'elle ne savait même pas où il habitait.

*

Sam avait tout gâché et il se sentait minable. Malgré la neige qui recommençait à tomber, il garda la fenêtre ouverte, espérant sans trop y croire que le vent qui fouettait son visage l'aiderait à oublier celui de Juliette.

Pendant tout le trajet jusqu'à son domicile, il ne pensa plus à rien, sauf à conduire plus prudemment comme elle le lui avait conseillé...

Juliette agita frénétiquement le bras pour arrêter un taxi à l'angle de la 45e et du All Star Café.

— Hôpital St. Mathew's, s'il vous plaît, indiqua-t-elle en prenant place sur le siège défoncé.

— *Where is it ?* demanda le chauffeur, un jeune homme enturbanné à la peau cuivrée.

— Roulez, je vous indiquerai en chemin, ordonna Juliette qui ne se laissait plus impressionner par cette main-d'œuvre fraîchement débarquée connaissant aussi bien la ville qu'un touriste arrivé la veille.

Sam arriva à Greenwich Village et dénicha miraculeusement une place à moins de cent mètres de chez lui, dans un quartier résidentiel de petits immeubles aux façades brunes et aux perrons en pierre.

Il habitait une jolie maison de briques à deux étages, juste derrière Washington Square, dans une ruelle pavée bordée d'anciennes écuries aujourd'hui transformées en charmants appartements que beaucoup de New-Yorkais enviaient.

Cette habitation au charme discret appartenait au propriétaire d'une prestigieuse galerie d'art de Mercer Street. Sam avait guéri son fils trois ans auparavant et, pour le remercier, l'homme lui louait la maison avec un loyer raisonnable. Sam trouvait cet appartement trop luxueux mais, à l'époque, il l'avait accepté pour que Federica puisse installer son atelier à l'étage.

Alors qu'il ouvrait la porte sur une maison froide et lugubre, un flash le frappa sans prévenir et l'espace d'un instant, le visage rayonnant de la jeune Française illumina le labyrinthe de ses idées noires.

— Attendez-moi ici, je n'en ai pas pour longtemps.

Le taxi avait conduit Juliette jusqu'à l'entrée principale de l'hôpital. La jeune femme s'avança vers les portes automatiques d'un pas décidé. Etait-elle vraiment une bonne actrice ? Elle allait le savoir tout de suite. Si c'était le cas, elle réussirait à dégotter l'adresse de Sam Galloway. Au temps de sa splendeur, quelqu'un comme Meryl Streep y serait parvenue. Bien sûr, elle n'était pas Meryl Streep, mais elle était déjà un petit peu amoureuse et, dans le cas présent, ça pouvait sûrement aider.

Juliette vérifia sa montre, prit sa respiration et pénétra dans l'hôpital comme en apnée.

Alors qu'elle se dirigeait vers le bureau d'accueil, elle leva la tête, fit attention à bien se tenir droite et rejeta ses cheveux en arrière. En un éclair elle s'était composé un air pincé et patricien. Un de ces airs qui ne s'acquièrent normalement que par la naissance sauf si l'on est une bonne actrice.

— Je voudrais voir Sam Galloway, s'il vous plaît, demanda-t-elle d'un ton à la fois poli et un peu hautain.

L'employée de l'accueil vérifia sur son planning ce qu'elle savait déjà :

— Désolée, madame, le docteur Galloway a quitté son service il y a trois heures.

— C'est ennuyeux, répondit Juliette d'un ton contrarié, nous avions rendez-vous ici.

Juliette tira son téléphone cellulaire et fit mine de composer un numéro.

— Son portable est coupé, expliqua-t-elle à l'employée en la prenant à témoin.

Puis elle fouilla dans son sac et en sortit une liasse de papiers (les programmes des spectacles) qu'elle agita dans tous les sens pour qu'on ne puisse pas les déchiffrer.

— Ces contrats ne seront jamais signés à temps, se désespéra-t-elle en feignant la panique.

— Ça ne peut pas attendre ?

— Non, c'est très urgent. Je dois les remettre demain à la première heure !

— C'est à ce point important ?

— Si vous saviez...

L'employée fronça les sourcils en signe d'intérêt.

Alors, Juliette comprit que c'était presque gagné. Elle se rapprocha encore plus près et, du ton de la confidence :

— Laissez-moi d'abord me présenter : Juliette Beaumont, je suis avocate...

Sam avait allumé un feu de cheminée. La neige était fréquente à New York mais la tempête accroissait encore la sensation de froid. Alors que l'appartement se réchauffait, le médecin retira son manteau, sa veste et ébouriffa ses cheveux.

Le salon était la pièce la plus accueillante de la maison, en partie grâce à la petite baie vitrée tout en arrondi qui donnait sur la rue. Le mobilier hétéroclite lui donnait un air bon enfant. Dans un coin, un électrophone ancien côtoyait un piano des années 1930 récupéré dans une église en face duquel trônait un canapé en cuir vieilli. Quelque chose pourtant aurait pu troubler le visiteur occasionnel : au mur tous les cadres étaient vides. Sam avait en effet retiré les tableaux et les photos de Federica. Ne restaient que des bordures ouvragées qui dégageaient quelque chose de fantomatique et de mystérieux. Sam parcourut les rangées de vieux vinyles achetés d'occasion à Grey Market : Bill Evans, Duke Ellington, Oscar Peterson... La voix de Juliette qui lui trottait encore dans la tête le conduisit vers quelque chose de très doux : *You Are So Beautiful To Me* chanté par le Joe Cocker des débuts.

Il posa le disque sur l'électrophone et se laissa tomber lourdement sur le canapé.

Il ferma les yeux, tellement ivre de fatigue qu'il savait qu'il ne s'endormirait pas. Ces derniers temps d'ailleurs, il trouvait si rarement le sommeil qu'il ne prenait même plus la peine de se glisser dans la fraîcheur d'un drap. Il s'allongeait quelques heures sur le canapé – ou sur un lit d'hôpital les soirs de garde – et il restait là, flottant dans une demi-conscience jusqu'aux premières lueurs de l'aube, avant de repartir vers une nouvelle journée, jamais vraiment reposé.

Des bribes de la soirée, portées par la musique, flottaient dans son esprit. Mais la fatigue l'empêchait de réfléchir clairement. Fallait-il se féliciter d'avoir été raisonnable ou se maudire pour avoir tout gâché ? En se posant cette question, il pensa au père Hathaway, un prêtre atypique qui avait accompagné son enfance et empêché quelques gosses de Bed-Stuy – dont lui-même – de franchir la barrière de la délinquance. Lucide sur la nature humaine, il répétait souvent : « L'homme ne résiste pas à la tentation, c'est pourquoi il doit l'éviter. »

Soudain, la voix de Joe Cocker dérailla comme si la maison venait d'être touchée par une petite secousse. Sam ouvrit les yeux : la pièce entière était plongée dans le noir.

Il allait se diriger vers la boîte à fusibles lorsqu'il se dit que la panne d'électricité était peut-être générale. Il écarta les rideaux et regarda par la fenêtre. Noyée dans l'obscurité, Manhattan n'était plus éclairée que par les phares des voitures et par la blancheur de la neige qui phosphorait dans la nuit.

Sam alluma quelques bougies et ajouta une bûche dans la cheminée. Puis il prit soin de bien dégager le toit de la petite verrière qui croulait sous une couche blanche et glacée.

Tout à coup, une bande lumineuse traversa le plafond. Sam se pencha à la fenêtre. La neige brillait davantage :

un taxi venait de déposer quelqu'un au début de Washington Mews.

C'était une femme.

Un peu désorientée, elle s'avançait dans la ruelle, laissant à chacun de ses pas une empreinte discrète que les flocons tombant en rafale s'empressaient de combler.

Juliette tremblait de froid et d'appréhension. Son cœur battait comme jamais. Perdue dans l'obscurité, elle avait du mal à se repérer parmi les numéros des maisons. Alors, elle se laissa guider par l'intuition.

À quelques mètres d'elle, une lourde porte bleu nuit s'ouvrit doucement. Sam s'avança vers elle.

Dans son regard, elle retrouva cette flamme intense qu'elle avait déjà remarquée. Ces yeux vairons bleu et vert, pailletés d'or, qui brillaient dans la nuit comme une émeraude.

Grisée par l'ivresse de l'inconnu, elle s'abandonna complètement à l'instant présent. Car elle savait bien que, dans une relation, les quelques secondes qui allaient suivre étaient souvent les plus belles, celles que l'on n'oubliait jamais : le moment magique juste avant le premier baiser.

*

D'abord, il y a deux lèvres qui s'effleurent et qui se cherchent. Puis deux souffles qui se mêlent dans le froid. C'est un baiser caressant qui devient presque morsure. Un baiser dans lequel on atteint ce qu'il y a de plus intime en l'autre.

Sans aucune retenue, le corps de Juliette se plaque contre celui de Sam.

Tout de suite, elle ressent pour lui quelque chose de violent et de destructeur. Une attirance chargée de fascination et de crainte. Une brûlure intense, une merveilleuse douleur...

Sam l'attire à l'intérieur et referme la porte sans cesser de l'embrasser.

Il la débarrasse de son manteau qui glisse sur le sol.

Elle lui déboutonne sa chemise avant de l'envoyer valser sur l'une des lampes de chevet. Ses mains tremblent un peu.

Il lui ôte sa veste. Dans la précipitation, un bouton craque et tombe par terre.

Tant pis pour le tailleur de Colleen.

Elle remarque une cicatrice en forme d'étoile juste sous son épaule.

Il l'embrasse dans le cou alors qu'elle rejette la tête en arrière.

Elle lui mord les lèvres puis, dans le même mouvement, l'embrasse très doucement comme pour cicatriser la plaie.

Elle lève les bras pendant qu'il lui retire son pull.

Il lui défait sa jupe, qui glisse le long de ses jambes. Elle se love contre lui.

La pièce est toujours baignée d'une douce pénombre. Contre un mur, Juliette distingue un large bureau recouvert de piles de livres. Sans aucune théâtralité, Sam le débarrasse en deux secondes en envoyant tout valdinguer.

Elle s'assoit sur la place ainsi libérée. Il lui retire ses mocassins puis ses collants.

Il promène lentement son index le long de ses lèvres alors qu'elle lui déboutonne son jean.

Elle a les joues brûlantes, comme si un sang nouveau irriguait tout son corps. Elle se penche sur lui et goûte le velouté de sa peau. Il a un parfum de cannelle.

Les yeux accrochés au visage de l'autre, elle lui prend les mains et les guide vers ses seins. Ses mains puis sa langue parcourent sa poitrine et glissent jusqu'à son ventre. Il respire sa peau qui sent la lavande. Elle ancre son regard dans le sien. Il l'enveloppe de ses bras. Elle lui entoure la taille de ses jambes. Il attire son visage vers le sien pour l'embrasser encore. Elle le trouve étonnamment tendre, un peu comme s'il redoutait de lui briser les os sous ses caresses.

Pour lui, jamais ça n'a été comme ça. Pendant tout le temps que dure leur étreinte, ses sens sont comme amplifiés. Il entend son cœur qui cogne dans sa poitrine et le bruit intense de sa respiration. Il se sent perdu, hors de lui, désemparé, comme si un autre homme avait pris le contrôle de son corps. Et en même temps, il est davantage lui-même qu'il ne l'a jamais été auparavant.

Puis il n'y a plus ni de *lui* ni de *elle*, ni d'avant ni d'après, ni de nord ni de sud. Juste le mélange de deux exilés sur un continent inconnu. L'incendie de deux solitudes qui s'accrochent l'une à l'autre. Sur une autre planète, sous un autre ciel, dans une petite maison recouverte par la neige, là-bas à Manhattan.

*

Allongé en travers du lit, Sam avait posé sa tête sur le ventre de Juliette. La jeune femme fit glisser sa main dans les cheveux de son amant. Elle se sentait bien. Son corps lui semblait neuf, comme régénéré.

Un peu empruntés, ils avaient du mal à parler. Sans mentionner son usurpation d'identité, elle lui raconta brièvement comment elle avait « retrouvé sa trace ». Il répondit qu'il était heureux qu'elle soit venue. Lorsqu'ils ne surent plus quoi dire, les baisers remplacèrent les paroles et c'était très bien comme ça.

Plus tard, curieuse, elle parcourut les rayonnages de la bibliothèque, remarqua les cadres vides mais, comme elle s'y était engagée, ne posa aucune question à propos de sa femme.

À 2 heures du matin, ils décidèrent qu'ils avaient faim. Comme il n'y avait plus rien dans le frigo, Juliette enfila son manteau et brava le froid jusqu'à une petite épicerie qui ne fermait jamais, juste derrière Washington

Square. Elle fut de retour quelques minutes plus tard, rapportant tout un assortiment de *bagels*, du *cream cheese*, une boîte de jus de pamplemousse et un paquet de bonbons.

Elle s'enveloppa dans la couverture et vint se blottir au creux de lui. Comme des enfants, ils s'amusèrent à faire griller des marshmallows piqués sur de longues tiges en métal. Puis elle ouvrit la boîte de jus de fruits, en prit une gorgée et, se penchant sur Sam, lui en fit boire à même sa bouche.

Ils finirent par s'endormir côte à côte, en écoutant le vent qui, dehors, soufflait dans la nuit. Ils percevaient, lointain mais distinct, le bourdonnement si typique des klaxons et des sirènes qui donnait parfois l'impression d'habiter une ville en état de siège.

*

À 4 heures du matin, Sam se réveilla brusquement. L'électricité était revenue et le poste de télé, resté allumé dans la cuisine, diffusait des images en sourdine.

Il se leva pour l'éteindre. Machinalement, il fit défiler quelques chaînes, qui eurent sur lui l'effet d'une piqûre de rappel : dehors, la vraie vie continuait et l'actualité quotidienne n'oubliait pas de fournir son quota d'angoisse, de victimes et de folie humaine.

Un bus venait d'exploser quelque part au Moyen-Orient, occasionnant une vingtaine de morts. Un gigantesque incendie s'était déclaré dans une prison d'Amérique du Sud. Bilan : cent trente corps carbonisés, car l'administration avait « oublié » de déverrouiller certaines cellules. Pendant ce temps, au Japon, un célèbre couturier présentait sa nouvelle collection de vêtements pour chien avec, en point d'orgue, une parure pour caniche en fourrure et diamants à quarante-cinq mille dollars. Sur la chaîne science, pendant que d'éminents professeurs n'en finissaient pas de débattre sur les causes du réchauffement climatique, la banquise continuait de fondre. Un énorme bloc de glace, de la taille du New Jersey, venait encore de se détacher de l'Antarctique et dérivait, solitaire, sur une mer de larmes.

À la fois hypnotisé et effrayé par ces dérèglements de la planète, Sam resta un long moment devant la télé, emporté par une sorte de compassion par écran interposé.

Heureusement, une nouvelle coupure de courant le délivra de cette grande tourmente et il retourna s'allonger près de l'ange endormi dans la pièce d'à côté.

8

L'air n'est plus que rayons tant il est semé d'anges.

Agrippa d'Aubigné

Les rideaux de mousseline qui encadrent la fenêtre laissent passer beaucoup de lumière et, de ce fait, ne favorisent pas les grasses matinées.

Depuis quelques minutes déjà, Juliette sent qu'un rayon de soleil essaie perfidement de s'insérer sous ses paupières à la manière d'un pêcheur qui chercherait à ouvrir une huître avec son couteau. Elle résiste tant bien que mal à cet ennemi jusqu'à ce que Dan Arthur, l'horripilant présentateur de Manhattan 101.4, vienne hurler dans ses oreilles grâce à la « magie des ondes » :

Bienvenue sur Manhattan 101.4.

Il est 9 heures, déjà 9 heures ! Y a-t-il encore des paresseux au lit à cette heure ? Je ne veux pas le croire ! D'autant que le soleil a refait son apparition sur la ville. Au programme aujourd'hui : luge dans Central Park, ski de fond et bataille de boules de neige...

Bonne nouvelle : les aéroports ont rouvert leurs portes et tous les vols du week-end pourront être assurés. Attention toutefois au verglas et à l'effondrement des toits sous le poids de la neige. Les autorités nous signalent aussi que deux personnes ont succombé à une crise cardiaque en dégageant les abords de leur maison avec une pelle.

Prudence donc...

En attendant, restez branchés sur Manhattan 101.4, la radio des lève-t...

La tirade de Dan Arthur est brisée net dans son envol. Sam vient de balancer un coup bien dosé avec la paume de sa main, suffisant pour faire taire le présentateur sans pour autant broyer totalement le radio-réveil.

Juliette se lève d'un bond. Même si elle a dormi comme un bébé, l'angoisse du matin l'envahit tout entière. Hier soir, tout s'est précipité dans l'urgence du désir mais ce matin, elle pense qu'elle doit être affreuse, que son mascara a sûrement coulé, qu'elle doit absolument se précipiter dans la salle de bains pour se faire une nouvelle tête et se redonner un peu de fraîcheur.

Qu'est-ce qu'on est censé faire après une nuit comme celle-là ? Ramasser ses affaires, salut, merci, et rejoindre son appartement ?

Mais Sam l'attire vers lui et, d'un baiser incandescent, répond déjà un peu à sa question.

*

D'abord, elle l'emmène dans un petit café dissimulé derrière une porte sans enseigne. Cet établissement, presque secret, est tenu par une Française originaire d'un petit village de verriers dans les Alpes-Maritimes. Depuis les nappes à carreaux vichy jusqu'aux boîtes anciennes de Chicorée Leroux et de Banania sur les étagères, tout a été conçu pour recréer l'atmosphère d'un ancien café de village. La peinture jaune paille qui éclaire les murs, les vieilles affiches publicitaires et le carrelage en terre cuite font davantage ressembler l'endroit à un *chez-soi* qu'à un café traditionnel.

L'adresse est connue de quelques habitués qui en gardent jalousement le secret pour éviter que l'endroit ne se transforme en nid à touristes.

C'est dans ce petit bout de France au cœur de l'Amérique que Juliette explique à Sam les délices du vrai café au lait et des tartines à la confiture pendant que, dans le fond de la pièce, un vieil appareil à cassettes diffuse des standards des années 1960. À un moment, la jolie voix de Françoise Hardy entonne l'un de ses succès. Juliette fredonne le refrain avec « Françoise ». Sam, intrigué, demande de quoi parle la chanson. Juliette lui en traduit quelques paroles qui disent :

...tu ressembles à tous ceux qui ont eu du chagrin
mais le chagrin des autres ne m'intéresse point
parce que les yeux des autres sont moins bleus que les tiens...

Puis ils se baladent un moment dans les petites ruelles sinueuses et paisibles de Greenwich Village. Le ciel brille d'un éclat métallique et toute la ville est recouverte d'une coque de givre, craquante et brillante. À Washington Square, ils lanternent au milieu des étudiants de la NYU, la plus grande université de la ville qui occupe plusieurs *blocks* dans le quartier.

Pour l'instant, tout va bien.

Scotchés comme deux adolescents, leurs doigts s'entre-mêlent et ils s'embrassent à chaque coin de rue.

Il est 11 heures. À cause de la neige, certains distributeurs automatiques proposent encore les vieux journaux de la veille et c'est bien la première fois que Juliette voit ça à New York, la ville où le temps ne s'arrête jamais.

Mais le temps ne va pas s'arrêter longtemps.

Midi. Ils font une halte chez Balducci's, une épicerie italienne réputée du Village. Les étalages et les vitrines regorgent de légumes d'hiver, de fruits de mer et de plats cuisinés.

Une délicieuse odeur de café et de biscuit règne à l'intérieur. Comme souvent, le magasin est bondé mais il paraît que cela fait partie du charme.

Juliette prend les choses en main et, légère, court de rayon en rayon pour choisir les ingrédients d'un pique-nique sur le pouce : pain au sésame, *pastrami*[1], *cheesecake*, *pancakes*, sirop d'érable du Vermont...

Puis ils déjeunent sur un banc de Central Park en face de la mare aux canards qui est toute gelée.

Au dessert, elle humecte de salive une serviette en papier, se penche vers Sam et lui essuie une goutte de sirop qui coule sur sa lèvre.

Un froid sec et pur remplit l'atmophère. L'air brûle comme le feu mais le ciel est sans nuage. Sam disparaît quelques instants. Pour se réchauffer, Juliette sautille d'un pied sur l'autre et se frotte les mains.

— Pour éviter l'hypothermie ! dit-il en revenant avec un grand café acheté à un vendeur ambulant. Tous les deux appliquent leurs quatre mains sur le gobelet fumant. Leurs visages se touchent presque. Juliette baisse les yeux en souriant. Aucun homme ne l'a jamais regardée si intensément.

Plus tard, elle lui passe du Dermophil indien sur ses lèvres gercées puis l'embrasse, puis lui repasse du Dermophil, puis l'embrasse, l'embrasse, l'embrasse...

Alors qu'ils traversent Gapstow Bridge, une vieille femme, style gitane, leur demande poliment un dollar. Sans faire d'histoires, Sam lui en donne cinq. La femme leur propose alors de faire un vœu avant d'atteindre la fin du pont.

Chiche ?

C'est l'après-midi. Il la filme avec un petit caméscope numérique qu'il utilise généralement pour garder la trace de certaines interventions médicales. Il la suit à travers les rues de la ville : Madison, la 5ᵉ, Lexington... Devant sa caméra, elle danse, court, rit, chante. Elle a l'impression d'avoir dix-sept ans. Ses yeux sont pleins d'étincelles et son sourire facétieux. À travers le regard de Sam elle se sent belle et neuve, « autre » et pourtant « elle-même ». Pendant un moment, elle en oublie toutes

---

1. Viande de bœuf marinée, cuite et légèrement fumée.

ses inhibitions et ses angoisses. Avec étonnement, elle constate combien l'estime de soi est fragile et dépend étroitement du regard de l'être aimé. Et combien quelques heures magiques peuvent colorer des années d'humiliation et de petite vie.

De son côté, Sam est fasciné par l'énergie et la gaieté de Juliette. Elle est douée pour la vie. Lui non. Tout, dans son histoire personnelle, l'incite à se méfier des instants de bonheur comme s'ils étaient contre nature. Depuis toujours, il s'est conditionné pour être capable d'accepter le pire et il a du mal à faire tomber ses défenses. Le bonheur n'était pas prévu dans son agenda. Il ne l'attendait pas. En tout cas, pas sous cette forme.

Et le bonheur est si fugace...

Déjà, le soleil se couche au-dessus de l'Hudson et colore le ciel d'orange et de rose.

C'est le début de soirée, dans la salle de bains de l'appartement de Sam. Ils sont allongés ensemble dans la baignoire. Sur l'une des armoires de rangement, à côté d'un vase bleu cobalt, Juliette se saisit d'un flacon d'huile parfumée et transforme le bain en une fontaine de sensualité. En quelques secondes, l'air est saturé de vapeur enivrante au parfum de lavande.

Il lui dit qu'elle est son printemps, son Noël. Elle lui fait des déclarations enflammées, lui récite des bouts de poèmes, tout ça en français pour qu'il ne la comprenne pas, pour ne pas avoir honte, pour qu'il ne se moque pas de sa naïveté.

Elle s'endort un moment, ou peut-être fait-elle semblant. Pendant ce temps, il cherche à la deviner à travers les mouvements de son souffle. Il l'imagine angoissée, utopique, aimante et généreuse...

Elle repense brièvement à sa sœur, au gendarme de Limoges, à la Mégane Renault. Mais maintenant, tout cela lui paraît insignifiant, lointain, médiocre. Elle s'en fout puisqu'elle est avec lui.

Aucun des deux ne croit au destin. Ils ne croient qu'au hasard qui, pour une fois, a bien fait les choses.

Ils prennent même plaisir à remarquer qu'il ne s'en est fallu que d'un cheveu qu'ils soient passés à côté l'un de l'autre sans jamais se voir. Cent fois ils revivent la scène de leur rencontre. Sam lui explique qu'il ne traverse normalement jamais Times Square pour rentrer. Juliette raconte qu'elle non plus n'avait pas prévu de sortir, que tout s'était précipité au dernier moment, par un étrange *concours de circonstances*.

Décidément, la vie est bien faite, pensent-ils en bénissant les caprices du hasard. Car, soyons réalistes, de quoi peut donc dépendre le cours des événements si ce n'est du hasard ? Dans le tourbillon du quotidien, c'est le grain de sable qui fait basculer les existences. Un petit clou traîne sur la chaussée. Votre père roule dessus en se rendant à la gare. Le temps de changer de pneu et il loupe son train. Il arrive à attraper le suivant, s'installe dans un compartiment. « Contrôle des billets, Messieurs Dames ». Mince, il a oublié de composter le sien. Heureusement, le contrôleur est dans un bon jour. Il lui propose même de venir s'asseoir en première classe où il reste des places. Et c'est là que votre père rencontre votre mère. Echanges de sourires, conversation, bons mots et mots de passe. Et neuf mois plus tard, vous voilà. À partir de là, tout ce que vous allez vivre pendant votre passage sur la terre n'aurait jamais existé si, ce matin-là, un petit clou rouillé de trois centimètres ne s'était pas trouvé exactement à cet endroit-là. *Par hasard*. Voilà à quoi tiennent nos glorieuses existences : à un clou, à un écrou mal vissé, à une montre qui avance, à un train qui a du retard...

Ni Sam ni Juliette ne croient donc au destin. Pourtant, dans quelques heures, l'un d'eux, dans des circonstances dramatiques, va être amené à changer d'avis. Peut-être qu'au fond rien n'est totalement fortuit. Peut-être que certains événements doivent se produire coûte que coûte.

Comme s'ils étaient déjà consignés dans une sorte de livre du destin.

Un peu à la manière d'une flèche tirée depuis la nuit des temps et qui aurait toujours su où et quand elle devait frapper...

Mais pour l'instant tout va bien. Il est 22 h 30. Ils dînent dans un restaurant installé sur une péniche amarrée à quai, face à l'Hudson. La vue sur le pont de Brooklyn est impressionnante.

Un courant d'air parcourt la salle.

Elle lui dit dans un sourire :

« Je n'ai pas gardé mon manteau, je sais qu'avec toi ce n'est pas la peine. »

Pour la deuxième fois de leur histoire, il lui passe sa veste autour des épaules.

Dans la nuit du samedi à dimanche, ils ne dorment pas. Ils ont tellement de choses à se dire, tellement d'amour à faire. Et chaque fois, c'est comme une lévitation permanente, une tornade intérieure, une projection vers l'infini.

Ils ressentent une multitude de désirs satisfaits simultanément, un choc amoureux dans lequel chacun apporte à l'autre exactement ce qui lui manque. Elle sent en lui une force et une assurance qui lui ont toujours manqué. Il devine en elle une liberté et une douceur qui lui feront toujours défaut.

Des gouttes de sueur perlent sur son front. Comme la veille, elle quitte l'appartement quelques minutes pour se ravitailler dans le petit *deli* derrière Washington Square. Le froid et la nuit ont vidé le quartier, et alors qu'elle traverse la place, elle se plaît à croire, l'espace d'un instant, que la ville lui appartient.

Cette fois, elle rapporte des bougies colorées et une bouteille à la forme longue et étroite contenant de l'*ice wine* : le vin de glace de l'Ontario. Juliette sort la bouteille du sac de papier kraft et s'approche de Sam avec un sourire pragmatique.

— De toute façon, je crois que nous n'en sommes plus à une décadence près...

Il verse le liquide jaune paille dans un grand verre où ils trempent leurs lèvres à tour de rôle. Il n'a jamais bu quelque chose de semblable. Elle lui explique que ce vin particulier est réalisé à une température de moins dix degrés, à partir de raisins gelés qui sont pressés dans cet état afin que les cristaux de glace restent dans le pressoir.

Le nectar est doux et sucré avec des arômes de pêche et d'abricot qui donnent un goût de miel à leurs baisers.

Ils se resservent un verre et encore un autre. Puis leurs corps se mélangent et la nuit devient vertige.

Les aiguilles tournent et c'est déjà dimanche. Le soleil inonde le salon. Juliette a passé l'une des chemises bleu gauloises de Sam et porte un de ses caleçons. Recroque-villée sous les coussins du canapé, elle parcourt le *New York Times* du week-end qui compte plus de trois cents pages. Sam a préparé du café noir et joue du piano. Mais il laisse passer plein de fausses notes : normal, il n'arrête pas de regarder la femme sur son canapé comme si elle était une œuvre d'art.

Plus tard dans la matinée, ils vont faire un tour du côté de Sutton Place aux abords de la promenade qui borde l'East River. Comme sur l'affiche d'un film de Woody Allen, ils sont assis sur un banc avec, à l'arrière-plan, le Queensboro Bridge qui s'élève massivement pour enjam-ber Roosevelt Island. Au milieu du vent et du bruit des vagues, chacun se perd dans la chaleur de l'autre. Juliette ferme les yeux comme pour mieux s'abandonner au moment présent.

Emportée par une vague de mélancolie évanescente, elle comprend qu'elle est déjà en train de se fabriquer des souvenirs qu'elle portera en elle pendant longtemps. Elle sait qu'elle n'oubliera jamais rien de lui, ni la forme de ses mains, ni le goût de sa peau, ni l'intensité de son regard.

Elle sait aussi que ces instants de bonheur ne lui appartiennent pas complètement puisqu'elle n'est pas « Juliette Beaumont, avocate ».

Mais qu'importe, elle engrange les images de ces moments volés et se les projettera les soirs de solitude comme un vieux film dont on ne se lasse jamais.

Car l'éclat de quelques heures de bonheur suffit parfois à rendre tolérables les désillusions et les saloperies que la vie ne manque pas de nous envoyer.

9

Mais la vie sépare ceux qui s'aiment...

Jacques Prévert

Dimanche, 16 heures

Pourquoi ai-je accepté qu'il vienne ? se demandait Juliette dans le taxi qui la conduisait à l'aéroport.

Elle avait quitté Sam en fin de matinée pour aller prendre ses bagages et se changer pour le voyage.

Sam avait proposé de venir la rejoindre devant le comptoir d'enregistrement de JFK. Elle aurait dû refuser tout net car elle ne se sentait pas assez forte émotionnellement pour s'infliger une scène d'adieux déchirants. Mais comme elle était amoureuse – donc faible – elle avait dit oui.

Un soleil radieux éclaboussait les vitres du taxi qui la déposa devant le hall des départs. Le chauffeur l'aida à décharger ses deux lourdes valises. Juliette leva les yeux et regarda les énormes lettres DEPARTS qui surmontaient cette partie de l'aérogare. Dieu sait pourquoi, elle repensa à ce que lui avait dit cet homme étrange qu'elle avait rencontré l'avant-veille dans le coffee shop : « Rien n'est jamais anodin mais on n'appréhende pas toujours correctement les répercussions de ses actes. Il fallait que vous en ayez conscience avant votre départ. » Ces dernières paroles surtout résonnaient bizarrement : « Avant votre départ. »

Elle posa ses valises sur un chariot et franchit les portes automatiques. Mentalement, elle souhaita que Sam ne soit pas venu.

Sam gara sa voiture dans l'un des parkings souterrains et emprunta la longue passerelle qui menait au terminal des départs.

Il n'aurait pas dû venir, il le savait. Pour s'en convaincre, il avait enclenché dans sa tête le disque de la raison. Certes, ils venaient de vivre un printemps de deux jours comme s'ils étaient seuls au monde, sans repère. Mais tout ça n'était qu'une illusion dangereuse, il en était conscient. Il aurait fallu plus de temps pour que leur amour naissant s'établisse sur des bases solides.

La vérité c'est qu'il était complètement déstabilisé, dépassé par quelque chose dont il ne soupçonnait même pas l'existence. D'un côté, il flottait encore sur son nuage mais de l'autre, il nourrissait des remords d'avoir menti à propos de Federica. S'il disait maintenant la vérité à Juliette, pour qui le prendrait-elle? Pour un type psychologiquement perturbé, c'est sûr. Et d'ailleurs, n'était-ce pas ce qu'il était?

Il traversa le hall jusqu'à l'écran d'information. D'un coup d'œil, il repéra la zone de *check in* et s'y précipita.

Une grande activité régnait dans cette partie du terminal. Il chercha Juliette et ne fut pas long à la voir. Elle faisait la queue pour enregistrer ses bagages. Pendant un moment, il la regarda sans se montrer. Son tailleur BCBG avait fait place à une tenue plus décontractée. Elle portait un jean élimé retenu par une ceinture à boucle, un pull bariolé, une veste en daim et une longue écharpe en laine multicolore. Sur son épaule un sac reporter en cuir clair et à ses pieds une paire de Converse à écussons

Elle n'avait plus du tout l'air d'une avocate mais plutôt d'une étudiante bohème des seventies. Il la trouva plus jeune, plus simple, plus belle.

– Salut, dit-il en la rejoignant sous l'œil sévère d'un père de famille débordé par sa marmaille.

— Salut, répondit-elle d'un air faussement dégagé.

Il lui mit la main sur l'épaule et attendit à côté d'elle. Déjà si éloignés, encore si proches, ils étaient tous les deux empruntés et maladroits, n'osant presque plus se regarder ou se parler. Il avait suffi de quelques heures d'absence pour que leur complicité se transforme en gêne.

Lorsque le tour de Juliette arriva, Sam l'aida à poser ses valises sur le tapis puis lui proposa de prendre un café. Absente, elle le suivit comme un automate, comme si elle était déjà de l'autre côté de l'Atlantique, là-bas, en France.

La cafétéria, toute en longueur, donnait directement sur les pistes. Juliette s'installa à l'une des tables accolées à la baie vitrée tandis que Sam s'occupait des consommations. Il se commanda un *caffelatte* et, pour elle, un *caramel macchiato*.

Il posa leur plateau sur la table avant de s'asseoir en face d'elle. La tête ailleurs, elle fuyait son regard. Il la regarda plus attentivement. Sur sa veste en daim, il remarqua un badge qui proclamait *I survived NY* puis un autre qui conseillait : *No war – Make love instead.*

Il prit son courage à deux mains et brisa le silence en essayant de faire parler la voix de la raison :

— Je crois qu'on s'est un peu jeté dans les bras l'un de l'autre sans réfléchir...

Elle fit comme si elle n'avait rien entendu et prit une gorgée de café en regardant un avion atterrir au loin sur l'une des pistes du tarmac.

— On a brûlé les étapes... Je ne te connais pas vraiment et toi non plus. Nous venons de deux mondes différents, de deux pays différents...

— C'est bon, j'ai compris le message, le coupa-t-elle.

Une mèche de cheveux tombait sur son visage. Il approcha sa main pour la lui glisser derrière l'oreille mais elle le repoussa.

Il fit une nouvelle tentative, croyant se montrer gentil en disant :

— Mais si tu repasses à New York...

— C'est ça, si je repasse à New York, si ta femme n'est pas là et si tu as envie de tirer un coup, ça serait sympa de se revoir.

— Ce n'est pas ce que je voulais dire.

— Laisse tomber, répondit-elle en l'envoyant balader d'un geste de la main.

Il insista :

— Je pensais que les règles étaient claires...

— *Fous-moi la paix avec tes règles !* cria-t-elle en français.

Puis elle se leva si brusquement que son gobelet de café valsa et s'écrasa sur le sol. Et c'est seulement à cet instant que Sam comprit combien il l'avait blessée.

Sous un murmure réprobateur, Juliette traversa la salle et quitta la cafétéria en tentant de conserver un semblant de dignité.

Dans les conversations des tables voisines, le mot *French girl* revenait plusieurs fois comme s'il était évident que seule une Française pouvait se comporter ainsi...

Son billet à la main, elle courait vers la salle d'embarquement, se mordant les lèvres pour ne pas pleurer.

Au fond d'elle-même, Juliette savait que Sam n'avait pas tout à fait tort.

Bien sûr que deux jours de passion ne suffisaient pas pour bâtir un couple. Bien sûr que la magie d'un coup de foudre ne présageait pas de la compatibilité de deux êtres à long terme. Et puis Sam était marié, il vivait à six mille kilomètres de Paris et surtout – et pour elle c'était le plus important – elle l'avait trompé sur son véritable statut social.

La tête baissée, elle courait, perdue dans ses réflexions et dans sa peine. Soudain, elle se rendit compte qu'elle avait laissé ses lunettes de myope dans sa valise et qu'elle peinait à lire les panneaux indicateurs. Au premier étage, elle se trompa de direction, revint sur ses pas puis prit par mégarde un escalator en sens inverse. Forcément, elle bouscula quelques voyageurs, ce qui lui valut de se faire durement rabrouer par un policier.

Déjà, elle trouvait que c'était la pire journée de sa vie. Mais elle n'avait encore rien vu...

Mesdames et messieurs, nous allons commencer l'embarquement du vol 714 pour Paris/Charles-de-Gaulle en porte 18. Veuillez vous munir de votre carte d'embarquement ainsi que de votre passeport. Nous invitons d'abord les passagers dont le siège est compris entre les rangées...

*

Absente, elle se prêta au cinéma sécuritaire des aéroports, ôta ses chaussures, défit sa ceinture, présenta machinalement son billet et ses papiers et pénétra dans l'avion.

L'appareil était presque plein et déjà envahi par une chaleur étouffante. Juliette gagna son siège. Généralement, elle préférait être assise près du hublot mais, cette fois-ci, on lui avait assigné une place au milieu d'un gamin geignard et d'un homme à la surcharge pondérale évidente. Coincée entre ses deux voisins, elle respira profondément pour faire taire les palpitations de son cœur.

À ce moment, elle n'avait qu'une envie : descendre de cet avion pour retrouver Sam. Elle savait pourtant que ce n'était pas rationnel. C'était juste une crise passionnelle qui marquait sans doute son véritable passage à l'âge adulte.

À *vingt-huit ans, il serait temps, ma fille,* pensa-t-elle en s'enfonçant dans son siège.

Il fallait qu'elle soit forte. Elle avait passé l'âge d'agir sur un coup de tête. D'ailleurs n'avait-elle pas décidé de se ranger ? De prendre de bonnes résolutions, comme sa sœur...

Voilà, elle allait ravaler sa fierté, rentrer en France et commencer enfin une vie raisonnable. Elle devait arrêter de se croire plus maligne que les autres. Désormais, elle allait faire comme tout le monde : vivre modérément, rester dans le tiède, compter ses calories, boire du déca-féiné, manger bio et faire de l'exercice physique tous les jours pendant une demi-heure.

Ne te comporte pas comme une adolescente, se reprocha-t-elle. *Ne t'abandonne pas à quelqu'un qui ne veut pas de toi. Ce type ne t'aime pas. Il n'a rien fait pour te retenir.*

Bien sûr il y avait eu cet accord parfait qui avait duré deux jours mais c'était un leurre : le mythe du coup de foudre qu'entretiennent si bien la littérature et le cinéma.

Épuisée, elle réprima un bâillement tandis qu'une larme de fatigue coulait sur sa joue. Elle n'avait pas dormi cette nuit et très peu la nuit précédente. Tout son corps lui faisait mal. Pour la première fois de sa vie, elle se dit qu'il était peut-être préférable qu'elle se tienne éloignée de l'amour.

Tandis que les derniers passagers prenaient place, Juliette boucla sa ceinture et ferma les yeux.

Dans un peu plus de six heures, elle serait à Paris.

Du moins c'est ce qu'elle croyait.

Presque soulagé par ce dénouement, Sam ressortit de l'aérogare alors que le soleil commençait à s'éclipser. À présent, la nuit allait tomber très vite. Il attendit un moment avant de pouvoir traverser les trois voies pour rejoindre le parking où était garé son véhicule. C'était un soir de retour de week-end et les taxis s'étaient engagés dans leur habituelle course contre la montre.

Sam alluma une cigarette avec son vieux briquet en métal usé. Il aspira profondément puis exhala la fumée dans le froid de la nuit. Pourquoi était-il si abattu ? De toute façon, cette histoire ne pouvait le mener nulle part. Il n'y avait pas de place pour Juliette dans sa vie. Et puis il y avait ce mensonge et le poids du passé dont il n'était pas guéri et dont Juliette ne connaissait rien.

Pourtant, il devait bien admettre que, depuis deux jours, quelque chose s'était relâché en lui. Il s'était enfin senti libéré de cette angoisse sourde qui l'habitait depuis l'enfance.

Alors qu'il s'apprêtait à descendre du trottoir pour traverser, une force mystérieuse le cloua sur place.

Non, il ne pouvait pas laisser passer cette chance. Si Juliette repartait maintenant il le regretterait toute sa vie. Il fut tout à coup persuadé qu'elle n'avait pas pris l'avion et qu'elle l'attendait au milieu du grand terminal.

Il revint sur ses pas en courant comme un dératé. Longtemps, il avait cru être au-dessus des brûlures de la passion et des douleurs de l'abandon, mais il n'en était rien. L'amour lui faisait peur autant qu'il lui faisait envie et, comme jamais auparavant, il avait faim de vivre et d'oublier toutes ses peurs passées. Pour la première fois, il croyait cela possible, grâce à une femme qu'il ne connaissait pas quarante-huit heures auparavant : la dernière espérance d'un homme sans espérance.

Il arriva en courant dans le hall du terminal : pas de Juliette. Il chercha encore et encore. Rien.

Il avança près des baies vitrés et repéra l'appareil du vol 714 qui arrivait en bout de piste. Voilà, c'était trop tard. Il avait eu sa chance et il l'avait laissée filer. Peut-être aurait-il suffi d'un mot : *Reste!* Mais il ne l'avait pas prononcé.

L'appareil marqua un temps d'arrêt, prit son élan et décolla.

Longtemps Sam resta à le contempler.

Puis il le perdit de vue.

*

Il regagna Manhattan dans la bulle protectrice de son 4 × 4. La nuit s'était abattue sur la ville sans qu'il s'en aperçoive. Jamais il ne s'était senti comme ça : en manque absolu de quelqu'un comme d'une drogue. Il se gara dans l'une des traverses de Sheridan Square et fit quelques pas dans le froid sans avoir vraiment l'intention de rentrer chez lui. Seul et vulnérable, il avait peur de retrouver vide un appartement où ils avaient été si heureux, leur îlot de bonheur au cœur du chaos.

Tout en marchant, il se remémora son visage, son odeur, cette façon qu'elle avait de sourire et l'étincelle de vie qu'elle portait toujours avec elle. Puis, pour chasser les souvenirs qui le submergeaient, il entra dans le premier bar qu'il croisa sur sa route.

Le Silk Bar n'était pas l'un de ces endroits tranquilles où l'on peut jouer au backgammon ou aux échecs mais plutôt un pub moderne, branché et convivial, diffusant de la bonne musique.

Sam se fraya difficilement un chemin jusqu'au long comptoir autour duquel de grandes et jolies serveuses vêtues de microshorts jonglaient avec des bouteilles tendance *Coyote Girl*.

Dans le fond de la salle, beaucoup de clients se pressaient devant l'écran géant qui retransmettait un match de football. La saison venait juste de reprendre et le championnat s'annonçait disputé. Pour eux, c'était un dimanche soir comme un autre.

Sam les regarda sans les voir. Perdu dans sa peine, il commanda quelque chose de fort tout en regrettant de ne pouvoir allumer une cigarette.

Soudain, le match de football fut interrompu par un autre programme accueilli d'abord dans un grand silence, puis par quelques interjections – *God! God! Damned!* – qui montèrent comme une rumeur sourde.

Du comptoir, Sam ne distinguait plus l'écran autour duquel se massait maintenant une foule nombreuse. Il hésita à aller voir quelle terrible nouvelle mettait les gens dans cet état. À vrai dire, peu lui importait : du fond de sa détresse, même l'annonce de l'invasion de la Terre par des aliens déchaînés l'aurait laissé de marbre.

Malgré tout, il attrapa son verre de vodka avant de traverser la salle.

Et ce qu'il vit sur l'écran éveilla immédiatement en lui une profonde inquiétude. Il dut bousculer quelques personnes pour s'en rapprocher. Il fallait absolument qu'il ait confirmation de quelque chose !

Pourvu que ce ne soit pas...

Mais, malheureusement, c'était...

Alors, il demeura pétrifié. Son cœur se glaça d'horreur, puis il sentit ses jambes flageoler et tout son corps fut parcouru par un immense frisson.

10

Le vent souffle où il veut...

Evangiles

Aulnay-sous-Bois, dans un quartier pavillonnaire

Marie Beaumont avait programmé son réveil à 5 heures du matin. L'avion de sa fille Juliette se posait à 6 h 35 à Roissy et elle ne voulait pas être en retard.

— Tu veux que je t'accompagne ? bougonna son mari à l'autre bout du lit en ramenant sur lui les trois quarts de la couverture.

— Non, dors encore un peu, chuchota Marie en lui posant une main sur l'épaule.

Elle enfila sa robe de chambre et descendit les escaliers jusqu'à la cuisine. Un chien jappa pour fêter son arrivée.

— Tais-toi, Jasper, le gronda-t-elle, c'est encore tôt.

Dehors, la nuit était froide et hostile. Pour être tout à fait alerte, elle se prépara une tasse de café instantané puis une autre encore. Tout en grignotant un petit pain suédois, elle hésita à écouter les infos sur le poste de radio mais y renonça pour ne pas faire trop de bruit. Elle écrasa un long bâillement. Elle avait très mal dormi. Cette nuit, vers minuit, elle s'était réveillée en sursaut, trempée de sueur, comme après un cauchemar. Le plus étrange c'est qu'elle était incapable de se souvenir précisément de quoi elle avait rêvé. En tout cas, ça l'avait suffisamment terrifiée pour la priver de sommeil le reste de la nuit et lui laisser une boule d'angoisse au creux du ventre.

Elle passa sous la douche en vitesse, s'habilla chaudement et vérifia pour la énième fois les références que lui avait communiquées Juliette :

Vol 714

Départ : JFK – 17 h 00 – terminal 3

Arrivée : CDG – 6 h 35 – terminal 2F.

Une pression sur la clé et la voiture s'ouvrit. L'aéroport n'était pas loin et, à cette heure-ci, la circulation ne posait pas encore problème. Elle serait à Roissy dans vingt minutes. Jasper courut derrière le véhicule pendant une cinquantaine de mètres mais Marie résista à la tentation de l'emmener avec elle.

Durant le trajet, elle pensa à Juliette avec émotion. Marie avait deux filles et elle les aimait avec la même intensité. Pour chacune d'elles, elle aurait donné plus que sa vie. Pourtant, elle devait bien admettre qu'elle avait une tendresse particulière pour Juliette. Son autre fille, Aurélia, avait choisi avec obstination la voie d'un conformisme teinté d'un côté « donneuse de leçons » qui l'horripilait autant qu'il faisait la joie de son mari.

Juliette et son père s'entendaient mal. Il n'avait jamais accepté que sa fille aînée s'embarque dans des études de lettres classiques sans de vrais débouchés. Aussi s'était-il opposé violemment à cette idée de théâtre et plus encore à son voyage aux États-Unis. Il aurait tant aimé qu'elle obtienne une « vraie situation » : ingénieur par exemple ou bien expert-comptable, comme la fille des voisins qui venait d'obtenir brillamment son diplôme.

Marie, elle, avait toujours défendu sa fille. Elle comprenait très bien que l'aspiration de Juliette ne consiste pas à « se caser ». Une chose était sûre : Juliette avait du caractère et elle était courageuse. Dans ses choix, elle avait toujours refusé la médiocrité et Marie l'admirait pour ça, même si elle était bien consciente que, sous des dehors crâneurs, sa fille était fragile. À plusieurs reprises, elle avait surpris des accents de désillusion dans sa voix lorsqu'elle lui parlait au téléphone. Même si Juliette ne s'était jamais plainte, Marie savait que ces années américaines n'avaient pas toujours été roses. Pour l'aider, elle lui avait souvent envoyé un peu d'argent, en cachette de son mari. Mais ce qui l'attristait le plus, c'est que sa fille n'ait pas encore rencontré l'âme sœur comme on disait dans son jeune temps. Malgré tous ces articles qu'on pouvait lire dans la presse sur les *nouveaux célibataires* ou l'*épanouissement en solo,* on avait toujours besoin de quelqu'un à aimer. Et bien qu'elle prétende parfois le contraire, sa fille ne faisait pas exception à la règle.

Marie s'engagea dans la bretelle qui menait au terminal 2F. Pourquoi avait-elle encore cette boule d'angoisse qui grandissait dans sa poitrine ? Elle remonta un peu le chauffage puis vérifia la pendule digitale du tableau de bord. Parfait, elle serait pile à l'heure, en espérant que l'avion le soit lui aussi.

Elle était maintenant dans l'une des voies qui desservent les parkings de l'aérogare. Malgré l'heure matinale, une étrange activité régnait à cet endroit. Elle passa devant un véhicule de TF1 puis un autre de France Télévisions. Plus loin, un cameraman filmait des plans du terminal tandis qu'un reporter radio interviewait des membres du personnel navigant. C'est alors que Marie eut un mauvais pressentiment et qu'elle se décida à faire ce qu'inconsciemment elle avait refusé depuis son réveil : allumer son autoradio.

Europe 1 bonjour, il est 6 h 30, voici les titres de votre journal : terrible catastrophe aérienne au-dessus de l'Atlantique...

*

Le vol 714 avait quitté la piste de l'aéroport Kennedy à 17 h 6 heure locale, avec cent cinquante-deux passagers et douze membres d'équipage à son bord, pour un vol régulier à destination de Paris.

Le pilote Michel Blanchard, dix-huit ans de service, était aux commandes de l'appareil. Blanchard connaissait la musique. Il n'était pas l'un de ces jeunots à qui il faut plusieurs essais avant de trouver le bon cap et la bonne altitude. Cette liaison New York-Paris, il l'avait déjà faite un nombre incalculable de fois. Toujours sans encombre. Il aimait bien tenir les passagers au courant des conditions de vol et leur signaler les coins remarquables lorsqu'on les survolait.

La liste des passagers renvoyait l'image d'une petite société en miniature : il y avait là des hommes d'affaires, des familles, des couples jeunes et moins jeunes qui s'étaient offert un week-end en amoureux, des groupes de retraités... Dans les conversations le français se mélangeait à l'anglais.

Parmi les passagers se trouvait notamment Carly Fiorentino, trente-huit ans, l'attachée de presse d'un célèbre groupe de rock qui commençait une tournée européenne le lendemain. Carly avait de beaux cheveux raides qui tombaient comme des baguettes, une allure élégante et des lunettes de soleil griffées qu'elle quittait rarement. Mais surtout, Carly avait une peur panique de l'avion. Pour vaincre son aérophobie, elle avait tout essayé : les pilules, les exercices de respiration... rien n'y faisait. Aujourd'hui, elle expérimentait une autre méthode : juste avant de quitter son hôtel, elle avait vidé la moitié du minibar pour arriver dans l'avion déjà bien éméchée. Et elle comptait sur les vapeurs d'alcool pour l'aider à brouiller ses angoisses.

L'avion arriva en bout de piste, s'immobilisa, puis accéléra.

Maude Goddard, soixante-dix ans, commerçante à la retraite, agrippa la main de son mari. C'était la première fois que le couple venait à New York. Ils avaient rendu visite à leur petit-fils qui avait épousé une Américaine et monté un élevage de canards et d'agneaux de lait dans la vallée de l'Hudson. Une peur panique grandissait dans le ventre de Maude. Son mari la regarda et elle se força à lui sourire pour ne pas l'inquiéter. Devinant son appréhension, il lui posa un baiser sur les yeux. Maude se dit alors que, si elle devait mourir aujourd'hui, au moins serait-elle entre ses bras, et cette pensée un peu folle la rasséréna.

Le décollage se passa parfaitement. Au moment où l'avion quitta le sol, Antoine Rambert se surprit à ressentir un léger picotement dans le bas-ventre. Ce grand reporter avait bourlingué tout autour du globe, couvrant les derniers grands conflits : Kosovo, Tchétchénie, Afghanistan, Irak... Plusieurs fois déjà, il s'était trouvé au milieu du feu et du danger mais la mort ne lui avait jamais fait peur. Et ce n'était pas un petit trip sur un avion de ligne qui pouvait l'impressionner. Pourtant, depuis la naissance de son fils, quelques mois auparavant, il se découvrait une certaine vulnérabilité et il devait bien admettre qu'il n'était plus immunisé contre la peur.

C'est bizarre, pensa-t-il, *avoir un enfant rend tout à la fois plus fort et plus fragile.*

Il ne l'aurait pas supposé.

Peu après avoir quitté la zone de New York, l'avion fut pris en charge par le centre de contrôle de Boston. À l'invitation du commandant, chacun put admirer les mille et une teintes du ciel orangé qui flambait comme un feu de cheminée.

En préparant les plateaux-repas, Marine, l'une des hôtesses, pensa à son fiancé qui viendrait la chercher à Orly à 6 heures du matin. Jean-Christophe prenait toujours ses RTT le lundi et généralement, il lui concoctait un super petit déjeuner avec jus d'orange, ananas et kiwis. Puis ils feraient l'amour et ils dormiraient jusqu'à midi. Elle avait hâte d'arriver et se mit à fredonner *Le lundi au soleil* de Claude François.

À 17 h 34, soit moins d'une demi-heure après le départ, alors que l'avion volait à environ trente mille pieds, c'est le copilote qui sentit le premier une odeur inhabituelle : une bouffée âcre et amère venait d'envahir le cockpit...

Deux minutes plus tard, une petite quantité de fumée s'infiltra brièvement dans le poste de pilotage.

Merde, pensèrent en chœur tous les membres de l'équipage.

Puis, aussi rapidement qu'elle était apparue, la fumée sembla disparaître et la tension baissa d'un cran.

— Y a un problème au niveau du système de conditionnement d'air, dit le commandant.

D'une voix calme, Blanchard envoya alors le message « pan pan » qui, dans le jargon aéronautique, indique une situation grave mais pas désespérée.

Carly chercha deux comprimés dans la poche de son sac. Tout cet alcool lui avait donné mal à la tête, amplifiant le bourdonnement autour d'elle de sorte que le moindre bruit lui paraissait suspect. Pour ne rien arranger, elle souffrait de violentes crampes d'estomac et le gamin assis à côté d'elle commençait à lui taper sur le système avec son sourire béat. Elle vérifia que le signal *fasten seat belts* s'était bien éteint puis quitta son siège pour aller aux toilettes avant qu'il n'y ait la queue.

Son iPod greffé sur les oreilles, Mike, quatorze ans, se leva pour laisser passer sa voisine, une vieille d'au moins trente-cinq ans, et profita de son absence pour coller ses yeux au hublot. Il adorait l'avion et ressentait chaque fois cette sensation de dominer le monde. Ah, quel bonheur ! Il espérait même secrètement qu'il y aurait quelques turbulences sur le parcours. Il monta le volume de son baladeur en attendant avec impatience de pouvoir tanguer dans les trous d'air sur le rap de Snoop Doggy Dog.

Mesdames et messieurs, ici votre commandant de bord, Michel Blanchard. En raison d'un problème technique sans gravité, nous sommes obligés d'effectuer un atterrissage à Boston en vue de procéder à une vérification. Pour votre confort et votre sécurité, nous vous prions de relever la tablette de votre siège, d'attacher votre ceinture de sécurité et de rester assis jusqu'à l'extinction du signal lumineux.

L'avion commença à perdre de l'altitude pour préparer sa descente. Après s'être entretenu avec les services de circulation aérienne, le commandant avait reçu l'autorisation de dérouter l'appareil sur l'aéroport de Boston Logan. Malheureusement, dans le poste de pilotage, la fumée était revenue.

Les membres de l'équipage comprirent alors qu'un incendie rampant se propageait au-dessus du plafond...

Comme le prévoit la réglementation, l'avion avait été minutieusement vérifié par du personnel qualifié avant le vol. L'appareil avait moins de huit ans. Il avait subi tous les contrôles draconiens et toutes les visites obligatoires qui ponctuent la vie d'un avion : la check A qui s'effectue en moyenne toutes les trois cents heures de vol, la check C, après quatre mille heures, et enfin la grande visite après vingt-quatre mille heures de vol, soit environ tous les six ans. À cette occasion, l'appareil était resté immobilisé six semaines. Les mécaniciens et les ingénieurs l'avaient entièrement désossé et vérifié.

C'était une grande compagnie occidentale – l'une des plus sûres du monde – pas un charter affrété par une compagnie poubelle. Chacun avait fait son boulot consciencieusement. Il n'y avait eu aucune négligence et personne n'avait cherché à réaliser d'économie de maintenance.

Pourtant, Dieu sait pourquoi, un incendie s'était déclaré juste au-dessus du plafond, à l'arrière du poste de pilotage. Pour une raison inconnue, le circuit intégré de détection incendie ne s'était pas manifesté, ce qui fait que, lorsque l'équipage prit conscience de ce qui arrivait, l'incendie s'était déjà propagé et était devenu incontrôlable.

Carly referma derrière elle la porte des toilettes et considéra le petit espace confiné.

Et dire qu'il y en a qui prétendent avoir baisé là-dedans, pensa-t-elle, rêveuse. *J'aimerais bien qu'ils me montrent comment c'est possible...*

En attendant, elle se passa un peu d'eau fraîche sur le visage. C'était décidé : plus jamais elle ne monterait dans un avion. C'était trop horrible de n'avoir aucune prise sur son destin. S'il le faut, elle était même prête à changer de métier. Mouais, elle disait ça chaque fois.

Sur l'une des parois de la cabine des toilettes, quelqu'un avait laissé, en tout petit, une inscription qui l'intrigua. Elle se rapprocha pour la déchiffrer et lut : *Men plan, God laughs*[1]. Elle était en train de réfléchir à cette maxime lorsque, tout à coup, le signal *return to seat* se mit à clignoter en tremblotant au-dessus de sa tête.

Au même moment, dans une banlieue du Queens, la mère de Billy déposa un bol de bouillon sur une étagère pleine de CD qui faisait office de table de chevet.

— Repose-toi bien, mon chéri.

Elle lui donna un baiser sur le front.

— Pas trop déçu d'avoir loupé ton voyage scolaire en France ?

Du fond de son lit, une compresse sur la tête, Billy fit non de la tête.

Lorsque sa mère eut quitté la chambre, l'enfant se leva d'un bond et balança le bouillon par la fenêtre. Il détestait ça. Le médecin était venu à la maison ce matin et Billy l'avait bien bluffé en simulant une violente grippe.

Il faisait tout ça par nécessité. La veille, il avait encore eu cet horrible cauchemar, si précis et si violent, dans lequel il voyait ces flammes qui dévoraient l'avion et tous ces gens qui criaient.

---

1. Les hommes proposent, Dieu dispose.

Il aurait bien aimé prévenir les autres mais depuis un moment déjà il avait renoncé à parler de ses visions. De toute façon, personne ne le croyait jamais.

Il se nicha au creux des couvertures et alluma en sourdine l'écran de sa console de jeux qui lui servait de télé. Pour l'instant, un match de football mobilisait toutes les attentions mais il savait que ça n'allait pas durer.

Malgré tout, il pria très fort pour s'être trompé.

À 17 h 32, le commandant Blanchard lança l'appel de détresse *Mayday! Mayday! Mayday!* afin de signaler que l'avion était en danger grave et imminent. Il annonça son intention de faire un atterrissage d'urgence à Boston.

À la même heure, dans l'une des chambres du Waldorf Astoria, Bruce Booker, vingt-cinq ans, ouvrit les yeux, écrasa un bâillement et constata qu'il avait raté son avion. Trop d'alcool, de cocaïne, sans parler des deux call-girls qui avaient quitté sa chambre au petit matin. Sa place était réservée depuis plusieurs semaines sur le vol 714. Il devait passer quelques jours à Paris et rejoindre des amis en Suisse dans une station de sports d'hiver.

Eh bien, c'est raté!

Il se regarda dans le miroir et se trouva pitoyable. Il faudrait qu'il devienne enfin adulte, qu'il change de fréquentations, de valeurs, de tout. Il n'en avait pas le courage. Parfois, il lui arrivait de penser qu'un jour, un événement allait lui donner la force d'emprunter un autre chemin. Quelque chose qui l'inciterait à devenir quelqu'un de meilleur. Mais il ne savait pas du tout quelle forme cela pourrait prendre.

Il se déshabilla et passa sous la douche en râlant.

Dans quelques minutes il allumera la télé et sa vie changera.

La situation s'aggravait dans le cockpit. À cause de la fumée et de la chaleur il devenait très difficile pour les pilotes de contrôler les écrans d'affichage de vol et, à vrai dire, on ne voyait même plus ce qui se passait à l'extérieur.

À 17 h 37, l'ombre de l'appareil était encore visible sur les radars de contrôle.

Puis il y eut ces secondes terribles où l'avion, empli de hurlements, se mit à trembler dans tous les sens. Les masques à oxygène jaillirent du plafond et les hôtesses expliquèrent comment gonfler les gilets de sauvetage tout en sachant très bien que ça ne serait d'aucun secours.

Ce serait mentir de dire que tout se passa très vite et que personne ne se rendit vraiment compte de ce qui arrivait. Au contraire, tout le monde vit les flammes dévorer l'habitacle et la panique qui gagna l'appareil dura suffisamment longtemps pour que chacun comprenne quelle en serait l'issue.

Depuis quelques minutes Mike avait changé de couleur.

Finalement, ça n'arrive pas qu'aux autres, se dit-il, terrifié.

Carly pensa qu'elle avait raté sa vie puis regretta de ne pas avoir rendu plus souvent visite à son père. Depuis un an, elle avait chaque fois reporté ses visites, souvent pour de mauvaises raisons.

Elle se tourna vers son voisin et constata qu'elle allait mourir à côté d'un gosse de quatorze ans qu'elle ne connaissait pas une demi-heure auparavant. Pourtant, elle lui tendit la main et Mike s'agrippa à elle en pleurant.

Nichée au creux de son mari, Maude songea qu'ils avaient bien vécu mais qu'ils auraient volontiers joué les prolongations. Décidément, on s'habituait vite au bonheur.

Dans le filet de son siège se trouvait une brochure destinée à relativiser le danger des voyages en avion. Au milieu du flot de statistiques, on pouvait lire notamment que six mille appareils volaient chaque jour dans le monde et qu'un seul sur un million connaîtrait un incident sérieux, ce qui faisait de l'avion le moyen de transport le plus sûr. Et tout cela était exact.

À 17 h 38, un radio amateur capta par hasard les derniers mots du commandant Blanchard : « Nous tombons ! Nous tombons ! »

Quelques secondes plus tard, l'appareil disparut définitivement des écrans de contrôle au moment où les habitants de Charley Cross, une bourgade de Nouvelle-Angleterre, entendirent une explosion d'une violence inouïe.

Lors de ses derniers instants, Antoine Rambert, le journaliste de guerre, eut une pensée pour son fils. Puis, lui qui croyait pourtant ne pas être sentimental, il se rappela son premier vrai baiser échangé dans la cour du lycée français de Milan, vingt ans auparavant. Elle s'appelait Clémence Laberge, elle avait seize ans et ses lèvres étaient douces. Une seconde avant que l'avion ne percute l'océan, Antoine se dit que, finalement, Brassens n'avait pas tort : *Jamais de la vie on ne l'oubliera la première fille qu'on a eue dans ses bras...*

*

Fiévreuse et tremblante, Marie Beaumont pénétra dans l'aéroport comme on va à l'abattoir. Pourquoi avait-elle refusé que son mari l'accompagne ? Seule, elle n'allait pas tenir le coup, elle le sentait. L'espace d'une seconde, elle se laissa envahir par un fol espoir. Et si Juliette avait pris l'avion suivant...

Peut-être restait-il une chance. Une chance sur dix mille ? cent mille ? un million ? Non, Marie savait que ça n'était pas possible : sa fille lui avait téléphoné quelques heures seulement avant son départ pour lui confirmer la référence du vol.

Elle se dirigea vers la zone où devaient débarquer les voyageurs en provenance de New York. L'endroit était déjà plein de caméras et de policiers. Le ministre des Transports était sur place et indiquait aux journalistes que, pour l'instant, aucune piste n'était exclue concernant les causes de l'accident.

Mentalement, Marie apostropha Dieu, le destin, le hasard... :

Sauvez-la ! Sauvez-la et je ferai tout ce que voudrez. Tout ! Rendez-moi ma fille ! Ma petite fille ! On ne meurt pas à vingt-huit ans ! Pas aujourd'hui ! Pas comme ça !

Pleine de culpabilité, elle regrettait déjà de l'avoir laissée partir, seule, dans ce pays de fous. Pourquoi ne l'avait-elle pas retenue plus longtemps auprès d'elle ? À la maison ?

Deux employés d'Aéroports de Paris qui avaient remarqué son affolement se dirigèrent vers elle. Avec douceur, ils l'orientèrent vers la cellule de crise et de soutien psychologique mise en place pour accueillir les familles des victimes.

Depuis quelques heures, le docteur Nathalie Delerm, médecin-chef d'Aéroports de Paris, vivait l'une des journées les plus éprouvantes de sa carrière. Elle avait déjà reçu une dizaine de familles et ce n'était qu'un début. L'équipe médicale qu'elle dirigeait comprenait deux psychologues, trois psychiatres et cinq infirmières. Installés dans l'un des salons du terminal, à l'abri de l'agitation, ils avaient pour mission d'informer les familles et de prendre en charge leur souffrance. Nathalie serra dans son poing la liste des passagers qu'on lui avait communiquée. La procédure suivait toujours le même rituel : d'abord une voix, proche de la rupture, qui s'inquiétait : « Est-ce que mon frère / ma sœur / mes parents / mes enfants / ma fiancée / mon copain / mon mari / mon épouse / ma famille / mes amis... étaient sur le vol 714 ? » Nathalie demandait alors un nom puis consultait sa liste.

Ça ne durait que quelques secondes mais elles s'étiraient dans un supplice effroyable. Nathalie répondait « non » et c'était la délivrance, la grâce rendue au ciel, le plus beau jour de la vie... Elle répondait « oui » et c'était l'effondrement.

Il était très difficile d'anticiper les réactions. Certaines personnes, terrassées par le chagrin, se révélaient incapables d'émettre le moindre son. D'autres, au contraire, s'écroulaient dans un hurlement de souffrance amplifié par l'écho sourd de l'aéroport.

Nathalie savait que cette journée allait la marquer à jamais. Elle avait déjà fait partie de l'équipe médicale mobilisée lors de la catastrophe de Charm el-Cheikh et elle ne s'en était jamais réellement remise. Mais, pour rien au monde, elle n'aurait voulu être ailleurs. Elle allait aider les gens à verbaliser leur douleur, les soutenir pour passer un premier cap, rendre cette tragédie moins insupportable pour ceux qui la vivaient.

Lorsque Marie pénétra dans la zone, Nathalie s'avança au-devant d'elle :

— Je suis le docteur Delerm.

— Je voudrais savoir pour ma fille, Juliette Beaumont, articula Marie, elle devait prendre ce vol...

Elle avait presque retrouvé un calme apparent, même si la tornade qui courait dans son corps menaçait de tout dévaster.

Nathalie posa les yeux sur sa liste, puis marqua un temps d'arrêt.

Juliette Beaumont... ? Elle avait reçu des ordres particuliers concernant ce cas. Dès qu'elle avait pris son service, les types de la sécurité lui avaient demandé de leur signaler d'urgence toute personne qui viendrait se renseigner à propos de cette passagère.

— Heu... un instant, madame, réclama-t-elle maladroitement, et elle s'en voulut aussitôt.

C'était trop tard. Submergée par l'émotion, persuadée de l'issue fatale, Marie pleurait maintenant en silence.

Nathalie rejoignit les deux policiers en tenue qui montaient la garde et leur expliqua la situation.

Immédiatement, Marie vit fondre sur elle ces deux masses bleu marine qui l'encadrèrent comme une puissante muraille.

— Madame Beaumont?

Les yeux baignés de larmes, ne comprenant pas ce qui lui arrivait, elle opina de la tête.

— Veuillez nous suivre, s'il vous plaît.

11

Pour tous ceux qui vivent il y a de l'espérance; et même un chien vivant vaut mieux qu'un lion mort.

L'Ecclésiaste

Lundi matin, au commissariat du 21ᵉ district

— Vous pouvez l'interroger, monsieur, on l'a ramenée dans la salle.

— J'arrive, répondit l'inspecteur Franck Di Novi en se levant.

Avant de quitter le bureau, il s'attarda encore un moment devant son poste de télé. Branché sur une chaîne d'information, l'appareil diffusait les dernières images du crash.

Une zone de sécurité a été établie immédiatement après l'accident, expliquait le commentateur. *Les opérations de recherche vont se poursuivre, mais la violence du choc a été telle qu'il est exclu de retrouver des survivants. Pour l'instant, seuls une trentaine de corps ont pu être repêchés.*

Des bateaux militaires encerclaient la zone et un ballet d'hélicoptères survolaient l'océan. En se rapprochant de l'écran, Di Novi distingua des morceaux de carlingue, des bagages éventrés et des gilets de sauvetage qui flottaient à la surface.

Officiellement, nous ignorons toujours s'il s'agit d'un accident ou d'un acte terroriste. Dans un appel anonyme auprès d'Al-Jazira, un homme se réclamant d'un groupe islamiste inconnu aurait affirmé avoir placé une bombe à bord du vol 714. Cependant, cette revendication est à prendre avec la plus grande réserve et les autorités ont d'ailleurs reconnu que cet appel ne présentait guère de crédibilité.

Par ailleurs, la Police de New York serait en train d'interroger un suspect dont l'identité n'a toujours pas été révélée. D'après certaines sources, il s'agirait d'une jeune femme qui aurait soudainement quitté l'avion quelques minutes avant son décollage...

Franck Di Novi appuya rageusement sur la touche d'arrêt de la télécommande. Ses collègues de l'aéroport avaient encore dû bavasser avec les journalistes ! D'ici quelques heures, tout le monde saurait qu'ils avaient coincé cette Française.

Furibond, il pénétra dans la petite pièce jouxtant la salle d'interrogatoire, puis tourna le bouton pour activer le miroir sans tain. L'image d'une jeune femme, assise sur un tabouret, apparut sur la moitié du mur. Menottée, pâle, les yeux hagards, elle regardait dans le vide sans comprendre ce qui lui arrivait. Di Novi la fixa intensément, puis consulta ses notes. Elle s'appelait Juliette Beaumont. Les flics de JFK l'avaient arrêtée la nuit dernière, peu de temps après le crash. Leur rapport précisait qu'elle avait demandé à quitter l'avion quelques minutes seulement avant le décollage. Intrigués par son étrange manège, les agents des douanes et de l'immigration l'avaient alors interpellée pour un contrôle de routine. Une simple vérification – dictée par un dispositif sécuritaire plus musclé depuis les attentats – qui s'était progressivement transformée en une véritable interpellation. D'abord, parce que la Française n'avait pas coopéré. Se déclarant pressée de rejoindre un ami, elle avait opposé une vive résistance lors de son interrogatoire et s'était laissée aller à invectiver les forces de l'ordre. Ce comportement, déjà grave de la part d'un citoyen américain, était tout à fait inadmissible venant d'une Française.

Mais ce n'était pas tout. Un examen plus attentif de son passeport avait en effet révélé une falsification de la date de son visa que la demoiselle avait grattée puis modifiée. Ce faisceau d'éléments était largement suffisant pour la conduire au commissariat où on l'avait mise en garde à vue.

— Je lui enlève les menottes, inspecteur ? demanda un agent en tenue.

— Inutile, répondit Di Novi.

— Vous êtes sûr... ?

— Oui !

Juste après le crash, on avait brièvement évoqué la possibilité de fermer le métro, les ponts et les tunnels par crainte d'une nouvelle attaque terroriste. Finalement, les autorités n'avaient pas cédé à la panique et ce matin, plus personne ne semblait réellement croire à cette piste de l'attentat.

Pour tout dire, Di Novi n'y croyait pas non plus, mais il détestait ces traîtres de Français et il n'allait pas se priver du plaisir de donner une petite leçon à cette jeune femme. Car il savait par expérience que les gens étaient capables d'avouer n'importe quoi en garde en vue si on savait y faire. Et Franck savait s'y prendre. Sans compter qu'il avait les coudées franches car le lieutenant Rodriguez qui dirigeait le 21e district avait pris quelques jours de congé suite au décès de sa femme après une longue maladie.

Il avala deux comprimés de bêtabloquant pour faire taire ses palpitations avant d'entrer dans la salle d'interrogatoire.

— Bonjour, mademoiselle Beaumont. J'espère pour vous que nous allons bien nous entendre tous les deux...

Un rictus déforma les traits du policier, donnant à son visage l'expression d'un sourire forcé.

La garde à vue pouvait durer soixante-douze heures. Ça lui laissait largement le temps de s'amuser. Pendant quelques heures, elle serait toute à lui.

— Nous allons tout reprendre depuis le début, fit-il en posant ses mains à plat sur la table. Pourquoi avez-vous quitté cet avion quelques minutes avant le décollage ?

Juliette ouvrit la bouche, mais aucun son ne sortit. C'est à peine si elle voyait le policier qui renouvelait sa

question en face d'elle. En état de choc, elle était hypnotisée par une petite phrase qui résonnait dans sa
poitrine au rythme des battements de son cœur :

Je suis vivante,

je suis vivante,

je suis vivante...

Mais une autre voix lui criait aussi qu'elle n'aurait pas
dû l'être...

12

Lundi après-midi, au nord de Central Park

Sam Galloway remontait à petites foulées l'allée de
gravier qui traversait le parc.

Ce matin, pour la première fois depuis la mort de sa
femme, il avait appelé l'hôpital pour dire qu'il ne viendrait pas travailler. Comme un an auparavant, il était
resté chez lui, écrasé par le chagrin et la culpabilité. Les
deux femmes qu'il avait aimées étaient mortes et c'était
par sa faute. Son cerveau bouillonnait comme de la lave.
Une foule de souvenirs et de pensées contradictoires
s'entrechoquaient dans un magma incohérent. Son
métier avait beau le mettre quotidiennement en contact
avec la mort, cette fois il était complètement déboussolé.

Sam remonta la capuche de son survêtement pour se
protéger des morsures du vent glacé. Une heure plus tôt,
il avait décidé de sortir prendre l'air pour ne pas devenir
fou à ruminer sa peine. Naïvement, il s'était imaginé que
courir lui ferait peut-être du bien.

Or ça ne marchait pas comme ça.

Il fit une pause devant les terrains de basket pour
reprendre sa respiration. Encore partiellement recouvert
par le givre, l'endroit était désert. Visiblement, le froid
avait découragé les émules de Jordan.

Sam poussa la porte grillagée du *playground* et se laissa tomber sur un banc. Une contraction musculaire lui déchirait la cuisse. À peine assis, il enfouit sa tête entre ses mains. Tout son corps irradiait de souffrance et de fatigue. Il n'avait pratiquement pas dormi depuis trois jours et sa tête lui tournait dangereusement. Alors qu'une douleur aiguë transperçait sa poitrine, il réalisa qu'il n'avait rien absorbé depuis vingt-quatre heures et que son estomac tournait à vide. Il essaya de reprendre son souffle mais sa respiration se bloqua.

J'étouffe!

Pendant un instant, sa vision se troubla et il entendit confusément la porte grillagée qui grinçait dans le lointain. L'air froid lui brûlait les poumons. Il se pencha en avant, comme s'il allait vomir son cœur.

Il fallait qu'il boive quelque chose, vite!

— Un peu de café?

Sam leva les yeux : une femme brune et athlétique, en jean et veste de cuir, se tenait juste devant lui. Son regard, franc et déterminé, éclairait un visage allongé, presque sans âge, avec de grands yeux en amande, comme chez certains modèles des toiles de Modigliani.

Comment était-elle arrivée là sans qu'il la remarque? Et pourquoi lui offrait-elle l'un des deux gobelets Starbucks qu'elle portait dans chaque main?

— Ça ira, merci, dit-il au milieu d'une quinte de toux.

— Allez-y, insista-t-elle, j'en ai acheté pour deux.

Presque malgré lui, Sam attrapa le café tendu par cette main charitable et énigmatique. Le breuvage lui fit du bien, calmant sa toux et lui apportant un peu de chaleur.

Mais, alors que la femme se penchait vers lui, les pans de sa veste s'entrouvrirent légèrement et Sam devina qu'un étui de revolver était accroché à son épaule.

Un flic!

Oui, il avait un instinct pour les reconnaître, presque une seconde nature. On ne passe pas impunément son enfance dans la rue. Dans son ancien quartier, c'était peu dire que les gens ne portaient pas les flics dans leur cœur. Leurs interventions, souvent mal à propos, se soldaient fréquemment par des bavures qui apportaient plus de trouble que de sérénité. En changeant de milieu social, Sam avait conservé cette méfiance et il s'était toujours juré que s'il avait un jour des problèmes sérieux, les policiers seraient les derniers à qui il demanderait conseil.

— Je peux m'asseoir ? fit-elle.

— Allez-y, répondit-il d'un air méfiant.

Elle nota son mouvement de recul et comprit qu'il avait dû apercevoir le revolver. Cela l'incita à se présenter plus tôt qu'elle ne l'avait prévu :

— Je m'appelle Grace Costello. Je suis détective au 36ᵉ district, fit-elle en montrant son insigne.

Quelques rayons vinrent se refléter sur la plaque métallique et les quatre lettres NYPD [1] étincelèrent furtivement.

— Vous patrouillez dans le secteur ? demanda-t-il, faussement détaché.

— En fait, j'attends quelqu'un.

Grace laissa passer quelques secondes avant de préciser :

— Un homme.

— Désolé d'avoir bu son café, s'excusa-t-il en agitant le gobelet à moitié vide.

— Je crois qu'il ne vous en voudra pas.

Une drôle de lueur brilla dans les yeux de Grace Costello. Sam y lut quelque chose d'inquiétant, comme l'imminence d'un danger, qui le poussa à ne pas s'éterniser ici. Il se leva d'un bond.

— Eh bien, au revoir. J'espère que votre ami ne va plus tarder...

— En fait, il est déjà là, et ce n'est pas exactement un ami.

Plus tard, avec le recul, Sam se plaira parfois à penser que tout aurait été différent s'il ne s'était pas arrêté sur

---

1. New York Police Department.

ce banc, cet après-midi-là. Mais, au fond de lui, il savait bien que Grace Costello l'aurait sans doute abordé ailleurs et que ce qui arriva par la suite se serait de toute façon produit à l'identique.

— Qu'est-ce que vous voulez dire ?

— C'est vous que je suis venue voir, *docteur*.

Sam fronça les sourcils. Comment savait-elle que... ?

Pour toute réponse, Grace pointa la poche du survêtement du médecin, discrètement brodée de l'écusson de l'équipe de base-ball de l'hôpital St. Matthew's.

— Je m'appelle Sam Galloway, annonça-t-il, fâché d'être contraint de révéler son identité. Je suis pédiatre.

Au lieu de répondre quelque chose comme « ravie de faire votre connaissance », Grace Costello articula très lentement :

— Vous avez l'air soucieux, docteur Galloway...

— Je suis fatigué, c'est tout. Et cette fois, je dois vraiment y aller.

Sam s'éloigna de quelques pas. Il avait presque atteint la porte grillagée qu'une nouvelle flèche de Grace le figea sur place :

— C'est dur de perdre quelqu'un, n'est-ce pas ?

— Je ne comprends pas, dit-il en se retournant.

Il la dévisageait maintenant avec une inquiétude croissante. À son tour, Grace se leva pour se planter devant lui avec une assurance et une détermination qui n'altéraient pas sa féminité. Le ciel était devenu rose tandis que le soleil amorçait sa descente vers l'Hudson.

— Écoutez, docteur, je sais que vous traversez un moment difficile, mais je n'ai pas le temps d'y aller par quatre chemins. Alors voilà : j'ai deux nouvelles pour vous, une bonne et une mauv...

— Je ne suis pas du tout d'humeur à jouer aux devinettes, la coupa-t-il sèchement.

Grace continua quand même :

— La bonne nouvelle c'est que votre amie est vivante...

Hébété, Sam se frotta les yeux.

— Quelle amie ?

— Juliette n'était pas dans l'avion, expliqua Grace. Elle est vivante.

— Vous dites n'importe quoi !

Pour toute réponse, Grace tira de sa poche un article de journal que Sam lui arracha des mains. Un titre étrange barrait la une :

**Une jeune Française en garde à vue
après le crash du vol 714**

Inexplicablement, le journal était daté du lendemain.

— Où avez-vous trouvé ça ? demanda le médecin, incrédule.

Grace resta muette et Sam parcourut la suite de l'article dans un état de tension extrême.

— Si c'est une plaisanterie..., menaça-t-il.

— Ce n'est pas une plaisanterie : Juliette est vivante !

— Alors pourquoi ce journal porte-t-il la date de demain ?

Grace soupira. Ce type n'allait pas lui faciliter la tâche.

— Calmez-vous, Galloway.

Bouillant de colère, Sam s'écarta brusquement. Cette femme l'avait déstabilisé. Elle divaguait, c'est certain. Mais il fallait quand même qu'il en ait le cœur net. Tandis qu'il reprenait sa course, il ne put s'empêcher d'être envahi par un fol espoir.

Et si cet article disait vrai ? Et si Juliette était vivante ?

Arrivé de l'autre côté du grillage, il se retourna une dernière fois vers Grace. Son étrange regard était teinté de compassion et de défi. Presque malgré lui, Sam s'entendit lui demander :

— Et quelle est la mauvaise nouvelle ?

13

Les destins conduisent celui qui accepte et traînent celui qui refuse.

Sénèque

Lundi soir, au commissariat du 21ᵉ District

— Vous êtes certaine qu'elle est ici ?

— Je vous l'ai déjà expliqué, monsieur Galloway : Juliette Beaumont est sous le coup d'une garde à vue et vous n'aurez pas d'autre information pour l'instant.

Sam n'arrivait pas à y croire : Juliette était vivante ! Entre les mains de la Police peut-être, mais *vivante*.

Tout excité, il avait du mal à tenir en place. À nouveau, il insista auprès de l'officier en tenue, une jeune Afro-Américaine aux yeux verts et aux cheveux impeccablement tressés :

— Il ne peut s'agir que d'un malentendu : je connais bien Mlle Beaumont. Nous avons passé le week-end ensemble et je vous garantis qu'elle n'a rien à voir avec cet accident d'avion !

La jeune femme officier s'impatienta :

— En attendant que quelqu'un vienne prendre votre déposition, je vous demanderai de bien vouloir vous asseoir et de garder votre calme.

Sam sortit dans le hall en maugréant. Encore en tenue de sport, il s'était précipité ici sans prendre le temps de se changer. Il n'avait ni son téléphone portable, ni même le moindre dollar en poche. Pourtant, il lui fallait contacter d'urgence un avocat s'il voulait tirer Juliette de ce pétrin.

Il retourna auprès de l'officier dont le badge épinglé sur l'uniforme indiquait qu'elle répondait au doux nom de Calista.

— Vous allez rire, mais j'ai oublié mon portefeuille.

— C'est hilarant, en effet.

— Pourriez-vous me prêter un dollar?

— Et puis quoi encore?

— C'est pour téléphoner.

Elle soupira.

— Si je devais donner un dollar à tous les types qui passent ici...

— Je vous rembourserai.

— Vous fatiguez pas.

L'air contrarié, elle sortit quatre pièces de vingt-cinq cents qu'elle fit glisser vers lui. Après l'avoir remerciée, Sam retourna dans le hall pour utiliser l'un des téléphones publics.

Contrairement à bon nombre de ses concitoyens, il n'avait pas d'avocat attitré. Son premier réflexe fut donc d'appeler l'une des conseillères juridiques de l'hôpital avec qui il avait sympathisé. Après avoir écouté son problème, elle lui recommanda un collègue qu'il contacta sur-le-champ. L'avocat, sans doute attiré par les possibles retombées médiatiques de l'affaire, accepta de venir immédiatement.

Sam raccrocha, soulagé.

Voilà. Tout allait s'arranger. Les flics de cette ville n'étaient peut-être pas très malins, mais ils se rendraient vite compte que Juliette n'était pour rien dans le crash, même si la parano post-11 septembre n'était toujours pas retombée.

Il essaya de s'asseoir un moment, mais il ne parvenait pas à rester tranquille. Ce qui l'inquiétait c'était Grace Costello, cette femme flic rencontrée à Central Park qui lui avait tenu un drôle de discours avec son petit jeu de la bonne et de la mauvaise nouvelle. La bonne nouvelle, lui avait-elle expliqué, c'était que Juliette était vivante. Et lorsqu'il avait demandé quelle était la mauvaise, elle lui avait répondu de façon sibylline : « La mauvaise, c'est qu'elle n'a plus que quelques jours à vivre. » Persuadé que cette femme délirait, Sam était parti sans chercher à en savoir davantage et il le regrettait maintenant amèrement.

Non, c'était absurde, il fallait au contraire qu'il se réjouisse d'avoir retrouvé Juliette. Ainsi donc, elle n'avait pas pris l'avion. Comme il en avait eu l'intuition, elle était bien revenue pour l'attendre. Pendant un instant, il mesura la portée de ce geste et eut de nouveau confiance en la vie. Il décida alors que, dès qu'il le pourrait, il lui dirait la vérité. Il avouerait qu'il n'était pas marié et peut-être ne lui tiendrait-elle pas rigueur de ce mensonge stupide.

— Monsieur Galloway, je suis l'inspecteur Di Novi.

Interrompu dans ses pensées, Sam leva la tête vers le policier qui l'invita à le suivre dans son bureau. Di Novi ressemblait davantage à une vedette people qu'à un flic ordinaire. Son costume tombait impeccablement et son polo noir arborait la griffe d'un grand couturier italien. D'allure sportive, il affichait un sourire impeccablement détartré et un bronzage qui trahissait de récentes vacances au soleil ou de nombreuses séances d'UV.

Sam se méfia de lui au premier regard. Comme ça, sans raison précise. Malgré tout ce qu'on pouvait raconter, les hommes n'étaient pas si compliqués et la première impression qu'on pouvait avoir sur quelqu'un était souvent la bonne.

— Monsieur Galloway, je vous écoute.

En quelques mots, Sam lui raconta comment il avait rencontré Juliette. Il jura solennellement ne pas l'avoir quittée une seule minute pendant les dernières quarante-huit heures. Di Novi mentionna le passeport trafiqué, mais Sam répondit que ça ne suffisait pas pour soup-çonner Juliette de terrorisme.

— Si je vous ai bien compris, Mlle Beaumont serait sortie précipitamment de l'avion pour vous rejoindre...

— C'est ça.

— Parce qu'elle avait décidé de rester avec vous à New York ?

— Je suppose.

Le policier soupira :

– Monsieur Galloway, j'avoue que je ne saisis pas très bien la logique de votre petit jeu avec Mlle Beaumont : je t'aime, je te quitte, je t'aime, je te quitte...

Sam s'agaça :

— C'est souvent comme ça dans la vie. Les relations entre les hommes et les femmes sont loin d'être simples. Apparemment, cela vous échappe.

Di Novi ignora la remarque et poursuivit son interrogatoire :

— Avez-vous aidé Mlle Beaumont à faire ses bagages ?

— Non.

— Est-ce qu'à votre connaissance elle transportait des affaires ou des paquets pour le compte de quelqu'un d'autre ?

— Non.

— À l'aéroport, a-t-elle laissé ses bagages sans surveillance ?

— Je ne pense pas.

— Prenait-elle de la drogue ?

— Non !

— Ouais, vous n'en savez rien.

— Je suis médecin, je sais reconnaître les drogués.

Di Novi fit une moue dubitative. Sam contre-attaqua :

— Nous sommes en Amérique, on ne met pas les gens en prison parce qu'ils s'aiment !

— Si vous me permettez, je crois que la situation est un peu plus complexe que ça.

— Laissez-moi au moins lui parler...

— Il n'en est pas question. Vous serez informé en temps et en heure de la fin de sa garde à vue. Mais, si vous voulez mon avis, ce n'est pas pour tout de suite, ajouta-t-il sadiquement.

Le policier consulta son bloc-notes avant de reboucher son Montblanc avec ostentation.

— Une dernière question, monsieur Galloway : comment avez-vous appris que Mlle Beaumont n'avait pas péri dans l'accident ?

Sam hésita un moment, mais une intuition le poussa à ne pas évoquer l'intervention mystérieuse de Grace Costello. À la place, il mit en garde le policier :

— Vous êtes en train de faire une grave erreur...

— Je fais mon métier.

— Je ne vous conseille pas de déraper, inspecteur. Juliette est avocate, elle saura se défendre si...

Di Novi fronça les sourcils.

— Qui est avocate ?

— Juliette Beaumont.

— C'est ce qu'elle vous a dit ?

— Oui, confirma Sam, sans comprendre qu'il faisait une erreur.

Quelque chose brilla alors dans l'œil de Di Novi. Il se redressa brusquement. Décidément, cette Française n'était pas nette : falsification de passeport, rébellion, usurpation d'identité...

— Bon Dieu, est-ce que vous allez m'expliquer ? cria Sam.

— Juliette Beaumont n'est pas avocate, répondit Di Novi d'un air triomphant, elle est serveuse dans un café...

*

Dépité, Sam faisait les cent pas dans le hall du commissariat. Il venait de s'entretenir avec l'avocat qui assisterait Juliette. Le juriste lui avait conseillé de rentrer chez lui : la garde à vue pouvait encore se prolonger sur deux jours et cela ne servait à rien qu'il perde son temps ici. Avant de suivre ce conseil, Sam voulait vérifier une dernière chose.

Il se présenta devant le bureau de Calista.

— Une bonne action pour terminer la journée ?

La jeune Black secoua la tête :

— Désolée, j'ai terminé mon service, répondit-elle en commençant à ranger ses affaires.

— Ecoutez, j'aurais besoin de renseignements sur un policier d'un autre commissariat. C'est une femme : Grace Costello, elle est détective au 36e district.

— Je ne peux pas vous aider pour ça.

— C'est très important.

— Peut-être pour vous, mais pas pour moi, dit-elle en haussant les épaules.

— S'il vous plaît, rendez-moi service encore une fois ! demanda Sam avec toute la conviction dont il était capable.

— Juste une question : pourquoi revenez-vous toujours vers moi alors qu'il y a deux autres bureaux à l'entrée de ce foutu commissariat ?

— Peut-être à cause de ça, avoua le médecin en désignant une petite photo épinglée sur le mur derrière la jeune femme.

Le cliché représentait deux petites filles qui jouaient à la marelle sur un trottoir de Bedford Avenue.

Calista fronça les sourcils.

— J'ai été moi aussi élevé dans ce quartier, expliqua Sam.

— Foutaises !

— C'est la vérité.

— Ça m'étonnerait beaucoup.

— Pourquoi ?

— Peut-être à cause de ça, dit-elle en pointant successivement du doigt son visage puis celui du médecin, manière pour elle de lui signaler la blancheur de sa peau alors que tout le monde était noir à Bedford.

— École primaire Martin Luther King et collège Charles Drew, affirma-t-il pour donner plus de véracité à ses propos.

— Connaître le nom des écoles ne prouve pas que vous y ayez été élève, remarqua-t-elle méfiante.

Sam soupira.

— Vous voulez une preuve ? Très bien.

Il fit d'abord glisser la fermeture éclair de son survêtement, puis se débarrassa de son pull et de son tee-shirt.

— Docteur Galloway, je vous rappelle que nous sommes dans un commissariat ! s'écria Calista, effrayée par ce strip-tease impromptu. Je ne veux pas d'ennuis...

Torse nu, Sam se rapprocha suffisamment de la jeune femme pour qu'elle puisse apercevoir un petit tatouage bleuté avec les mots *Do or die* inscrits au bas de son épaule. *Fais quelque chose ou meurs*, la devise de Bedford, son ancien quartier.

Calista dévisagea Sam sans ciller, puis elle s'empara du téléphone mais, déjà, un autre officier était là pour la relever et commençait à s'installer.

— Rappelez-moi le nom de votre flic.

— Grace Costello.

— Attendez-moi ici un instant, ordonna-t-elle.

Sam la regarda s'éloigner et traverser la grande pièce dans laquelle s'affairait le personnel administratif. Calista trouva un bureau libre dans le couloir en mezzanine qui courait au-dessus de la salle. À travers une porte vitrée, il pouvait distinguer ses mouvements. Il la vit ainsi donner plusieurs coups de téléphone puis recevoir un fax. Aux regards furtifs qu'elle jetait autour d'elle, il devina que ce qu'il lui avait demandé n'entrait pas forcément dans ses attributions et qu'elle prenait des risques pour lui. Plusieurs fois, elle fronça les sourcils en signe d'incompréhension.

Enfin, elle le rejoignit avec une feuille de papier à la main.

— Est-ce que vous vous foutez de moi ? lui demanda-t-elle, mécontente.

— Bien sûr que non, se défendit-il, pourquoi dites-vous cela ?

Elle lui tendit le fax qu'elle venait de recevoir.

— Parce que Grace Costello est morte il y a dix ans.

14

Quand ils frappent, ils frappent ceux que tu aimes...

Dialogue du film *Le Parrain*,
de Francis Ford Coppola

Sam sortit du commissariat troublé et perplexe.

L'air frais du dehors lui fit du bien. Il remonta la rue à vive allure pour se réchauffer, tout en guettant un taxi libre. La nuit était tombée et un reste de neige givrée craquait sous ses pas. En passant sous un réverbère, il ne put s'empêcher de sortir de sa poche le fax que lui avait remis Calista – un article du *New York Post* vieux de dix ans – pour le relire encore une fois.

Woman Police Officer shot dead in Brooklyn [1]

Grace Costello, une détective du 36ᵉ district, a été retrouvée morte la nuit dernière, au volant de sa voiture, tuée d'une balle en pleine tête. Les circonstances de sa mort restent pour l'instant mystérieuses d'autant qu'elle ne semblait pas être en service au moment du crime.

Âgée de trente-huit ans, Grace Costello appartenait au NYPD depuis quinze ans. Elle avait commencé sa carrière comme officier de patrouille avant de grimper les échelons. Promue détective à l'âge de vingt-six ans, cette femme de terrain a apporté une contribution

---

1. Une femme policier tuée par balle à Brooklyn.

décisive à la résolution de plusieurs grandes affaires criminelles.

Diplômée de l'université de New York et du FBI National Academy de Quantico, elle était mère d'une petite fille de cinq ans et avait un brillant avenir au sein des services de police, puisque sa récente promotion au grade de lieutenant allait prendre effet le mois prochain.

Deux photos de Grace illustraient l'article : un cliché classique en uniforme d'officier lors de sa titularisation au NYPD et un autre plus personnel où elle posait en compagnie de sa fille encore bébé, au bord de l'océan.

Le grain des photos était relativement précis et Sam put constater que c'était bien la même femme qu'il avait rencontrée quelques heures plus tôt à Central Park. Une femme censée être morte depuis une décennie...

Il aperçut enfin un taxi qui tournait au coin de la rue. Sa lumière centrale indiquait qu'il n'était pas chargé. Sam fit un pas en avant et le héla. Alors que le taxi manœuvrait pour se ranger, une voiture de police le contourna sur la droite et s'arrêta à la hauteur du médecin. La vitre s'ouvrit sur un officier de patrouille, la cinquantaine et l'air renfrogné.

— Monsieur Galloway ?

— Oui ?

— Si ça ne vous ennuie pas, j'aimerais faire une petite balade avec vous.

— Eh bien, en l'occurrence, ça m'ennuie plutôt : c'est d'un taxi que j'ai besoin, pas d'un cortège officiel.

— Je me vois obligé d'insister.

— Je me vois obligé de refuser : j'ai vu assez d'uniformes pour la journée et je n'aime pas vos manières.

— Ne me forcez pas à utiliser l'autre option.

— Quelle est-elle ?

— Je pourrais toujours descendre et vous casser la gueule, menaça le flic.

— Vraiment ? J'aimerais bien voir ça.

— Je vais vous montrer.

La voiture accéléra et déborda sur le trottoir, barrant la route à Sam, qui n'en revenait pas. En un éclair, l'officier sauta du véhicule et s'avança vers lui. C'était un homme trapu, de taille moyenne, accusant quelques kilos de trop malgré une certaine allure.

— Je suis l'officier Mark Rutelli, annonça-t-il en mettant la main sur son arme de service rangée dans un holster qu'il avait ramené le long de sa ceinture.

Il fixa le médecin dans les yeux et celui-ci y lut une détermination sans faille. Cet homme semblait prêt à tout pour que Sam le suive.

— Je crois que vous devriez relire ce qui est inscrit sur votre voiture, fit Sam en désignant les trois lettres CPR – Courtoisie, Professionnalisme et Respect – censées résumer la devise de la police de la ville.

— Eh bien, je vais vous le demander une dernière fois poliment, reprit Rutelli : j'aimerais *vraiment* que nous ayons une petite discussion tous les deux.

Comprenant qu'il n'avait pas réellement le choix et qu'il ne pourrait faire autrement que de tailler une bavette avec cet excité, Sam répondit d'un ton résigné :

— De quoi voulez-vous parler ?

— De mon ancienne coéquipière : Grace Costello.

Sam monta dans la voiture et Rutelli commença à rouler vers le sud.

— Vous êtes médecin, c'est ça ?

— Oui, je suis pédiatre mais je voudrais bien comprendre à quoi rime tout ce...

Rutelli leva une main pour l'arrêter :

— Il y a une demi-heure, lorsque je suis rentré prendre mes affaires après mon service, un type du central m'a dit qu'un officier du 21e district s'était renseigné sur Grace Costello...

— C'est moi qui le lui avais demandé, confirma Sam.

— ... et qu'il croyait manifestement qu'elle était encore vivante.

— Elle *est* encore vivante, affirma Sam.

— Et qu'est-ce qui vous fait dire ça ?

— J'ai parlé avec elle cet après-midi.

Rutelli poussa un soupir. Sam remarqua que les mains du policier commençaient à trembler et qu'il crispait ses doigts autour du volant pour ne pas exploser. Rutelli ouvrit la fenêtre, aspira un bol d'air frais puis, pendant plusieurs minutes, ne dit plus rien, se contentant de conduire en grillant quelques feux au passage.

Alors que la voiture s'engageait sur le pont de Brooklyn, Sam demanda :

— Où on va comme ça ?

— Vous faire comprendre que les fantômes n'existent pas.

Ils arrivèrent à Bensonhurst, le dernier vrai quartier italien de New York depuis que *Little Italy* s'était transformée en attraction touristique.

Le policier tourna plusieurs fois autour d'un pâté de maisons sans parvenir à se garer. Sur cinq ou six mètres, le long d'un trottoir, quelqu'un avait posé un panneau menaçant :

YOU TAKE MY SPACE
I BREAK YOUR FACE [1]

Mais Rutelli n'était pas homme à se laisser intimider. Il descendit du véhicule, donna un coup de pied méprisant dans la pancarte et se gara à sa place.

Puis il entraîna Sam dans un petit café-restaurant où il semblait avoir ses habitudes. Une vieille enseigne au néon indiquait que l'établissement était ouvert depuis une quarantaine d'années, chose assez exceptionnelle dans une ville perpétuellement en mouvement comme New York.

---

1. Littéralement : Tu prends ma place – Je te casse la gueule.

— Venez avec moi, ordonna-t-il.

Sam le suivit dans une petite salle où régnaient des parfums alléchants de pâte à pain, d'huile d'olive et de fougasse. Sur le mur s'étalaient des photos de personnalités italo-américaines : Sinatra, Pavarotti, De Niro, Travolta, Madonna, Stallone...

Les deux hommes prirent place, l'un en face de l'autre, sur une banquette en moleskine.

— Ciao Marko, fit le patron en posant devant Rutelli une bouteille d'alcool déjà entamée.

— Ciao Carmine.

Rutelli se servit un verre, qu'il avala d'un trait, ce qui eut pour effet presque mécanique de mettre fin au tremblement de ses mains.

Provisoirement apaisé, il invita Sam à lui dire précisément ce qu'il savait sur Grace.

Sam lui raconta toute son histoire, depuis sa rencontre avec Juliette jusqu'à l'apparition de Grace dans Central Park en passant par le crash du vol 714. Lorsqu'il eut terminé son récit, Rutelli se servit un nouveau verre, puis se frotta les paupières sans parvenir à y faire disparaître le voile de tristesse qui ne le quittait pas.

— Écoutez, Galloway, j'ai été le coéquipier de Grace pendant plus de dix ans. Nous sommes entrés à la criminelle à peu près en même temps et nous avons travaillé sur les mêmes enquêtes. Non seulement nous formions une bonne équipe, mais nous étions aussi amis, très amis...

Tout en parlant, il avait sorti une photo de son portefeuille qu'il tendit à Sam. Le médecin la regarda avec attention : on pouvait y voir le policier en compagnie de Grace quelque part devant un lac et une chaîne de montagnes. Ils étaient jeunes et beaux. Grace rayonnait et Rutelli était mince, souriant, plein de confiance dans le futur. Totalement différent de cet homme débordant de colère que Sam avait maintenant devant lui.

— Si vous me permettez une question... reprit Sam.

Rutelli l'engagea à poursuivre.

— Puisque vous avez travaillé avec Grace, vous deviez avoir le grade de détective...

— Exact, et comme elle, j'allais être promu lieutenant.

— Alors comment se fait-il que, dix ans plus tard, vous vous retrouviez simple officier de patrouille?

Rutelli tira un paquet de cigarettes de sa poche et s'en alluma une. Il n'avait pas la tête de celui à qui on s'aventure à rappeler la réglementation antitabac.

— Depuis la mort de Grace, rien n'a plus jamais été pareil pour moi.

— Vous avez un problème d'alcool, n'est-ce pas?

— Un problème d'alcool?

— Vous êtes alcoolique, Rutelli?

— Qu'est-ce que ça peut vous foutre?

— Je suis médecin, je ne vous juge pas, mais vous pourriez peut-être vous faire aider.

Le policier balaya cette proposition d'un geste de la main.

— Les alcooliques anonymes et tout le tralala! Non merci, ce n'est pas pour moi.

Il allait ajouter quelque chose, mais les mots restèrent bloqués dans sa gorge. Il avala un peu de salive puis reprit :

— Grace me connaissait bien, avec mes défauts et mes qualités. Elle avait cette capacité à faire ressortir ce qu'il y avait de meilleur en moi.

Il tira une longue bouffée sur sa cigarette avant de continuer :

— Pour elle, tout était toujours positif, elle croyait en tous ces trucs... dit-il en faisant un geste évasif.

— Quels *trucs*?

Le regard de Rutelli se perdit très loin, de l'autre côté de la vitre. Il précisa sa pensée :

— Elle croyait au bonheur, à l'avenir, au bon côté des choses et des gens... Elle avait foi en l'humanité.

Il laissa passer quelques secondes avant d'avouer :

— Moi, je ne suis pas comme ça.

Moi non plus, pensa Sam en son for intérieur.

— Sans elle, ce boulot m'est vite devenu infernal. Elle n'était plus là pour me contenir, pour me maîtriser...

— Et on vous a rétrogradé ? demanda Sam.

Rutelli approuva de la tête :

— C'est vrai que j'ai souvent mordu la ligne jaune, ces dernières années.

— Et comment expliquez-vous ma rencontre avec Grace cet après-midi même ?

Les mains du policier avaient repris leur tremblement.

— Ce n'était pas elle, Galloway, dit-il en se resservant un verre.

— C'était son portrait craché en tout cas, un peu comme si elle n'avait pas vieilli. Comme si elle avait encore l'âge de la photo du journal.

— Elle s'est pris une balle, Galloway. Une putain de balle qui lui a explosé le crâne ! Vous comprenez ça ? cria-t-il.

— Elle n'est peut-être pas morte, hasarda Sam.

Rutelli s'enflamma :

— Lorsque Grace a été abattue, c'est moi qui suis allé reconnaître son corps au service médico-légal ! J'ai vu son visage, j'ai pleuré en tenant son corps dans mes bras ! Et croyez-moi, c'était bien elle.

Sam regarda Rutelli dans les yeux et comprit qu'il ne mentait pas.

Le policier le raccompagna chez lui quelques minutes plus tard. En arrivant devant la petite maison de Greenwich Village, Rutelli avait retrouvé un semblant de calme.

— Plutôt rupin, votre quartier, doc.

— C'est une longue histoire, répondit Sam.

Comme il faisait froid, les deux hommes restèrent dans la voiture et partagèrent une dernière cigarette dans le silence de la nuit. Un souffle glacial faisait frémir les branches des ginkgos et des glycines. Pendant un long moment, personne ne parla. Sam pensait à Juliette, isolée dans une cellule, Rutelli pensait à Grace, la seule femme qu'il eût jamais aimée, et il regretta une fois de plus de ne pas lui avoir avoué ses sentiments lorsqu'elle était encore vivante. Sam fut le premier à rompre le silence :

— Qui a tué Grace ? Vous le savez ?

Le policier secoua la tête.

— Pendant plus d'un an, j'ai enquêté sans relâche, empiétant sur mes week-ends et mes vacances. Mais je n'ai jamais découvert de piste sérieuse.

Sur quoi, il écrasa son mégot et fit démarrer le moteur.

— Salut, Galloway.

— Salut, Rutelli, lui renvoya Sam en ouvrant la portière. Pensez à venir me voir si un jour vous avez envie d'arrêter de boire. Une amie à moi dit qu'*il n'y a pas de problèmes, juste des solutions.*

— Grace aussi aimait répéter ça.

Spontanément, le policier lui tendit la main, tout étonné de l'étrange complicité qui semblait naître entre lui et ce jeune docteur.

— Vous devez être un drôle de médecin, non ?

— On me dit ça parfois, admit Sam en serrant la main tendue.

Bizarrement, Rutelli avait retrouvé un peu d'entrain. Ses yeux brillaient comme des diamants.

— Qu'est-ce que vous allez faire ? s'inquiéta Sam.

— Quelqu'un dans cette ville se fait passer pour Grace Costello, constata Rutelli. Il faut que je comprenne *qui* et *pourquoi.*

— Faites attention à vous.

— Vous aussi, doc, on ne sait jamais.

Sam descendit de la voiture et Rutelli s'éloigna dans la nuit.

Le médecin ne tenait plus sur ses jambes. Sa tête lui tournait et il avait mal au ventre. Ecrasé de sommeil, il poussa la porte de son appartement avec la ferme intention de se jeter dans son lit.

Absorbés par leur conversation, aucun des deux hommes n'avait remarqué qu'une ombre, tapie de l'autre côté de la rue, n'avait pas perdu une miette de leur échange.

15

Quand il fut de l'autre côté du pont, les fantômes vinrent à sa rencontre.

Intertitre du film *Nosferatu*

Sam consulta ses messages : son portable et son *beeper* débordaient d'appels de l'hôpital. Visiblement, on avait essayé de le joindre tout l'après-midi.

Que s'est-il passé ?

Il allait rappeler son service lorsqu'il entendit du bruit à l'étage.

Intrigué, il monta les escaliers quatre à quatre et ouvrit la porte de la chambre. Un souffle glacial s'engouffra dans la pièce comme un courant d'air. La fenêtre était ouverte et une silhouette se détachait dans le bleu de la nuit. Celle d'une femme, féline et élancée, assise sur le rebord de la fenêtre : Grace Costello.

— Comment êtes-vous entrée chez moi ?

— Ce n'était pas très compliqué, répondit-elle en sautant de la fenêtre jusqu'au parquet.

— Vous êtes dans une propriété privée ! Avez-vous un mandat ou une autorisation officielle ?

Grace haussa les épaules.

— Vous vous croyez où ? Dans un film ?

— Je vais appeler la police, menaça-t-il en se précipitant sur son téléphone.

D'un bras ferme, elle le freina dans son élan.

— C'est moi la police.

Sans se démonter, il l'attrapa par le col de sa veste en cuir.

— Vous avez beau avoir un flingue, vous ne me faites pas peur.

Elle leva la tête vers lui. De près, on ne pouvait qu'être troublé par sa beauté : ses traits étaient délicats et ses grands yeux profonds brillaient dans la pénombre. Elle était si proche de lui qu'il pouvait sentir son souffle tout contre son oreille.

— Je ne cherche pas à vous faire peur, docteur, dit-elle en se radoucissant. Je veux juste vous parler.

— De quoi ? s'enquit-il en la relâchant.

— De Juliette.

— Comment saviez-vous qu'elle avait quitté l'avion ?

Grace s'était éloignée de lui. Sans répondre à sa question, elle fit lentement le tour de la pièce, parcourant du regard les étagères pleines de livres.

— Est-ce que vous croyez en l'au-delà, docteur Galloway ?

— Non, répondit-il sans hésiter.

— Peut-être croyez-vous au moins au côté spirituel des choses ?

— Désolé de vous décevoir, mais dans ce domaine mes préoccupations ne dépassent pas celles de la crevette.

— Tout de même, insista Grace, lorsque vous perdez un patient à l'hôpital, vous ne vous demandez jamais s'il y a quelque chose après ?

— Ça m'est arrivé, admit Sam.

Pendant une fraction de seconde, le visage de Federica traversa son esprit.

Où est-elle à présent ? Y a-t-il un ailleurs ? Un endroit où nous irons tous ?

Il s'efforça de chasser ces pensées.

— À votre avis, reprit Grace, qui décide de l'heure de la mort ?

Le médecin fronça les sourcils.

— Si on met de côté les meurtres et les suicides, on meurt lorsque notre organisme a épuisé ses ressources...

— Bla-bla-bla...

136

— C'est la vérité, se défendit Sam, les gens ont l'âge de leurs artères. Leur état de santé dépend de leur constitution, de leur alimentation et de leur hygiène de vie.

— Et dans le cas des accidents?

Il haussa les épaules.

– C'est ce qu'on appelle le « risque de vivre », non? Une succession de hasards malheureux qui font qu'on se trouve au mauvais endroit au mauvais moment.

— Est-ce que tout cela ne vous paraît pas un peu trop terre à terre?

— Non, ça ne me semble pas terre à terre et je ne vois pas très bien sur quel terrain vous voulez m'entraîner...

— Imaginez que l'heure et les circonstances de notre mort soient programmées à l'avance, hasarda Grace.

— J'ai vu *Matrix* à la télé, mais je n'y ai pas compris grand-chose.

— Je suis sérieuse. Imaginez qu'une jeune femme ait été destinée à périr dans un accident d'avion...

— Je ne crois pas à ces conneries de destin.

— Imaginez que, pour une raison sentimentale, elle ait quitté l'avion au dernier moment, déjouant brusquement les plans de la Mort.

— Je dirais que cette femme a eu une énorme chance et que c'est très bien pour elle.

— On ne peut pas faire faux bond à la Mort.

— Il faut croire que si.

Grace regarda Sam dans les yeux.

— Ce que j'essaie de vous faire comprendre c'est que tout a un sens, Galloway. Rien n'arrive qui ne doive arriver, même si les passions humaines dérèglent parfois la mécanique céleste...

— Quel rapport avec Juliette?

— Juliette devait disparaître dans cet accident, ça faisait partie de l'*ordre des choses,* et c'est pour corriger cette erreur que j'ai été envoyée.

— Pour corriger cette erreur?

— Je suis une *émissaire,* Galloway...

— Et quelle serait votre mission ?

— Je croyais que vous aviez saisi, docteur : ma mission est de ramener Juliette.

— Où ?

— Là-haut, répondit-elle en pointant son index en l'air.

Pendant presque une minute, Sam garda le silence, à la manière d'un thérapeute se concentrant avant de rédiger son ordonnance.

— Si je vous suis, vous seriez une sorte de fonctionnaire chargée de la gestion des décès dans l'au-delà ?

— C'est une façon de voir les choses.

— Ce qui m'effraie le plus... enchaîna Sam

— Oui ?

— Ce qui m'effraie le plus, c'est que vous croyez vraiment à tout ce que vous dites, n'est-ce pas ?

— Je conçois que ce soit dur à accepter, admit Grace.

— Pour une raison que j'ignore, quelque chose vous a gravement perturbée, mais je suis médecin et je pourrais peut-être vous aider à...

— Arrêtez de proposer votre aide à tout bout de champ !

— Je disais ça dans votre bien.

— Je me fous pas mal de votre compassion : je suis morte et enterrée depuis dix ans.

— Dans ce cas, ça suffit ! décida Sam. Sortez de chez moi !

— Collaborer avec vous ne va pas être une partie de plaisir, soupira Grace.

Elle se dirigea vers la fenêtre par où elle était arrivée.

— Une dernière chose, docteur : cessez d'interroger des gens à mon propos. Laissez Mark Rutelli tranquille. Et ne parlez de tout ça à personne.

— Ben voyons, il n'y a que vous qui ayez le droit d'envahir la vie des autres.

— Suivez mon conseil : lorsqu'on commence à déterrer le passé, les emmerdes ne sont jamais loin.

— Bla-bla-bla...

— Je vous aurais prévenu.

Tout à coup, le médecin consciencieux reprit le pas sur l'homme en colère et Sam se sentit vaguement coupable de laisser repartir une femme qui avait manifestement besoin de soins psychiatriques.

— Si vous voulez de l'aide, vous pouvez toujours passer me voir lors de ma consultation à l'hôpital, proposa-t-il de nouveau.

— C'est ça, on se reverra, Galloway, on se reverra.

Grace enjamba le muret qui permettait d'accéder à la fenêtre. Elle était sur le point de sauter lorsqu'elle s'arrêta dans son mouvement et lança un nouveau missile en direction du médecin :

— Oh, j'allais oublier : ne vous faites plus de souci : votre femme vous aime encore, même après ce que vous lui avez avoué au cimetière l'autre matin.

À la fois médusé et hors de lui, Sam mit quelques secondes à réagir avant de se ruer vers la fenêtre.

— Depuis quand est-ce que vous m'espionnez ? cria-t-il dans la rue.

Mais Grace Costello avait déjà disparu.

16

En faculté de médecine, on nous enseigne que la dernière image que beaucoup de personnes emportent avec elles est le visage du médecin urgentiste.
J'essaie de ne jamais oublier ça quand je vois tous ces yeux terrifiés qui s'accrochent aux miens.

Dialogue du film *Dragonfly*, de Tom Shadyac

Mardi matin – hôpital St. Matthew's

— Vous êtes en retard, docteur Galloway.

— Ça va, ça va, laissez-moi le temps d'arriver, répondit Sam en terminant de boutonner sa blouse.

Janice Freeman, la responsable du service des urgences, était en train de répartir les différentes interventions du matin. Cette Afro-Américaine au physique imposant appréciait beaucoup Sam, qui le lui rendait bien.

– Un bâton de dynamite a explosé à proximité de votre tête, docteur? demanda-t-elle en faisant allusion à la coiffure ébouriffée du médecin.

— J'ai eu une nuit agitée.

— J'en suis heureuse pour vous.

— Ce n'est pas ce à quoi vous pensez, se défendit Sam.

— Oh! vous n'avez pas à vous justifier.

— Bon, qu'est-ce que vous avez pour moi?

— J'ai à vous parler, Sam.

Alors que Janice s'apprêtait à lui révéler quelque chose, une femme portant un enfant dans ses bras fit irruption dans l'hôpital.

— J'ai besoin d'un médecin, vite!

— Je m'en occupe, dit Sam.

— Je viens avec vous, proposa Janice.

— Que s'est-il passé, madame ? demanda Sam en installant l'enfant sur une civière.

— C'est mon fils, Miles.

— Quel âge a-t-il ?

— Quatre ans. Il s'est fait piquer au cou par une guêpe lorsque je l'emmenais à l'école.

Une guêpe ? En plein milieu de l'hiver ?

— Vous êtes sûre que c'était une guêpe, madame ?

— Je... je crois.

Putain, y a vraiment plus de saisons.

Sam découpa entièrement le pull-over de Miles pour examiner la prétendue piqûre. En effet, un gonflement très net lui déformait la base du cou.

Merde.

— Un œdème de Quincke ? s'enquit Janice.

— Ouais.

— Il faut faire vite, Sam, il ne respire plus !

— Je fais une trachéo.

En moins de temps qu'il ne faut pour le dire, le médecin se pencha sur l'enfant et planta un cathéter dans sa trachée, juste en dessous de la pomme d'Adam. Il brancha ensuite le corps d'une seringue pour permettre à l'enfant de respirer.

— Je ventile, dit Janice.

— Faites 300 d'Adré et 400 de Solu-Médrol, demanda-t-il à une infirmière.

Puis, se tournant vers la mère de Miles.

— Tout va bien, madame, votre fils est hors de danger.

Debout devant la machine à café, Sam dégustait son premier breuvage du matin.

Un sourire de satisfaction éclairait son visage. Voilà un début de journée tel qu'il les aimait : un bon diagnostic, une intervention précise et, hop, une vie de sauvée !

— Ça vous excite de vous prendre pour Dieu, n'est-ce pas ? lança Janice en le rejoignant.

— Ça vous excite de me poser des questions stupides ? répondit-il du tac au tac.

— Bien joué, en tout cas.

— Merci. J'vous offre un café ?

— Allez, soyons fou : un cappuccino !

— C'est vous qui avez laissé trente-six messages sur mon répondeur hier ?

— Trente-six mille plutôt.

— Qu'y avait-il de si urgent ? demanda-t-il en mettant quelques pièces dans l'appareil.

— Ce n'est pas moi qui vais vous l'apprendre, Sam : notre métier est une succession de grandes joies et de grandes peines...

— Allez droit au but, dit-il, soudain inquiet.

— C'est à propos d'Angela. Elle est morte, Sam. C'est arrivé hier matin.

— C'est... c'est impossible. Son état était stable.

— Personne n'a vraiment compris ce qui s'est passé. Peut-être une infection foudroyante. Quelque chose de très rare de toute façon.

Complètement anéanti, Sam quitta la salle de repos pour le couloir. Il appuya comme un fou sur le bouton de l'ascenseur. Il fallait absolument qu'il vérifie par lui-même.

— Docteur Galloway, attendez !

Comme l'ascenseur ne venait pas, il se précipita dans l'escalier de service, sourd aux appels de Janice.

Il poussa la porte de la chambre. Le lit était fait, la pièce déjà vidée de tout effet personnel. Sam était effondré. Il avait tellement cru qu'il parviendrait à la sauver.

Janice le rejoignit.

— Elle a laissé ça pour vous, dit-elle en lui tendant un porte-documents.

Sam l'ouvrit avec émotion. Il n'y avait pas de mot. Juste une liasse de dessins : des pastels, des gouaches, des collages à base de feuilles de carton et de sable. Toujours ces dessins énigmatiques, à la texture épaisse, qui lui rappelaient les toiles de sa femme. Toujours ces formes abstraites, aux couleurs de sang et de terre brûlée, qui s'entremêlaient dans des spirales tourmentées.

Cela avait-il une signification ? En tant que pédiatre, il avait fréquemment recours au dessin pour aider les enfants à exprimer leurs angoisses et leurs émotions. Chez eux, ce mode d'expression était plus naturel que la parole. Parfois, Sam proposait même à ses jeunes patients atteints de cancer ou de leucémie de représenter le combat entre leur maladie et leur système de défense. Même si cela n'était pas très académique, il s'était rendu compte que le résultat permettait souvent de pronostiquer l'évolution de la maladie de façon assez précise.

Mais comment interpréter les dessins d'Angela ?

Alors que Janice l'invitait à sortir de la pièce pour reprendre son service, Sam se rappela brusquement sa conversation de la veille avec Grace Costello.

— Est-ce que parfois vous vous posez la question, Janice ?

— Quelle question ?

— Vous ne vous demandez jamais où ils vont ?

— Vous voulez dire, les patients qui nous *quittent* ?

— Oui.

Janice Freeman poussa un long soupir.

— Ils ne vont nulle part, Sam, ils sont morts.

*

Un sandwich dans une main, son téléphone portable dans l'autre, Sam faisait les cent pas sur la terrasse du toit de l'hôpital. C'était là que se posaient les hélicoptères lors des transferts urgents ou des livraisons d'organes. L'accès au toit était strictement réglementé et en aucun cas un médecin n'avait le droit d'y prendre sa pause déjeuner. Mais Sam adorait cet endroit, seul lieu où il pouvait fumer tranquillement. Il aimait trop cette liberté pour accepter d'être parqué en bas de l'immeuble avec les autres fumeurs irréductibles, livrés à la vindicte populaire comme s'ils étaient des suppôts de Satan. Les

Etats-Unis étaient peut-être l'endroit au monde où il était le plus facile de se procurer des cigarettes. Le seul problème c'est qu'on ne pouvait plus les fumer.

Sam profita de sa pause pour téléphoner à l'avocat qui s'occupait de Juliette. La jeune femme était encore en garde à vue et l'avocat n'était pas très optimiste pour une libération dans les prochaines heures. Sam annonça que, quoi qu'il arrive, il paierait la caution dès que cela serait possible. Pour glaner quelques informations complémentaires, il contacta ensuite le consulat de France où il se présenta comme le *fiancé* de Juliette. On le renvoya de service en service et, après une attente interminable, on daigna enfin le mettre en ligne avec un fonctionnaire qui l'assura que le consulat avait « pris toutes les dispositions pour assurer la protection de Mlle Beaumont ».

Lorsque Sam demanda quelles étaient ces dispositions, il se heurta à une solide langue de bois. Il s'indigna du traitement que subissait Juliette et déclara qu'il trouvait inadmissible que la France – qui donnait si volontiers des leçons de démocratie – abandonne ainsi l'un de ses ressortissants. On lui signifia à demi-mot de ne pas faire de vagues. Tout le monde avait bien compris que cette histoire d'attentat ne tenait pas debout, mais après la brouille entre les deux pays à propos de l'Irak, Paris cherchait à se rapprocher de Washington et ne tenait pas à faire d'esclandre avec cet incident.

Sam s'enflamma :

— Ouais, et ça ne vous gêne pas de gâcher la vie d'un de vos citoyens pour d'obscures raisons politiques !

Alors qu'il continuait son flot de reproches à l'adresse des autorités françaises, la porte du toit s'ouvrit brusquement pour laisser place à Grace Costello. Elle l'écouta vociférer un moment puis se dirigea vers le médecin, lui enleva son téléphone cellulaire des mains et mit fin à sa conversation.

— Rendez-moi ça !

— Calmez-vous, docteur Galloway, votre copine finira bien par être libérée.

— Décidément, il ne manquait plus que vous ! Si vous continuez à me suivre je vais être obligé de...

— C'est vous qui m'avez proposé de venir !

Sam résista à l'envie d'allumer une nouvelle cigarette et respira profondément.

— Alors, Grace, ou quel que soit votre nom, qu'est-ce que vous allez m'annoncer aujourd'hui : que c'est vous qui avez tué Kennedy ?

— Vous avez repensé à notre discussion d'hier soir ?

— J'ai d'autres préoccupations, si vous voulez savoir.

— Vous n'avez pas cru un mot de mon histoire d'*émissaire*, n'est-ce pas ?

À nouveau, Sam soupira. Grace s'approcha un peu plus du bord du toit et s'amusa à se faire peur en regardant en bas.

D'ici, le point de vue sur la ville était saisissant : les eaux de l'East River, éclairées par le soleil, brillaient de mille feux et le paysage frappait par sa diversité avec, d'un côté, la splendeur des gratte-ciel et de l'autre les friches industrielles à l'ouest du Queens.

— Pas mal, n'est-ce pas ? dit-il en avançant vers Grace. Remarquez, vous, au ciel, vous devez avoir l'habitude de tels panoramas...

— Ah, ah, elle est bien bonne ! Vous n'avez jamais pensé à écrire des sketches ?

Avec agilité, elle grimpa en haut d'un escalier en fonte pour accéder à un étroit promontoire sur lequel on avait installé une sorte d'antenne. C'était un endroit dangereux et d'accès interdit, mais Sam vint la rejoindre, à la fois par défi et aussi pour la protéger s'il lui venait l'envie subite de sauter dans le vide. Depuis la mort de Federica, il voyait des suicidaires partout.

— Vous avez l'air de méchante humeur, docteur. Ça ne va pas ?

— Non, ça ne va pas : la femme que j'aime est en prison et je viens de perdre une jeune patiente à laquelle je tenais beaucoup.

Grace hocha doucement la tête.

— La petite Angela ?

— Comment savez-vous... ?

— Je compatis à votre chagrin. Je sais que vous êtes un jeune médecin compétent et plein de bonne volonté, mais il y a une chose qu'on a oublié de vous apprendre pendant vos études.

— Et quoi donc ?

— Qu'il est vain de lutter contre l'*ordre des choses*, dit-elle après avoir pris le temps de peser ses paroles.

Il la regarda durement.

— L'ordre des choses, ça n'existe pas ! Il n'y a rien d'écrit à l'avance.

— Je ne vous dis pas qu'il faut être fataliste, soupira-t-elle, mais qu'à un certain moment il faut savoir renoncer...

— Ne comptez pas sur moi : renoncer, c'est se soumettre.

Elle l'interrompit sèchement :

— Les gens *doivent* mourir un jour. C'est ainsi !

— Qu'est-ce que vous en savez ?

Il regarda à nouveau son visage qui était devenu plus dur.

— Parce que je suis déjà morte.

— Vous délirez !

Immédiatement, il regretta de s'être laissé emporter. Cette femme n'avait plus toute sa raison. Il fallait qu'il la considère comme une patiente.

— Écoutez, vous êtes dans un hôpital. Pourquoi ne pas en profiter pour vous reposer quelque temps ?

— Je ne suis pas fatiguée.

— Je pourrais vous avoir une chambre en psychiatrie. Nous avons des spécialistes très compétents qui...

— Ben, c'est ça, traitez-moi de cinglée tant que vous y êtes ! Ce n'est parce que je suis morte que je vais me laisser insulter !

— Ouais, et dans un moment, vous allez me dire que des extraterrestres ont pris le contrôle de votre cerveau...

— C'est ça, foutez-vous de moi !

— Comme si vous ne l'aviez pas cherché !

À nouveau, Grace soupira longuement.

— Bon, on ne va pas y arriver, constata-t-elle en se mettant debout. Vous parlez trop et vous n'écoutez pas assez.

Sur ces paroles, elle sortit le revolver qu'elle portait dans son holster et le pointa vers le médecin.

— Tant pis, c'est vous qui l'aurez cherché.

*

Le bureau de Sam consistait en une pièce sobre donnant sur le fleuve. Sur la table de travail, un ordinateur portable métallisé voisinait avec un cadre vide, une casquette des Yankees et une balle de base-ball *vintage* ornée d'un autographe. Quelques dessins d'enfants étaient épinglés sur un panneau de liège fixé sur le mur en face de la porte.

Grace avait pris place sur le siège principal tandis que Sam, toujours sous la menace de l'arme, était assis sur l'une des chaises qui lui faisaient face.

— Maintenant vous allez m'écouter sérieusement, en m'épargnant vos remarques et vos sarcasmes, compris ?

— OK, répondit Sam, partagé entre la curiosité et la peur.

– D'abord, tout ce que je vous ai dit hier soir est vrai : j'ai bien été tuée il y a dix ans et, pour une raison que je ne m'explique pas, j'ai été renvoyée ici pour accomplir une tâche.

Sam se mordit la langue pour ne pas répliquer.

— Vous ne me croyez toujours pas ?

— Comment le pourrais-je ?

— Qu'est-ce que vous proposez alors ?

— Je pense que vous n'avez pas été tuée. Je pense que vous avez *simulé* votre mort. Je pense que la police vous a fourni une nouvelle identité pour vous protéger.

— Et de qui, s'il vous plaît ?

— Je ne sais pas : de la mafia, d'un groupe criminel qui vous menaçait... J'ai déjà entendu une histoire semblable à la télé.

Grace leva les yeux au ciel.

— Si vous imaginez que ça marche comme ça...

Elle quitta son fauteuil pour faire les cent pas à travers la pièce à la recherche d'une idée pour convaincre le médecin. Soudain, elle désigna l'article de journal relatant sa mort qui traînait sur le bureau.

— D'après cet article, à quel âge suis-je morte ?

— Trente-huit ans, répondit Sam après avoir vérifié.

— Sur cette photo, vous pensez que c'est moi ?

— Vous ou quelqu'un qui vous ressemble. Peut-être votre sœur.

— Je n'ai pas de sœur, vous pourrez le constater sur mon dossier.

Elle se rapprocha de lui. Tous ses mouvements reflétaient une grâce naturelle.

— Est-ce que vous vous y connaissez un peu ?

— En quoi ?

— En femmes.

Son arme à la main, elle s'appuya nonchalamment sur le bureau et se pencha vers lui. À ce moment, il émanait d'elle une sensualité ardente. Sam comprit qu'elle en jouait et fit des efforts pour ne pas se laisser déstabiliser.

— Vous me donnez quel âge ?

— Je ne sais pas.

— Allez !

— Entre trente et quarante.

— Merci pour le trente. En fait, j'ai exactement le même physique qu'au moment de ma mort. Un peu comme si, pour moi, le temps s'était arrêté pendant dix ans. Vous ne trouvez pas ça étrange ?

Sam ne répondit rien. Grace continua :

— Pourtant, quel âge suis-je censée avoir ?

— Presque cinquante ans.

— À votre avis, est-ce que j'ai cinquante ans ?

— Aujourd'hui, avec la chirurgie plastique, je connais des femmes de cinquante ans qui pourraient poser dans *Playboy*.

Elle se rapprocha encore et écarta ses cheveux pour montrer la base de son cou.

— Vous voyez les traces d'une opération ?

— Non, admit Sam.

— Merci pour votre franchise, répondit-elle, visiblement satisfaite d'avoir marqué un point.

— En tout cas, ça ne valide pas pour autant votre discours d'hier soir : cette idée comme quoi le déroulement de la vie de chaque être serait écrit quelque part dans une sorte de...

Avec ses doigts, Sam dessina des guillemets dans l'air.

— ... « livre du destin ».

— Vous caricaturez, mais il y a de ça, reconnut Grace.

— Absurde et désespérant : qui croit encore à la prédestination aujourd'hui ?

— Sauf votre respect, ça fait près de vingt siècles que les religions débattent de la question, alors je vous vois mal régler ce problème en un après-midi.

Elle retourna s'asseoir sur le fauteuil.

— Soyons sérieux deux minutes, docteur. Je comprends très bien qu'il est plus confortable de penser que nous maîtrisons les événements de notre vie. La plupart du temps d'ailleurs nous arrivons à nous le faire croire. Mais il y a aussi des choses auxquelles on ne peut rien changer. En ce qui concerne Juliette, elle devait mourir dans cet accident. J'en suis désolée, mais chacun doit suivre le seul chemin qui lui est destiné.

— Des conneries bouddhistes maintenant !

— Ça n'a rien à voir avec le bouddhisme et, que ça vous plaise ou non, je ramènerai Juliette avec moi.

— Et, si ce n'est pas indiscret, par quel moyen de transport comptez-vous rejoindre votre « au-delà » ? En soucoupe volante ?

— À vrai dire, ce ne sont pas les moyens qui manquent. Nous utiliserons toutes les deux le même canal.

Elle ouvrit l'ordinateur portable, se connecta à l'Internet, tapota quelque chose sur le clavier, puis tourna l'écran du Powerbook vers le médecin.

En apparence, on était sur le site web d'un quotidien d'information : le *New York Post.* Un bandeau d'alerte défilait sur la partie supérieure de l'écran :

```
Terrible accident de téléphérique
```

```
À 12 h 30 ce matin, l'une des cabines du téléphérique
de Roosevelt Island a sombré dans le fleuve avec au
moins deux personnes à son bord.
```

Sam ne comprenait pas. Il avait écouté le flash d'information à la cafétéria une heure plus tôt et, à sa connaissance, il n'était rien arrivé au téléphérique de New York. Décidément, cette femme était dingue : elle allait jusqu'à fabriquer une fausse « une » de journal pour accréditer ses théories fumeuses.

— Cet accident aura lieu samedi prochain, expliqua Grace. Et Juliette et moi serons toutes les deux dans la cabine lorsqu'elle se détachera.

Pris par cet étrange scénario, Sam fut à deux doigts de répliquer : « Je ne vous laisserai pas faire » mais il se maîtrisa et posa une autre question.

— Pourquoi, au juste, me racontez-vous tout ça ?

Grace le regarda intensément et Sam comprit alors que ce qu'elle s'apprêtait à lui demander était le véritable objet de sa visite.

— Je vous raconte tout ça parce que je veux que vous m'aidiez.

*

Sam avait les yeux fixés sur l'écran d'ordinateur. Grace déclara gravement :

— L'accident doit avoir lieu dans quatre jours, à 12 h 30 précises. Juliette a confiance en vous. Débrouillez-vous pour la faire monter dans la cabine mais ne partez pas avec elle.

— Si vous croyez que je vais coopérer...

— Je crains que vous n'ayez pas vraiment le choix.

— Vous me menacez ?

— C'est une façon de voir les choses.

Sam abattit ses deux poings sur le bureau.

— Non seulement vous êtes détraquée, mais en plus vous êtes dangereuse !

Grace hocha la tête.

— Je vois que vous ne comprenez toujours pas. Rien ne m'empêcherait de tuer Juliette plus tôt. C'est par compassion que j'ai décidé de vous laisser un délai, parce que je sais combien cela est difficile pour vous...

Elle lui montra son arme.

— ... mais si vous ne m'aidez pas, soyez certain que je n'attendrai pas samedi pour éliminer votre dulcinée et vous n'aurez même pas l'occasion de la revoir vivante.

— C'est ce qu'on va voir.

Il se leva brusquement et se jeta sur elle comme un enragé. D'un bond en arrière elle parvint à l'éviter sans trop de problème. Dans sa carrière, elle en avait déjà maîtrisé de plus coriaces mais, gagnée par une sorte de lassitude, elle le laissa lui saisir le bras et la désarmer.

— On dirait que les rôles sont inversés, jubila-t-il en agitant le pistolet.

Tout en la gardant à distance, il décrocha son téléphone :

— Allô, la sécurité ? Ici le docteur Galloway, je suis dans mon bureau, venez vite ! Une femme s'est introduite dans le bâtiment avec une arme mais j'ai réussi à la maîtriser.

Il raccrocha et se laissa aller triomphalement :

— Alors on fait moins la maligne, hein ?

– Si vous imaginez qu'il est chargé, dit-elle en haussant les épaules.

De par son enfance dans les mauvais quartiers, Sam avait quelques connaissances en armes. Il actionna le revolver pour constater qu'effectivement le chargeur était vide.

Déjà, Grace avait ouvert la porte du bureau. Elle était sur le seuil lorsqu'elle se retourna vers Sam et lui lança une sorte d'avertissement :

— Je vous le demande une dernière fois, docteur Galloway : *croyez-moi* et *aidez-moi.* Il en va de notre intérêt à tous les deux.

Sur ce, elle quitta la pièce à la vitesse de l'éclair.

17

Lorsque la situation l'exigeait, il savait se montrer faible et c'était là sa force.

Kim Wozencraft

— Désolé, docteur Galloway, elle nous a échappé.

À l'autre bout du fil, Skinner, le responsable de la sécurité, essayait de se justifier :

— Heu... elle nous a menés en bateau, reconnut-il vexé. Elle a pris l'ascenseur au dixième, mais lorsque les portes se sont ouvertes au rez-de-chaussée, il n'y avait plus personne. Nous sommes en train de visionner les bandes vidéo, mais je crois qu'elle doit déjà être loin.

— Tant pis, ça ne fait rien, répondit Sam sans être vraiment surpris.

Et merde, pensa-t-il en raccrochant, *cette bande d'incapables n'est même pas foutue de faire son boulot.*

Décidément, cette Grace Costello était redoutable. Pendant un moment, il resta indécis quant à la position à adopter. Devait-il signaler cet incident à la Police ? Hum, c'était risqué. S'il prétendait être harcelé par le fantôme d'une femme disparue depuis dix ans, on allait à coup sûr lui rire au nez. Costello était officiellement morte et enterrée. Rutelli avait même reconnu son corps. En plus, Sam n'avait aucun témoin, Grace ayant chaque fois pris soin de lui apparaître lorsqu'il était seul.

Oui, mais j'ai une preuve ! songea-t-il soudain en se rappelant le site web.

Il se rua sur son ordinateur pour examiner l'historique des derniers sites consultés. Il tripatouilla le fichier dans tous les sens : impossible de retrouver la page annonçant l'accident à venir.

Bien sûr, il lui restait cette arme qu'il lui avait arrachée, mais comment l'exploiter ? Quel flic accepterait de lancer une recherche d'empreintes et même si l'on retrouvait celles de Costello, qu'est-ce que cela prouverait ?

Encore sous le choc, Sam prit le temps de remplir une fiche pour signaler l'incident. Il ne voulait pas être accusé de négligence. Aussi repensa-t-il à l'incroyable discours que lui avait tenu Costello. Evidemment, il n'en croyait pas un mot – qui l'aurait fait ? Il n'empêche, quelques questions le tracassaient.

Il ouvrit le bloc-notes de son ordinateur et récapitula les points étranges :

• *Grace Costello est-elle réellement morte, il y a dix ans ? Si oui, qui se fait passer pour elle ? Si non, pourquoi est-elle revenue à Manhattan ?*

• *Comment pouvait-elle savoir avant tout le monde que Juliette n'était pas morte dans le crash ? Et comment était-elle au courant de mes propos à Federica au cimetière ?*

• *Que cache son discours autour de son prétendu rôle d'émissaire ?*

Il termina par :

• *Cette femme est-elle dangereuse ?*

Une fois de plus, il tenta de se rassurer : tout ça n'était qu'un enchaînement de coïncidences. Prises en bloc, elles semblaient déconcertantes, mais, si on les considérait séparément, elles étaient toutes explicables.

Une autre question pourtant lui trottait dans la tête : *pourquoi cette femme me trouble-t-elle et pourquoi ai-je l'impression qu'elle ne dit pas que des mensonges ?* Cela, il ne l'inscrivit pas. Non, il fallait qu'il se ressaisisse, qu'il reste sur le terrain de la rationalité. Il devait aborder la question sous l'angle médical. Il prit donc son petit magnétophone à cassettes et appuya sur une touche pour s'enregistrer :

Docteur Galloway – Diagnostic de la patiente Grace Costello ayant été reçue ce jour, 24 janvier, en consultation à l'hôpital avant qu'elle ne prenne la fuite.

Le sujet manifeste plusieurs symptômes psychotiques : idées délirantes à caractère mystique, incapacité à saisir certains aspects de la réalité, perturbations importantes de la pensée.

Poursuivie par ses obsessions, la patiente présente des signes de paranoïa avancée en étant convaincue d'être sous l'emprise de forces étrangères à sa propre personnalité, en l'occurrence un complot d'une organisation céleste détentrice de pouvoirs quasi illimités.

Autant que je puisse en juger, Mme Costello n'a pas absorbé de drogue ni d'alcool. Elle montre une grande repartie et ses idées fixes n'ont visiblement pas altéré son intelligence. On ne note pas de repli apathique ni de syndrome catatonique.

En situation de déni total de sa maladie, la patiente ne semble pas suivre actuellement de traitement adapté à sa pathologie, manifestement une schizophrénie paranoïde en phase de rechute.

L'absence de prise de neuroleptiques peut faire craindre un passage à l'acte inopiné, ce qui fait du sujet un individu potentiellement dangereux.

*

Grace Costello avait réussi à quitter l'hôpital par l'une des portes de service. À présent, elle remontait vers le nord par la Cinquième Avenue. Elle se sentait en sécurité, anonyme, perdue parmi les touristes, au milieu des boutiques de luxe et des buildings flamboyants. Bien sûr, il existait toujours un risque : d'anciens collègues pouvaient à tout moment l'apercevoir. Mais, même si ça arrivait, ils penseraient seulement qu'ils avaient vu quelqu'un qui lui ressemblait.

Non, elle n'avait pas à s'inquiéter. Pour la première fois depuis qu'elle était *revenue*, elle se laissa même aller à apprécier le paysage.

Bon sang, comme elle avait aimé vivre et travailler dans cette ville. New York était l'endroit le plus intense de la planète. Elle en avait apprécié tous les quartiers, toutes les nuances. Ici, rien ne se passait jamais comme ailleurs. Sur la Cinquième Avenue, l'ambiance n'avait pas changé : il y avait toujours la queue pour visiter l'Empire State Building ; les deux lions de marbre montaient la même garde vigilante devant la bibliothèque municipale ; les vitrines de Tiffany étincelaient comme au temps d'Audrey Hepburn ; les touristes japonais étaient partout dans les rues et les sacs Vuitton étaient toujours aussi chers !

Tout de même, quelque chose lui semblait différent, mais elle aurait été incapable de dire quoi. Manhattan était peut-être plus propre et plus policé, mais une atmosphère qu'elle ne connaissait pas flottait partout dans l'air. Comme si la ville avait été amputée de quelque chose.

Au niveau de la 49e, elle obliqua vers Rockefeller Center et traversa le jardin aux six fontaines pour accéder à l'esplanade située au-dessous du niveau de la rue. Le complexe Art déco abritait le plus grand ensemble de gratte-ciel du monde. Avec ses jardins, ses restaurants, sa galerie commerçante et sa centaine d'œuvres d'art réparties un peu partout, il constituait à lui seul une véritable petite ville à l'intérieur de Manhattan.

Grace contourna Tower Plaza et entra dans l'un des cafés. Elle choisit une petite table, au bout d'une longue baie vitrée. D'ici, elle avait une vue imprenable sur la patinoire et sur le célèbre Prométhée de bronze qui attisait son feu ardent au milieu des jets d'eau et des drapeaux multicolores.

Lorsqu'on lui apporta la carte, Grace prit conscience qu'elle était affamée comme si elle n'avait pas mangé depuis dix ans ; ce qui était d'ailleurs le cas. Elle tourna lentement les pages du menu, s'extasiant devant le large choix de gâteaux et de viennoiseries. Tout lui faisait envie : tiramisu, muffin, brownie, gaufre, *cinnamon roll* [1]...

---

1. Pâtisserie à la cannelle et au sucre.

Elle opta finalement pour un caffelatte et une part de tarte aux trois chocolats, sursautant tout de même en apercevant le prix. *Sept dollars cinquante pour une part de tarte!* En son absence, le monde était vraiment devenu fou.

C'était un bel après-midi d'hiver, froid mais ensoleillé. Des rayons de lumière se reflétaient sur la glace, inondant la terrasse et faisant scintiller les buildings. Pendant un long moment, Grace regarda les enfants enchaîner les figures sur la patinoire et elle sentit son cœur se serrer. Elle pensait à sa fille.

Chaque premier mardi de décembre, elle emmenait Jodie admirer l'illumination du gigantesque sapin de Noël élevé sur l'esplanade. Pour l'occasion, la plus grande star de l'année claquait des doigts et plus de vingt mille ampoules s'allumaient en même temps, créant une féerie. Jodie adorait tellement cet événement que Grace en était venue à le considérer comme la meilleure tradition de New York.

Elle fouilla dans la poche de sa veste. Son portefeuille était intact et son contenu, le même que dix ans auparavant. Pour la première fois depuis son retour, elle osa regarder la photo de sa petite fille et tout son corps fut brusquement envahi par la chair de poule. Rien n'est plus trompeur qu'une photo : on croit fixer un moment heureux pour l'éternité alors qu'on ne crée que de la nostalgie. On appuie sur le déclencheur et hop, une seconde plus tard, l'instant a disparu.

Grace sentit quelques larmes sourdre au coin de ses yeux et elle les essuya rapidement avec une serviette en papier.

Bon sang, ce n'est pas le moment de craquer.

Elle n'avait pas le droit de se laisser aller. *On* l'avait envoyée pour accomplir une mission. *On* l'avait choisie justement parce qu'elle était forte, consciencieuse et disciplinée. *On* l'avait choisie parce qu'elle était flic et que les flics savaient obéir.

*

À moins de deux kilomètres de là, Mark Rutelli patrouillait dans Central Park. Il s'était garé le long de la 97ᵉ Rue, à l'endroit où celle-ci traversait le parc, non loin des terrains de basket et des courts de tennis. Depuis ce matin, il avait déjà interrogé plus de deux cents personnes, mais il n'était pas parvenu à trouver la trace de la femme qui se faisait passer pour Grace. Sa discussion de la veille avec Sam Galloway l'avait bouleversé au point qu'il s'était plusieurs fois réveillé dans la nuit, terrifié par des cauchemars dans lesquels Grace était vivante et l'appelait à l'aide.

Bien sûr, il était conscient que tout cela n'avait aucun sens : Grace était morte et il le savait mieux que quiconque. Pourtant, il avait suffi d'une simple conversation pour que tout remonte à la surface : les sentiments très forts, les regrets, la rancœur aussi...

Grace et lui, c'était une histoire compliquée. Depuis dix ans, il s'était souvent répété que les choses auraient peut-être été différentes s'il avait osé lui avouer ses sentiments.

Mais ne les avait-elle pas devinés ?

Ce n'est pas qu'il ne sût pas y faire avec les femmes. À l'époque, il avait même pas mal de succès. Il passait alors pour un homme plein de charme et d'assurance, et le samedi, lorsqu'il sortait avec ses collègues flics ou pompiers, c'était très rare qu'il finisse la nuit tout seul.

Avec Grace, c'était différent. Jamais il n'avait eu le courage de lui avouer son amour. Certains jours, il pensait qu'elle était amoureuse de lui, mais comment en être certain ? Surtout, il ne se sentait pas de taille à supporter un refus. Il l'aimait trop pour ça. Et il redoutait tellement qu'elle n'aperçoive cette fêlure qu'il avait en lui. Ce manque de confiance qu'il masquait par des poses et des propos de dur. Alors, peu à peu, il s'était laissé enfermer dans le rôle du bon camarade sur qui on peut compter.

Un beau jour, Grace en avait sans doute eu assez d'attendre. Pendant quelque temps, elle avait fréquenté un lieutenant du 4e district. Rutelli avait bien pensé que c'était juste pour attiser sa jalousie et le forcer à se déclarer, mais il ne s'était pas décidé pour autant. Finalement, il avait choisi de s'effacer et, un temps, leur complicité s'était étiolée.

La vérité, c'était que Grace n'en avait rien à faire de ce lieutenant, mais elle était tombée enceinte. Elle voulait un enfant et ça ne la gênait pas de l'élever seule. À partir de là, Rutelli – qui refusait d'apparaître comme un second choix aux yeux des autres – n'avait plus rien tenté. Pourtant, il ne s'était jamais épris d'une autre femme et, à dire vrai, il n'aurait rien tant aimé que de pouvoir mourir à sa place le soir où elle avait été tuée. Car la mort de Grace l'avait anéanti. Sa fêlure s'était transformée en crevasse et d'homme de tempérament, il était devenu un homme en colère.

Certains soirs de blues, il se consolait en se disant que Grace ne l'avait jamais connu comme ça et c'était maintenant son seul réconfort et sa seule fierté.

*

Grace but une gorgée de café et rangea la photo de sa fille dans son portefeuille en se promettant de ne plus la regarder. Elle ne devait surtout pas chercher à entrer en contact avec Jodie. Elle était là pour réparer une erreur, pas pour mettre la pagaille.

De plus, elle savait bien que, tout en occupant le même corps, elle n'était plus celle qu'elle était avant de mourir. Cependant, depuis qu'elle était revenue, les souvenirs de son ancienne vie étaient progressivement réapparus comme si elle sortait d'un long coma. Elle avait tout gardé en mémoire. Sauf les quelques jours ayant précédé sa mort. Elle avait lu avec attention l'article de journal déniché par Sam Galloway qui évoquait brièvement les circonstances de sa mort, car elle ne se rappelait plus *qui* l'avait tuée ni *comment* c'était arrivé. Mais elle n'était pas là pour le découvrir. Elle était là pour une mission précise et rien ne devait l'en détourner.

De l'autre côté de la vitre, elle aperçut une adolescente d'une quinzaine d'années, perchée sur ses rollers, qui s'amusait à faire des bulles de savon. Quelques-unes, légères et translucides, volèrent dans sa direction et éclatèrent contre la baie vitrée. Machinalement, Grace lui adressa un petit signe amical. La jeune fille lui rendit son sourire, emprisonné dans un appareil dentaire.

Grace avait beau dire et beau faire, une seule question lui trottait dans la tête : où était Jodie à présent et qu'était-elle devenue ?

*

Rutelli remonta dans sa voiture et en claqua la porte. Il était de service et c'était encore tôt, mais, bon Dieu, qu'est-ce qu'il avait envie d'un verre ! Pour la deuxième fois aujourd'hui, il pensa à la conversation qu'il avait eue la veille avec ce jeune médecin. Arrêter de boire ? Si c'était si facile ! Il avait bien essayé une fois, et il en avait eu des hallucinations : il voyait des lézards, des varans, des iguanes qui lui bouffaient les tripes et lui arrachaient les membres. Un véritable cauchemar.

Il roula vers le sud, le long de Central Park Ouest, jusqu'à Columbus Circle. Tout en conduisant, il ajusta le rétroviseur et le petit miroir lui renvoya son image, légèrement floue, fantomatique. Où en était-il de sa vie ? Allait-il continuer à tomber, chaque jour de plus en plus bas, jusqu'à se démolir définitivement ? Il en avait bien peur, car il ne voyait pas par quel miracle les choses pourraient s'améliorer.

Arrêter de boire... Mais pour qui ? Pour quoi ?

Il savait cependant qu'il pouvait être encore fort. Le feu de colère qui brûlait en lui n'était pas uniquement destructeur. Entre la colère et la détermination, il n'y avait parfois qu'un pas. Comme pour se prouver quelque chose, il décida qu'il n'allait pas prendre d'alcool avant plusieurs heures. Pour l'instant, il se contenterait d'un café.

Un peu avant Times Square, il obliqua vers Rockefeller Center sur un coup de tête. Il arrêta sa voiture sur un bout de trottoir, s'acheta un café à emporter et s'en alla le boire sur la Tower Plaza. Il n'était plus venu ici depuis une éternité. Autrefois, pourtant, il aimait bien cet endroit. Plusieurs Noëls d'affilée, il était venu avec Grace et sa gamine admirer les illuminations. Il se posta sur le bord de la patinoire et, fasciné, contempla un long moment les gens heureux qui gravitaient autour de lui. Des couples encourageaient leurs enfants, les filmaient, les prenaient en photo. Il y avait des cris de joie, des plaisanteries, du bon temps. Et tout ce bonheur le renvoyait implacablement à sa propre solitude.

S'il avait tourné la tête vers la droite, dans la direction du Harper Café, il aurait peut-être aperçu celle qui hantait toutes ses pensées. Car, à ce moment-là, Grace Costello n'était qu'à dix mètres de lui.

Mais il n'en sut jamais rien.

*

Perdue dans ses réflexions, Grace ne remarqua pas non plus son ancien coéquipier. Une fois sa collation terminée, elle sortit du café en empruntant la sortie opposée. Elle boutonna sa veste et fit quelques pas dans la rue. Il commençait à faire vraiment froid. Une fois encore, elle eut cette impression bizarre que quelque chose « manquait » dans la ville – elle ne savait toujours pas quoi. Elle se concentra, regarda au nord puis au sud. Dans sa tête, les images de ces deux derniers jours défilèrent à toute vitesse.

Alors, soudain, elle crut comprendre. C'était impossible et pourtant... Elles n'avaient quand même pas disparu !

Il faudra qu'elle le demande à Galloway la prochaine fois qu'elle le verrait.

*

Sam avait regagné son bureau dès la fin de son service. La nuit était tombée, mais, pendant un moment, il préféra rester dans l'obscurité, près de la fenêtre, le regard perdu du côté du Manhattan Bridge. Il repensait à l'étrange discours que lui avait tenu Grace. Décidément, l'esprit humain, lorsqu'il perdait le contact avec la réalité, prenait souvent des chemins déconcertants.

Tout à coup, il crut entendre une respiration heurtée. Il y avait quelqu'un dans la pièce !

Il alluma la petite lampe de bibliothèque qui diffusa une lumière douce et tamisée.

Personne.

Pourtant, il sentait comme une présence fantomatique autour de lui. Sur un coin de la table, se trouvaient toujours les dessins d'Angela. À nouveau, Sam les examina un par un, sans trop savoir ce qu'il cherchait.

Ces peintures cachaient-elles quelque chose ?

Durant ses études de médecine, il avait été profondément marqué par l'un de ses stages dans une prison pour mineurs. Là-bas, les dessins des détenus n'évoquaient que meurtre et violence. Il avait continué à s'intéresser au sujet et était devenu l'un des pédiatres les plus compétents pour déchiffrer et analyser les dessins d'enfants. Il avait même écrit un article sur le sujet dans une revue médicale et connaissait la plupart des ouvrages qui traitaient de ce thème. Ils fourmillaient d'ailleurs de cas troublants. Parfois, les dessins suggéraient que certains enfants savaient précisément quand ils allaient mourir. À travers leurs peintures, ils anticipaient leur disparition et se servaient de ce support pour délivrer un dernier message à leur famille. Étrangement, ces messages respiraient souvent la sérénité comme si, au moment d'accoster sur l'autre rive, ces enfants s'étaient déjà libérés de leur angoisse et de leur souffrance. Mais le plus déroutant était peut-être ces dessins de papillons qu'on avait retrouvés gravés par de jeunes prisonniers sur les murs des baraquements des camps de concentration.

Sam repensait à tout cela lorsqu'en retournant le paquet, il remarqua des signes minuscules aux quatre coins de chaque feuille : des cercles, des triangles, des étoiles...

Il avait déjà vu des signes comparables sur le premier dessin que lui avait offert Angela ! De plus en plus troublé, il fouilla dans la poche de son manteau pour le réexaminer : au dos de la feuille, les mêmes signes cabalistiques s'enchevêtraient mystérieusement.

Et si c'était un code ? Et si...

La porte du bureau claqua, faisant sursauter le médecin. Sam prit alors conscience que la pièce était plongée dans un froid polaire et que son souffle se transformait en buée. Il commença à épingler les dessins sur le panneau de liège en suivant l'ordre suggéré par la première peinture. Lorsqu'il eut accroché les vingt dessins, il orienta la lampe de façon à mieux éclairer le grand tableau ainsi formé. La toile était fascinante, abstraite, mais à la limite du figuratif, car on croyait distinguer çà et là quelques formes cachées, comme de petits animaux camouflés dans une forêt tropicale.

Hypnotisé par le tableau, Sam ne le quittait pas des yeux, tout en déambulant dans la pièce pour l'observer sous toutes ses coutures. Cette fois, il sentait clairement qu'il y avait quelque chose à découvrir : une alerte, un appel, un message...

Lorsqu'il arriva au niveau de la fenêtre, un juron éclata dans sa tête.

Putain de bordel de bon Dieu de merde !

Il se frotta les yeux, se déplaça puis se remit au même endroit. Non, maintenant c'était son esprit à lui qui divaguait!

Un peu affolé, il sortit dans le couloir et rejoignit les toilettes du personnel pour se mettre de l'eau sur le visage. Devant le miroir fixé au-dessus du lavabo, il se rendit compte qu'il était très pâle et que ses mains tremblaient. Alors, il regagna son bureau, plein d'un mélange d'appréhension et d'excitation. Il se replaça dans la même position, collé au rebord de la fenêtre, et regarda de nouveau le tableau.

Examinés sous un certain angle, les vingt dessins ainsi assemblés délivraient un message par anamorphose.

Quelques lettres qui formaient une phrase toute simple, mais aux implications inquiétantes :

GRACE DIT
LA VÉRITÉ

18

Quand on a commencé, il n'y a plus de vie possible sans drogue, mais c'est une existence dégueulasse d'esclave. Et pourtant, je suis ravie d'y retourner. Heureuse! Heureuse! Ça n'a jamais été meilleur qu'hier soir. Chaque nouvelle fois est la meilleure.

L'herbe bleue,
journal anonyme d'une jeune droguée

Sud du Bronx – quartier de Hyde Pierce

Lorsque Jodie Costello, quinze ans, ouvrit les yeux, ses draps étaient trempés. Elle avait de la fièvre et la chair de poule ; son corps était parcouru de frissons. Toute tremblante, elle se leva avec difficulté et se mit à la fenêtre.

Qu'est-ce que je suis venue foutre dans ce taudis ?

Tous les guides touristiques sur New York recommandaient d'éviter cet endroit. Hyde Pierce n'était situé qu'à quelques kilomètres des splendeurs de Manhattan mais ça ne l'empêchait pas d'être un coupe-gorge. Le quartier se résumait à un réseau de HLM taguées, sans aucun commerce alentour. Seulement des terrains vagues parsemés de carcasses de voitures calcinées que personne ne viendrait jamais enlever.

Jodie était en manque. Elle avait mal partout. Des crampes irradiaient le long de ses jambes. Ses articulations craquaient. Ses os semblaient s'émietter dans son corps comme s'ils se fendillaient en dizaines de petits morceaux.

Putain, il faut que j'en trouve !

Son rythme cardiaque s'accélérait et des palpitations agitaient sa poitrine. Elle transpirait, elle avait d'abord chaud, puis froid. Son ventre était parcouru de spasmes horribles et une douleur lancinante lui cassait les reins comme si une barre de fer transperçait le bas de son dos.

Merde !

Elle remonta sa chemise de nuit, puis s'assit en urgence sur la cuvette des toilettes. Le miroir ébréché de la porte de la salle de bains lui renvoya une image qu'elle ne voulait pas voir.

Quand elle était petite, on lui disait souvent qu'elle était jolie avec ses cheveux dorés et ses yeux émeraude, mais aujourd'hui elle savait qu'elle ne ressemblait plus à grand-chose.

Tu n'es plus qu'une loque rongée par la came.

Son corps décharné faisait peur à voir. Son visage était envahi de cheveux filasse et peroxydés d'où partaient quelques longues mèches rouges et bleues. Des cernes noirâtres s'étaient incrustés sous ses yeux comme une coulée de mascara. Elle dégagea quelques cheveux emmêlés dans le piercing qui ornait sa narine. Elle en avait aussi un autre sur le nombril qui menaçait de s'infecter.

Elle se plia en deux, déchirée par une crampe à l'estomac.

Aïe.

Elle n'avait plus la force de rien. À une époque, pourtant, elle faisait beaucoup de sport. Elle jouait bien au basket grâce à sa taille. C'est vrai qu'elle était grande. Pourtant, à l'intérieur, elle se sentait encore si petite, aussi fragile qu'un bébé.

Car il y avait cette blessure béante qu'elle portait toujours en elle.

La mort de sa mère lorsqu'elle avait cinq ans l'avait précocement confrontée à un monde d'angoisse et de terreur.

Elle était ressortie détruite de cette épreuve. Elle était si proche d'elle. Aussi proche que peut l'être une petite fille de cet âge qui n'avait pas de papa. Mais Jodie ne se cherchait pas d'excuses.

Au début, on l'avait mise dans une famille d'accueil, mais ça n'avait pas marché. On disait qu'elle était insupportable, et c'était sans doute la vérité. Elle était surtout très tourmentée, toujours habitée par ce sentiment d'insécurité qu'elle n'avait eu de cesse de calmer depuis.

À dix ans, elle avait commencé à inhaler du dissolvant qu'elle avait trouvé dans la salle de bains. Puis elle avait régulièrement vidé la pharmacie familiale à la recherche de Tranxène. À partir de là, sa famille d'accueil n'avait plus voulu d'elle et elle était retournée vivre en foyer. Elle avait fait quelques vols à droite, à gauche. Rien de bien méchant : quelques fringues et deux ou trois bijoux. Mais elle s'était fait pincer et avait passé six mois dans un centre fermé pour mineurs.

Depuis, elle avait découvert d'autres produits plus efficaces que le dissolvant. À vrai dire, elle prenait tout ce qui lui tombait sous la main : speed, crack, héroïne, herbe, cachets... Depuis quelque temps, elle ne vivait même plus que pour ça.

Tout le temps, elle recherchait la défonce pour apaiser sa peur. La première fois qu'elle s'était shootée, ça avait été tellement merveilleux qu'elle avait voulu retrouver cet état de bien-être encore et encore. Même si l'enfer arrive après, la première fois, c'est tellement bien, pourquoi le nier ?

Brièvement, la came avait paru offrir une réponse à cette souffrance insupportable. Elle lui permettait aussi de masquer sa sensibilité et ses émotions. Tout le monde croyait qu'elle était dure, mais c'était faux. Elle avait peur tout le temps, de la vie, du quotidien, de tout.

Malheureusement, elle était vite devenue dépendante. Pas la peine de mentir : ça faisait déjà longtemps qu'elle ne maîtrisait plus sa consommation. Le seul moyen maintenant, c'était d'augmenter les doses et de raccourcir la fréquence des prises.

Elle avait passé deux mois dans la rue avant de se réfugier ici chez une fille qu'elle avait connue en faisant quelques « livraisons » dans le quartier. Elle n'avait plus mis les pieds à l'école depuis sa sortie du centre. Pourtant, elle travaillait bien. Elle était même en avance sur son âge et beaucoup de profs disaient qu'elle était intelligente. C'est vrai qu'elle aimait beaucoup lire. Mais les livres ne protègent pas de la peur. Les livres ne rendent pas réellement plus fort. Ou alors elle les avait mal lus.

Depuis longtemps, elle ne faisait plus confiance aux adultes. Tout ce que les éducateurs et les flics avaient su lui dire, c'est que ça finirait mal pour elle. Ça, merci, elle s'en doutait. Elle se rendait compte qu'elle glissait tout doucement vers la mort. Un jour, elle avait même pris un tube de somnifère pour faire le grand saut. Les cachets n'étant pas assez puissants, elle était finalement restée une semaine dans les vapes. Elle aurait mieux fait de s'ouvrir les veines. Un jour, peut-être...

En attendant, il fallait qu'elle trouve de la dope. Et, pour ça, il fallait qu'elle aille voir Cyrus.

Jodie se releva et tira la chasse d'eau. Ses crampes à l'estomac s'étaient un peu calmées pour être remplacées par des nausées et des vertiges. Elle sentait mauvais, mais n'eut même pas la force de passer sous la douche. Elle enfila un jean crade, un pull et une vieille veste militaire.

Combien ai-je de fric ?

Elle retourna dans sa chambre. La veille, elle avait arraché le sac d'une Japonaise près de Park Slope. *Même pas un vrai Prada.* Elle fouilla dans le portefeuille et en tira vingt-cinq malheureux dollars.

C'était peu, mais Cyrus lui trouverait bien quelque chose.

Elle se traîna hors de l'appartement.

La cité était cernée par une pluie fine et glacée. Jodie mit une main devant les yeux pour se protéger du vent qui transportait des sacs plastiques éventrés et des papiers sales qui débordaient des poubelles.

Une seule personne l'avait aidée et protégée : c'était ce flic, Mark Rutelli, un ancien ami de sa mère. Une fois, il

170

avait même cherché à la couvrir après un vol d'ordonnances chez un médecin. L'affaire s'était ébruitée et Rutelli avait failli perdre son job. Depuis, elle le fuyait : elle ne voulait pas lui créer d'ennuis et puis elle avait honte. Pour rien au monde, elle ne voulait être comparée à sa mère.

Jodie se dirigea vers un bâtiment dont toutes les boîtes aux lettres avaient été arrachées. Elle se fraya un passage au milieu d'un groupe de jeunes qui trafiquaient dans la cage d'escalier.

Enfin, elle arriva devant la bonne porte. Elle sonna plusieurs fois, en vain. En collant son oreille, elle parvenait pourtant à entendre clairement un bruit de radio ou de télévision. Elle tambourina à la porte.

— Ouvre, Cyrus !

Au bout d'un moment, un gros garçon afro-américain, à peine sorti de l'adolescence, mais avec une carrure impressionnante, se présenta à la porte.

— Salut, Babe-o-rama.

— Laisse-moi entrer.

Il la prit par le bras et la poussa dans la pièce.

Le volume de la télé était tellement fort qu'il ne l'avait pas entendue sonner. L'endroit était plongé dans une relative obscurité. C'était un appartement miteux avec de la nourriture qui traînait partout et dont l'odeur infecte imprégnait la pièce. Cyrus fit un pas dans ce qui servait de salon et se rassit dans un vieux fauteuil défoncé, en baissant le son d'un poste à écran plasma dernier modèle.

Il aurait fallu ouvrir les stores et les fenêtres pour faire pénétrer de la lumière et aérer la pièce. Mais Jodie n'était pas là pour ça.

— Qu'est-ce que tu as pour moi ? demanda-t-elle.

— Ça dépend, t'as combien ?

— Vingt-cinq.

— Vingt-cinq *bucks*[1] ! T'es pas Bill Gates.

_____

1. Dollars en argot.

Il fouilla dans sa poche pour en tirer un petit sachet en plastique qu'il agita sous le nez de Jodie.

Elle s'approcha et regarda la marchandise avec dédain.

— T'as pas autre chose ?

Le dealer se fendit d'un large sourire.

— Pour ça, il faudrait un petit extra, répondit-il en ouvrant sa braguette et en agitant sa langue de façon obscène.

— Ne rêve pas.

— Allez, viens un peu par ici, chérie.

— *Get stuffed*[1] ! l'insulta-t-elle en reculant.

Jusqu'à présent, elle avait toujours refusé de baiser pour de la dope. C'était le seul palier de dignité qu'elle n'avait pas encore franchi tout en sachant très bien qu'un jour viendrait où elle débarquerait en manque dans ce même appartement sans avoir aucun dollar en poche. Alors, elle ne répondrait plus de rien.

Elle lui jeta les vingt-cinq dollars au visage. Il lui balança le sachet qu'elle attrapa au vol.

— Amuse-toi bien, Babe-o-rama, dit-il en remontant le son de sa télévision, en scandant des paroles de rap qu'il semblait connaître par cœur.

Jodie claqua la porte et dévala les escaliers.

Transie de froid, elle courait au milieu des immeubles. Et pendant qu'elle courait, elle était assaillie de pensées atroces. Plus que quelques mètres et elle allait pouvoir s'injecter cette merde. À la limite, elle se serait même shootée au milieu de la cour. Là, sur le parking, au milieu des gosses qui faisaient du skate entre les poubelles. Elle n'aspirait qu'à une seule chose : être stone, défoncée, pétée. Pour ne plus penser à rien. Pour descendre, un moment, à un niveau de conscience où elle serait sûre de ne plus avoir peur.

Elle monta les escaliers à la vitesse de la lumière, ferma la porte d'un coup de pied et se cloîtra dans la salle de bains.

---

1. Va te faire foutre.

En tremblant, elle déchira l'emballage plastique et fit glisser une petite boulette brune dans sa main. Comme il n'y avait pas assez de came pour la prendre en fumette, elle décida de se faire une injection. Bien sûr, il y avait des risques : ce con de Cyrus était capable de l'avoir coupée avec n'importe quoi : du talc, de la poudre chocolatée, des cachets pilés. Et pourquoi pas de la mort-aux-rats !

Tant pis, elle courait le risque. En espérant qu'elle ne meure pas d'overdose aujourd'hui.

Elle ouvrit la boîte à pharmacie fixée au-dessus du lavabo et attrapa son matériel. Dans une canette de Coca découpée, elle plaça la boulette, ajouta un peu d'eau et quelques gouttes de citron. Avec son briquet elle fit chauffer le fond de la boîte puis filtra le liquide avec un bout de coton. Par chance, elle avait gardé une seringue qui datait de son dernier trip. Juste au cas. Elle planta l'aiguille dans le coton et aspira tout le liquide. Enfin, elle tâtonna pour trouver une veine dans son bras. Elle approcha l'aiguille de la veine, la planta, ferma les yeux, respira un grand coup et s'injecta le produit.

Une vague de chaleur irradia dans tout son corps apaisant la tension qui bouillait en elle. Elle s'allongea par terre, la tête contre la baignoire. Alors, elle sentit qu'elle partait, qu'elle plongeait doucement dans une sorte de bulle, comme si elle se déconnectait d'une partie d'elle-même.

Son seul réconfort, c'était que sa mère ne la verrait jamais comme ça. Sans doute était-elle morte en pensant qu'un avenir radieux attendait sa fille. Une vie remplie d'amour et de bonheur.

Désolée, maman, je ne suis qu'une sale toxico.

En fait, le seul avantage d'avoir des parents morts, c'était qu'on ne risquait plus de les décevoir.

De son portefeuille, elle sortit la seule photo qui lui restait d'elle. Jodie devait avoir trois ou quatre ans. Sa mère la tenait dans ses bras. À l'arrière-plan, on pouvait distinguer un lac et des montagnes. Ça devait être Rutelli qui avait pris la photo.

Alors qu'elle sombrait peu à peu dans les limbes d'un enfer ouaté, Jodie fredonna quelques mesures d'une chanson que lui chantait sa mère. Un air de Gershwin qu'elle avait transformé en berceuse : *Someone to watch over me* [1].

Dehors, les nuages s'étaient maintenant dissipés. Quelques rayons de soleil perçaient au-dessus des immeubles Mais Jodie ne les voyait pas.

---

1. Quelqu'un pour me protéger.

19

La vie n'est qu'un souffle.

Livre de Job

Lorsque Sam poussa la porte de la chambre 808, Leonard McQueen terminait une partie sur son échiquier électronique.

— Alors, à qui la victoire ? demanda Sam tout en jetant un coup d'œil sur les constantes du vieil homme.

— Je l'ai laissé gagner, assura McQueen.

— Vous avez laissé gagner une *machine* ?

— Ouais, j'ai eu envie de faire un geste charitable. Ça m'arrive parfois quand je suis de bonne humeur. Vous, par contre, ça n'a pas l'air d'être la grande forme...

— Non, mais c'est moi le médecin...

— ... et c'est moi qui ai un cancer.

À peine avait-il prononcé ce mot qu'il partit dans une longue toux.

Une ombre d'inquiétude voila le regard de Sam, toutefois McQueen le rassura à sa manière :

— Je vais bien, docteur, ne vous en faites pas. Je ne vais pas mourir aujourd'hui.

— Vous m'en voyez ravi.

— Vous savez ce qui me ferait plaisir ?

Sam fit mine de réfléchir.

— Je ne sais pas moi... un havane ? Une strip-teaseuse ? Une bouteille de vodka ?

— En fait, j'aimerais aller boire un coup avec vous.

— Ben voyons...

— Je ne plaisante pas, docteur. Une petite bière entre hommes. Il y a un café pas loin, le Portobello...

— N'y pensez même pas, Leonard.

— Et qui va m'empêcher d'y aller ?

— Le règlement de l'hôpital.

McQueen haussa les épaules et revint à la charge :

— Allez docteur, un dernier verre entre vous et moi, dans un véritable bar, avec de la musique et de la fumée...

— Vous ne tenez pas debout Leonard...

— Ce soir, je me sens bien ! Il y a une veste et un manteau dans ma penderie. Passez-les-moi.

Sam secoua la tête.

McQueen était un entrepreneur, un vrai. Pendant quarante ans, il avait créé et développé des sociétés. Il avait fait fortune assez jeune puis avait été ruiné avant de faire surface à nouveau. Il aimait le risque et il avait surtout une force de conviction peu commune qu'il avait conservée même agonisant d'un cancer au fond d'un lit d'hôpital.

— Allez ! Juste une petite heure. Donnez-moi une seule raison valable de refuser.

— Je pourrais vous en trouver facilement une centaine, répondit Sam sans se démonter. La première étant que je risque de perdre mon poste...

— Peccadille... Je vous promets de ne pas vous claquer dans les bras.

— Non, il y a trop de dangers...

— ... mais vous allez quand même accepter, n'est-ce pas ? Parce que vous êtes un type bien.

Sam ne put s'empêcher de sourire et McQueen comprit qu'il avait gagné.

*

Communiqué de presse – Ambassade de France

Notre jeune compatriote Juliette Beaumont va comparaître, dans les prochaines heures, devant le Troisième tribunal du Queens qui devrait décider de sa libération. La police de New York vient en effet de la mettre hors de cause dans le crash aérien qui a endeuillé les Etats-Unis il y a quelques jours.

Nous nous réjouissons de l'issue que semble prendre cette affaire pour laquelle notre consulat général à New York et notre ambassade à Washington se sont mobilisés sans relâche.

*

Sam et Leonard s'étaient installés dans un coin tranquille, au fond de la salle du Portobello Café. La lampe posée au milieu de leur table diffusait une lumière douce. Ravi d'être là, Leonard dégustait sa bière à petites gorgées, tandis que Sam terminait son énième café de la journée.

— Alors docteur, mon petit doigt me dit qu'il y a une nouvelle femme dans votre vie...

— Qu'est-ce qui vous fait penser ça ?

— Ce sont des choses que je sens.

— Et si nous changions de sujet ? proposa le médecin.

— Très bien, concéda McQueen. Vous ne vous êtes toujours pas décidé à faire un tour dans ma maison du Connecticut ?

— J'y passerai un de ces jours, promit Sam.

— Vous devriez y aller avec votre copine, ça lui plaira...

— Leonard !

— Très bien, très bien, je n'ai rien dit. De toute façon, lorsque vous serez là-bas, n'hésitez pas à faire un tour dans la cave.

— Pour y goûter vos fameux vins ?

— Oui. Il y a une bouteille en particulier, un bordeaux cheval-blanc de 1982 que je gardais religieusement, un vin splendide, une explosion d'arômes...

— Cheval-blanc, répéta Sam avec un mauvais accent français.

— *White Horse*, traduisit Leonard en prenant une gorgée de bière.

— *White Horse*? Je croyais que c'était une marque de whisky?

McQueen leva les yeux au ciel.

— Laissez tomber, vous n'y connaissez rien !

— C'est vrai, admit Sam.

— En tout cas, buvez ça avec elle.

— Elle est française, avoua Sam.

— Alors, elle appréciera.

Pendant quelques minutes, personne ne parla. Par réflexe, Sam gardait sa main dans la poche de sa veste pour sentir son paquet de cigarettes tout en sachant pertinemment qu'il ne pourrait pas fumer. Finalement, McQueen demanda :

— Pourquoi n'êtes-vous pas avec elle, ce soir ?

— Je ne peux pas, Leonard.

— Vous croyez que vous avez le temps, c'est ça ? Dans la vie, c'est toujours ce qu'on se dit, mais...

— Elle est en prison.

Soufflé, McQueen s'interrompit dans sa tirade.

— Vous plaisantez, docteur !

Sam secoua la tête :

— Je vais vous expliquer.

Avec beaucoup de pudeur, Sam raconta au vieil homme l'histoire de son coup de foudre pour Juliette, le jour de la tempête de neige. Il parla de la magie de leur week-end et de leurs tergiversations à l'aéroport. Puis il évoqua son incompréhension :

— Je ne sais pas très bien pourquoi Juliette a prétendu être avocate.

— Allons, fit McQueen, ne soyez pas naïf ! Elle ne vous a pas dit qu'elle était serveuse pour ne pas passer pour une godiche qui se pâme devant un riche et brillant médecin.

— Je ne suis pas riche, tempéra Sam, ni brillant d'ailleurs. Tout juste compétent, à ce qu'on dit.

— Hum..., en tout cas, pas en ce qui concerne la psychologie féminine !

Sam fit semblant d'être vexé puis finit par avouer :

— Juliette n'a pas été la seule à mentir. Moi, j'ai affirmé être marié.

McQueen soupira.

— Toujours votre Federica !

Sam l'arrêta d'un geste de la main :

— Il y a quelque chose que je dois vous dire.

Et, alors qu'il ne s'était jamais confié à personne, Sam dévoila au vieil homme quelques bribes de sa douloureuse histoire avec Federica. McQueen l'écouta attentivement et, très vite, sa curiosité initiale fit place à une vraie compassion. Bien que d'un naturel peu expansif, Sam parla sans crainte. Il ne connaissait pas Leonard depuis longtemps, mais quelque chose chez lui le mettait en confiance. McQueen possédait la sagesse de ceux qui ont accepté leur propre mort et cela impressionnait Sam autant que ça le touchait.

Il était déjà tard lorsqu'il termina son récit. Dans la rue, la circulation était moins dense. Le café allait fermer et se vidait de ses derniers clients. Les deux hommes regagnèrent l'hôpital en silence. Leonard était fatigué. Sam le raccompagna jusqu'à sa chambre en l'aidant sans trop le montrer. Au moment de prendre congé, McQueen désigna le petit magnétophone que Sam conservait toujours dans la poche de sa veste et qu'il utilisait pour enregistrer ses diagnostics.

— Je crois que vous devriez raconter à Juliette tout ce que vous venez de me dire.

*

Dans sa cellule, Juliette était assise sur la couchette, le dos contre le mur, la tête dans les mains. Elle était au-delà de la fatigue, au-delà de la peur. Dans son cerveau, une foule de questions se bousculaient.

À quoi tient la vie ? À quoi tient la chance ? Quelle est notre part de liberté dans ce qui nous arrive ? Qui, du hasard ou du destin, est le vrai maître du jeu ?

Pour lui faire avouer n'importe quoi, l'inspecteur Di Novi avait menacé de l'incarcérer à La Barge, le bateau-prison amarré face au Bronx. Mais elle avait tenu bon. Dans les cellules mitoyennes, les autres prisonnières, pour la plupart blacks et hispaniques, l'appelaient *the French girl* sans vraiment comprendre ce qu'elle faisait ici.

Si Juliette avait reconnu avoir falsifié la date de son visa, cela ne faisait pas d'elle une terroriste. Elle avait juste agi ainsi pour un homme. Un homme qui l'avait regardée autrement. Un homme qui l'avait fait se sentir différente, brillante, précieuse.

Et si c'était à refaire... elle le referait.

Puis elle pensa à ses parents et à sa sœur : même si elle était libérée et expulsée vers la France, elle allait encore passer pour la cruche de la famille. Décidément, quoi qu'elle entreprenne, elle n'arrivait jamais à être à la hauteur de ses ambitions. Elle voulait être une star de cinéma et elle se retrouvait serveuse ; elle voulait plaire à un homme et on la jetait en prison. Elle n'était qu'une empotée...

La porte de la cellule s'ouvrit et un gardien lui glissa un plateau-repas. Elle se traîna vers l'ouverture comme un oiseau aux ailes brisées. Sa gorge était sèche. Elle ouvrit la petite bouteille d'eau minérale et en vida la moitié.

Elle aperçut son visage qui se reflétait dans le plateau en métal : elle devina sa pâleur, ses traits tirés, ses pupilles dilatées par le manque de sommeil. Ironiquement, elle songea à toutes les heures qu'elle avait passées dans sa vie à essayer d'être plus belle. Toutes ces heures perdues pour se conformer aux canons actuels de la beauté.

Pourquoi croit-on que derrière un beau visage se cache obliga-
toirement une belle âme ? Pourquoi vit-on à une époque où tout le
monde veut être jeune et svelte alors que, après un certain âge, le
combat est perdu d'avance ?

Puisqu'elle en était aux bonnes résolutions, elle se jura de privilégier désormais le naturel au despotisme de l'apparence. Et s'il fallait qu'elle ressemble à quelqu'un, autant que ce soit à elle-même.

Une sirène retentit, marquant l'extinction des feux. Elle regagna sa couchette, tandis que l'ampoule de sa cellule perdait de sa puissance jusqu'à s'éteindre complètement.

Une fois dans l'obscurité, elle eut soudain l'impression que des larves gluantes grouillaient dans son ventre. Son cœur se comprima et elle ne fut pas longue à sentir la tiédeur de ses larmes qui coulaient sans bruit. Transie de peur et de froid, elle savait qu'elle serait incapable de trouver le sommeil. Dès que les lumières disparaissaient, elle repensait toujours aux gens qui étaient morts dans le crash. Elle se souvenait avec précision de certains visages qu'elle n'avait pourtant fait que croiser avant de quitter l'avion. Et chaque fois qu'elle tentait de dormir, elle était troublée par des voix qui l'appelaient dans son sommeil.

Des voix d'outre-tombe, chargées de douleur et d'angoisse.

Des voix qui lui reprochaient d'être encore vivante.

Des voix qui lui disaient qu'elle aurait dû mourir...

*

Sam s'apprêtait à sortir de l'hôpital lorsque l'infirmière de triage l'interpella.

— Docteur Galloway, il y a une femme qui vous attend, annonça-t-elle en désignant une silhouette à l'autre bout du hall.

— Une malade ?

— Je ne crois pas.

Sam traversa le long vestibule, redoutant une nouvelle visite de Grace Costello.

Une femme se tenait de dos face à la vitre, le regard perdu dans la nuit. Elle portait une écharpe Burberry et un manteau droit sur le col duquel retombaient ses cheveux défaits.

Ces habits, cette chevelure...

— Juliette! cria-t-il en s'avançant.

La jeune femme se retourna en sursautant : elle avait le même tailleur et les mêmes habits, mais ce n'était pas Juliette.

— Docteur Galloway ? Je m'appelle Colleen Parker, je suis la colocataire de Juliette.

Un peu gêné par sa méprise, Sam salua son interlocutrice qui ne se priva pas de le détailler de haut en bas. À son tour, Sam la regarda plus avant, observant ses traits délicats et ses yeux tirant sur le vert. Colleen était belle et elle le savait.

— J'ai lu le journal ce matin, expliqua-t-elle, et je n'en suis toujours pas revenue : Juliette suspectée d'avoir fait sauter un avion ! Elle qui ne sait même pas se servir du four à micro-ondes !

Sam fit un sourire poli; la jeune femme continua :

— Son avocat m'a expliqué toutes vos démarches. C'est lui qui m'a donné vos coordonnées.

— Je pense qu'il y a des chances pour qu'elle soit libérée demain.

Colleen hocha la tête. Sam devinait la question qui lui brûlait les lèvres et la jeune femme ne fut pas longue à la formuler :

— Vous connaissez Juliette depuis longtemps?

— Pas vraiment, avoua-t-il.

— Quelques mois?

— Quelques jours.

De nouveau, Colleen regarda le médecin attentivement. Plus elle l'écoutait, plus elle comprenait ce qui, chez lui, avait dû attirer Juliette : un mélange improbable de détermination et de douceur, un éclat dans les yeux qui le rendait si troublant...

— Il faut que je vous pose une question, fit-elle après avoir un peu hésité.

D'un geste de la main, Sam l'invita à poursuivre.

— Qu'est-ce qui vous a poussé à aider une femme dont vous ignoriez l'existence il y a encore une semaine ?

— C'est une histoire à la fois très simple et très compliquée, admit Sam.

Colleen laissa passer quelques secondes.

— Je ne connais qu'une chose qui soit à la fois très simple et très compliquée.

— Et c'est ?

— L'amour.

*

Quelques heures plus tard, à Harlem, au cœur de la nuit new-yorkaise, une silhouette longiligne se glissa près d'un immeuble de briques. C'est dans ce vaste entrepôt – non loin de l'endroit où Clinton avait installé ses bureaux après avoir quitté la Maison-Blanche – qu'étaient conservés les dossiers d'autopsie, une fois les affaires criminelles classées ou résolues.

Grace Costello pénétra dans le hall du bâtiment administratif. Tout était calme. Elle consulta sa montre : un peu plus de 3 heures du matin. Comme elle l'avait escompté, seule une équipe restreinte assurait la permanence de nuit.

— Bonsoir, dit-elle en s'approchant d'un employé qui bâillait derrière la banque d'accueil.

— Salut, ça caille dehors, hein ?

— Ouais, répondit-elle en laissant sa carte et son badge comme l'exigeait le règlement.

Elle savait qu'en ce moment même une caméra de surveillance était en train de filmer tous ses mouvements, mais elle en acceptait le risque. Personne, croyait-elle, ne visionnait jamais ces bandes, en tout cas, personne qui pourrait la reconnaître.

— Si vous m'offriez un café, ça serait pas de refus, dit-elle en se frottant les mains l'une contre l'autre.

— On a une machine, là-bas... fit l'employé en désignant un distributeur au fond du couloir.

Grace lui fit alors un sourire dont elle avait le secret. Un sourire capable de déstabiliser les hommes les plus assurés. Elle savait que c'était son arme absolue et que quelque part, c'était une arme malhonnête. Mais parfois, nécessité faisait loi. Et c'était le cas ce soir.

— Attendez, reprit l'employé, je vous en paie un.

— C'est gentil.

— Je m'appelle Robby.

— Enchantée.

Il s'éloigna de son bureau et Grace en profita pour passer derrière son ordinateur. Elle tapa alors son propre nom et l'écran afficha le renseignement souhaité :

Grace Lauren Costello
Dossier n° 1060-674

Elle griffonna ces chiffres sur un post-it et attendit le retour de « Robby » pour lui demander le dossier référencé d'après son numéro et non pas d'après le nom de la victime.

— J'vous ai jamais vue par ici, remarqua-t-il.

— J'ai eu quelques pépins de santé ces dernières années, expliqua-t-elle.

— Pourtant vous avez l'air en forme.

Il revint quelques minutes plus tard en lui tendant une épaisse pochette cartonnée. Dieu soit loué, il n'avait pas relevé la gémellité des deux noms.

Après l'avoir remercié, Grace s'installa dans un petit box à l'écart pour y étudier son dossier, consciente d'expérimenter une sensation qu'aucun autre mort n'avait eue avant elle : celle de pouvoir consulter son propre rapport d'autopsie...

Malgré ses efforts pour garder son calme, elle ne put empêcher ses doigts de trembler en ouvrant la première page du dossier.

INFORMATIONS GÉNÉRALES

Grace Lauren Costello
Sexe : féminin – **Race** : blanche – **Age** : 38 ans
Taille : 1,79 m – **Poids** : 66 kg

Soixante-six kilos ! Si j'avais su ce qui m'attendait je n'aurais jamais commencé ce régime, pensa-t-elle pour dédramatiser la situation.

Elle continua sa lecture en essayant de repérer un élément qui pourrait lui rappeler les circonstances de sa mort. Le rapport précisait qu'on avait découvert son corps à 5 heures du matin, dans sa propre voiture garée dans une petite rue, non loin du Manhattan Bridge.

Mais tout ça ne me dit pas ce que je faisais là-bas.

Une enveloppe contenait une série de polaroïds qu'elle eut du mal à regarder. Même si elle avait le cœur bien accroché, cette sensation surréaliste d'observer son propre cadavre était difficile à supporter. Elle avait été tuée d'une balle dans la tête. Tirée par-derrière, la balle avait fait exploser la partie gauche de sa boîte crânienne avant de se figer dans l'hémisphère supérieur droit du cerveau. Sur les photos, l'arrière de son crâne n'était qu'un amas sanguinolent.

Le reste de son corps portait une seule trace de coup – un hématome très net au niveau d'une pommette – mais pas de trace de torture, de viol ou de blessure défensive. Elle n'avait même pas eu le temps de se débattre ou de se protéger, car quelqu'un à qui elle tournait le dos lui avait fait sauter le caisson.

D'abord, elle faillit ne pas consulter les deux dernières pages, consacrées au rapport toxicologique, persuadée qu'elle ne trouverait là rien d'intéressant. Et, même après qu'elle en eut pris connaissance, elle se força à relire trois fois ces informations, tant ce qu'elle venait de découvrir la laissait perplexe : ses prélèvements sanguins montraient en effet des traces d'héroïne dans son organisme.

Grace se tassa un peu sur son siège. Le coup était dur à encaisser. Quelque chose ne collait pas. Jamais elle ne s'était droguée de sa vie ! Encore sonnée, elle se leva et rendit le dossier à Robby.

Lorsqu'elle sortit dans la rue, un froid âpre et vif lui mordit le visage mais elle n'y prit pas garde. Dans sa tête, trois questions s'enroulaient comme des serpents fielleux. Qui l'avait tuée ? Pourquoi avait-elle de la drogue dans le sang ? Et tout cela avait-il un lien avec l'étrange mission qu'on lui demandait de mener aujourd'hui ?

*

Mardi matin

À 9 h 30, Juliette Beaumont fut conduite devant le troisième tribunal du Queens. En pénétrant dans la salle, elle chercha désespérément des yeux un visage familier, mais, les audiences n'étant pas publiques, ni Colleen ni Sam n'avaient pu y assister.

Sur les conseils de son avocat, elle plaida coupable d'insubordination envers les forces de l'ordre et d'infraction à la législation sur l'immigration.

La police new-yorkaise ayant été incapable de prouver la moindre implication de la Française dans le crash, le tribunal abandonna toutes les charges retenues contre elle dans ce dossier et, après négociation avec le procureur, la condamna à une simple amende de quinze cents dollars.

Après être repassée par le commissariat pour y récupérer ses effets personnels, elle fut conduite vers les services d'immigration qui devaient activer sa procédure d'expulsion. Alors que Juliette s'attendait à être renvoyée en France sans ménagement, une obscure commission d'enquête sur la sécurité intérieure – mise en place après le 11 septembre – manifesta soudain son intention de l'interroger dans les jours prochains. À 12 heures, on suspendit donc la procédure d'expulsion qui la visait et, par une drôle d'ironie du sort, elle ressortit du bâtiment avec en poche une prolongation exceptionnelle de son visa qui courait jusqu'au lendemain de sa convocation !

Colleen était venue la chercher et les deux amies tombèrent dans les bras l'une de l'autre. Elles s'embrassèrent en pleurant et, pendant un long moment, furent plus proches qu'elles ne l'avaient jamais été. Elles rentrèrent en taxi jusqu'à leur appartement. Il faisait beau et sec et jamais la lumière du jour n'avait paru si régénérante à Juliette.

À peine arrivée, elle fit couler un bain brûlant qui transforma la pièce en sauna. Une fois déshabillée, elle se glissa dans l'eau parfumée et laissa le niveau monter jusqu'à presque déborder. La tête sous l'eau, elle resta plus d'une minute en apnée, essayant de faire le vide dans son esprit, afin de reprendre des forces.

Sa garde à vue et son incarcération avaient constitué une épreuve qu'elle n'était pas préparée à affronter et qu'elle n'oublierait jamais. Avec le temps, elle espérait seulement que cet épisode ne laisserait pas trop de traces sur son mental. Pour l'heure, en tout cas, elle voulait l'occulter de son esprit et elle savait gré à Colleen de ne pas l'avoir harcelée de questions.

Elle sortit la tête de l'eau pour reprendre sa respiration. Elle se sentait comme neuve, à la fois épuisée et débordante d'énergie, et il lui sembla qu'elle aurait pu tout aussi bien dormir pendant trois jours que courir dix kilomètres à travers Central Park.

Elle s'enroula dans un peignoir et rejoignit Colleen au salon.

— Merci d'être venue me chercher.

Colleen désigna un vieux sac de voyage posé sur le canapé.

— Je t'ai trouvé des vêtements de rechange. Tu les avais laissés au fond du placard.

Juliette commença à fouiller dans le sac comme dans une malle au trésor. La plupart des vêtements dataient de la période où elle était étudiante et quelques-uns de celle où elle était ado.

— Il s'est beaucoup inquiété pour toi, tu sais... remarqua Colleen sans avoir l'air d'y toucher.

— Qui ça ?

— À ton avis ?

— Je ne sais pas... M. Andrew, notre voisin nonagénaire ?

— Note bien, continua Colleen avec un petit sourire, je comprends que tu aies craqué : il est vraiment... comment dire ? *Beau* n'est pas le bon terme... *mignon* non plus... En tout cas, c'est un vrai mec.

— Je ne vois pas du tout de qui tu parles.

— Très bien, comme tu voudras, laissons tomber.

Juliette continua l'exploration des vêtements de sa jeunesse, à la recherche de quelque chose de « mettable ». Elle dégotta un pull à grosses mailles décoré de perles et de strass, un chemisier brodé de fleurs qui pouvait faire encore son effet et un pantalon délavé, plein de poches et de scratchs, qu'elle se souvenait avoir acheté au Forum des Halles quand elle avait passé son bac.

Tout en faisant mine de s'ébahir devant ces trésors, elle ne cessait de ruminer ce que venait de lui dire Colleen. Déjà, elle regrettait d'avoir mis fin à la discussion et une question lui brûlait les lèvres : comment sa colocataire connaissait-elle Sam Galloway ?

— Dis-moi...

— Hum ?

— Qu'est-ce que tu voulais dire exactement par *il s'est beaucoup inquiété pour toi* ?

Colleen fit semblant de ne pas comprendre :

— Rien du tout, chérie. Tu veux conserver ton jardin secret et c'est bien normal.

— Arrête de me torturer !

Satisfaite, Colleen leva les yeux de son écran d'ordinateur.

— Eh bien, j'ai eu une petite conversation avec Sam Galloway et je crois vraiment que cet homme tient à toi.

— C'est très compliqué, tu sais : il est médecin, marié... et je ne pense pas qu'il pourrait m'aimer telle que je suis réellement.

— Et moi, je pense le contraire, rétorqua Colleen en lui tendant le petit magnétophone.

Juliette fit une moue interrogative, mais sa colocataire la laissa dans l'expectative.

— Bon, je te laisse. Maintenant que je suis rassurée sur ton sort, je vais pouvoir faire les magasins. J'ai repéré une petite robe chez Saks et je crois bien que je vais me laisser tenter...

Colleen s'étant éclipsée avec délicatesse, Juliette appuya sur le bouton *play* de l'appareil et la voix de Sam, si lointaine, si proche, résonna dans la pièce.

Chère Juliette...

20

Ce que j'ai appris, ça tient en trois, quatre mots :
Le jour où quelqu'un vous aime, il fait très beau,
j'peux pas mieux dire, il fait très beau !

Jean Gabin

Chère Juliette...

S'il te plaît, prends le temps de m'écouter, même si tu es en colère contre moi...

Je sais que ces derniers jours ont été très difficiles et crois bien que pas une minute je n'ai cessé de penser à toi.

Je sais aussi que rien ne serait arrivé si, à l'aéroport, j'avais eu le courage de te demander de rester avec moi au lieu de te laisser monter dans ce fichu avion. Ce n'est pas l'envie qui me manquait, juste peut-être une perte de confiance en la vie et la peur que notre histoire ne repose que sur un mensonge.

Juliette s'assit sur le canapé, les jambes repliées contre sa poitrine, sans s'attendre à ce que Sam allait lui révéler.

Car je t'ai menti : je ne suis plus marié. Je l'ai été, mais ma femme est morte, il y a un an.

Elle s'appelait Federica. Je la connaissais depuis l'enfance. Nous avions été élevés dans le même quartier de Brooklyn. Un quartier difficile comme il en existe dans toutes les grandes agglomérations. Je n'ai jamais connu mes parents et c'est ma grand-mère qui s'est occupée de moi comme elle a pu. Quant à Federica, elle n'avait pour toute famille qu'une mère droguée jusqu'à la moelle du matin au soir. Voilà ce que fut notre enfance. Pour t'en donner une autre idée, sache simplement que ces dernières années, lorsque nous regardions de vieilles photos de classe, c'était pour constater que la plupart de nos anciens copains étaient soit morts soit en prison.

Mais nous, nous étions bien vivants. J'étais médecin et elle était peintre; nous vivions dans un bel appartement; nous nous en étions sortis.

Du moins, c'est ce que je croyais jusqu'à ce terrible soir...

Je me souviens que c'était à la mi-décembre et que je m'étais laissé prendre au jeu de l'euphorie de cette période. L'après-midi, nous avions fêté Noël à l'hôpital dans une atmosphère chaleureuse. Les enfants avaient décoré un grand sapin avec leurs propres origamis [1]. Je n'avais plus perdu de patients depuis quinze jours. Federica attendait un bébé et j'étais aux anges.

En sortant de l'hôpital, ce soir-là, j'avais flâné un moment devant les vitrines grandioses des magasins pour faire quelques cadeaux : un livre sur Raphaël pour Federica, une marionnette en bois peint et un éléphant en peluche pour décorer la chambre du bébé...

Pour une fois, le futur m'apparaissait presque paisible et dégagé, et c'est le cœur léger que je rentrai à la maison. La porte était ouverte. Dans l'escalier, j'ai appelé Federica mais elle n'a pas répondu. Avec une petite appréhension, j'ai poussé la porte de la salle de bains pour y découvrir l'indicible. Le mur et le carrelage étaient éclaboussés de sang. Dans la baignoire, le corps sans vie de Federica gisait dans une eau rougeâtre, les poignets et les chevilles profondément entaillés. Ma femme s'était suicidée alors qu'elle était enceinte.

Bouleversée, Juliette essuya une larme qui coulait le long de sa joue. Le magnétophone collé à son oreille, elle sortit sur la terrasse pour prendre un peu d'air. Sam continua :

Quoi qu'il puisse m'arriver dans l'avenir, je suis certain que rien ne sera jamais aussi terrible que la mort de ma femme.

Il faut que tu comprennes, Juliette : en tant que médecin, ma pratique repose sur la conviction que la souffrance n'est pas une fatalité. Tous les jours, en consultation, je reçois des enfants bri-

---

1. Figurine en papier plié selon une technique japonaise.

sés par la violence, le deuil ou la maladie. Mon boulot est de les persuader qu'ils peuvent se relever de leurs traumatismes. Et, la plupart du temps, j'y parviens. C'est en partie pour ça que je suis devenu médecin : parce que je sais que la vie est encore possible après l'horreur. Soigner les gens, ce n'est pas seulement rechercher les causes de leurs maladies, c'est leur donner l'espoir que demain sera mieux qu'hier.

Mais je n'ai jamais pu convaincre Federica. La femme que j'aimais connaissait une situation de détresse et j'ai été incapable de la délivrer de ses souffrances. Nous vivions côte à côte mais nous n'étions qu' « un + un » sans avoir jamais réussi à être deux.

Je crois qu'on ne peut secourir quelqu'un que s'il accepte votre aide. Mais Federica s'ouvrait de moins en moins. Elle ne s'était jamais vraiment libérée de son passé. Elle avait perdu l'envie de se battre à un degré que je ne soupçonnais pas. Combien faut-il avoir perdu l'espoir pour se suicider alors qu'on est enceinte...

Pendant les mois qui ont suivi, tout m'était indifférent. Rien ne pouvait m'atteindre, ni la joie, ni la douleur. Ma propre mort ne m'effrayait plus. Certains jours, je l'attendais même comme une délivrance.

Seul mon métier continuait encore à susciter mon intérêt mais je l'exerçais avec moins de conviction. Je n'espérais plus rien, je vivais comme un robot.

Jusqu'à toi...

Combien de chances crois-tu que nous avions de nous rencontrer ? J'ai lu quelque part que plus d'un million et demi de personnes se croisaient chaque jour à Times Square. Un million et demi, tu te rends compte !

Il s'en est fallu de quoi pour qu'on se rate ? Une demi-seconde ? Une seconde tout au plus...

Si tu avais traversé la rue une seconde plus tôt, nous nous serions loupés. Si j'avais changé de file une seconde plus tard, nous nous serions loupés.

Toute notre histoire tient dans cette seconde.

Juste une seconde et je n'aurais jamais aperçu ton visage.

Une petite seconde et tu ne saurais même pas que j'existe.

Une petite seconde et tu ne serais pas descendue de ton avion...

Une seconde et je serais morte... pensa Juliette sur sa terrasse.

Et si cette seconde était notre *seconde ? Notre étincelle inespérée, notre chance.*

Celle qui pourrait changer nos vies à jamais...

Penses-y !

Je sais, je t'ai menti et crois bien que je le regrette.

Je sais aussi que tu n'es pas avocate, mais n'imagine pas que cela me gêne, au contraire. Serveuse ou actrice, qu'importe. Je ne recherche ni la richesse, ni les honneurs. L'argent n'est jamais le premier critère dans mes décisions. Je n'ai aucune fortune, je ne possède rien, pas même un appartement à moi. Juste un métier qui est toute ma vie.

Et un espoir que je te laisse deviner...

Les larmes aux yeux, Juliette éteignit le magnéto. Elle enleva son peignoir et, sans même prendre le temps de se faire belle, s'habilla en un éclair avec les vêtements qu'elle venait de trier. Elle compléta sa panoplie avec une longue écharpe aux couleurs acidulées et une veste en velours mille-raies doublée de fourrure.

Deux secondes de plus et elle avait quitté la chambre.

Pourtant, elle ne fut pas longue à y revenir : dans sa hâte, elle était sortie pieds nus. Elle fouilla dans le sac et tomba sur sa fidèle paire de Kickers bicolores, en cuir velouté et semelles de caoutchouc.

Devant le miroir de l'ascenseur, elle « s'arrangea » un peu. Finalement, elle n'était pas si mal. Ses anciens habits lui donnaient des accents bohèmes. Bien sûr, ce n'était pas le top du chic, mais au moins c'était elle.

*

Elle avait retrouvé Sam à l'hôpital et tous les deux avaient eu cette même envie de fuir la ville pour l'après-midi. Ça tombait bien : Leonard McQueen avait de nouveau proposé à Sam de profiter de sa maison de Nouvelle-Angleterre et cette fois, il n'avait pas refusé.

Ils quittèrent donc New York par la Route 95. Même dans la voiture ils ne se lâchaient plus. C'était une main à dix doigts qui passait les vitesses et ils s'embrassaient à chaque feu rouge. Leurs baisers avaient le goût du printemps et ils en étaient tout étonnés. Juste après New Haven, ils délaissèrent l'autoroute pour jouir pleinement de la beauté du paysage. La côte qui s'étirait vers le nord-est était constellée de baies, de criques et de ports. Elle les mena à la frontière du Connecticut et du Rhode Island, dans un petit village de pêcheurs où McQueen avait sa maison.

Aux beaux jours, l'endroit attirait de nombreux touristes et plaisanciers grâce à ses galeries d'art et ses boutiques artisanales tandis qu'aujourd'hui le village paraissait presque désert et autrement plus authentique que pendant la saison estivale.

Après avoir garé la voiture, Sam et Juliette se baladèrent un moment dans la rue principale dominée par les anciennes demeures des capitaines de marine. Puis ils migrèrent vers le front de mer. Depuis le matin, le ciel était dégagé et la température incroyablement clémente, comme si l'été indien s'était invité en plein milieu de l'hiver. Décidément, le dérèglement climatique était chaque jour plus visible. Main dans la main, ils déambulèrent dans la lumière dorée, le long de la jetée. Ils admiraient les bateaux, lorsque Juliette lança une plaisanterie :

— Si on était dans un film, si j'étais une actrice connue et si tu étais Kevin Costner, nous monterions sur l'un de ces voiliers et tu m'emporterais vers le large.

— Tu ne crois pas si bien dire : McQueen m'a dit qu'il avait un bateau amarré ici.

— Comment s'appelle-t-il ?

— Le *Jasmine*, répondit Sam en consultant les papiers du bateau.

Après quelques minutes de recherche, ils arrivèrent devant un voilier de vingt-huit pieds, tout en bois verni, magnifique.

— Tu sais naviguer ? demanda-t-elle en sautant sur le pont.

— L'avantage, quand on fait médecine à Harvard, c'est qu'on est parfois invité à des week-ends de yachting chez les wasp du coin, expliqua-t-il en la rejoignant.

— Sérieusement, tu comptes aller faire un tour ?

— Faut bien être à la hauteur de tes références cinématographiques.

— Mais je suppose qu'il faut un permis pour conduire un engin comme ça...

— T'en fais pas, si on nous arrête, cette fois c'est moi qui vais en prison.

Il déplia les voiles et prépara le bateau. Après avoir déniché la bonne clé dans le trousseau que lui avait confié McQueen, il alluma le petit moteur qui ronronna sans se faire prier.

— Larguez les amarres ! cria Sam. Enfin, c'est ce que dirait Costner, non ?

— Il ne t'arrive pas à la cheville, répondit-elle en l'embrassant puis, d'un saut gracieux, elle grimpa sur la partie surélevée du pont d'où elle contempla les hirondelles de mer qui tournoyaient au-dessus de sa tête.

Lorsqu'il eut trouvé un vent favorable, Sam coupa le moteur, hissa la voile et la borda. Progressivement, le bateau gagna de la vitesse pour filer vers le large. Le soleil descendait lentement, teintant le ciel de reflets orangés. Juliette rejoignit Sam à la barre. Elle se serra contre lui. Le vent du soir leur donnait des couleurs et les enveloppait comme un voile invisible. En silence, ils goûtèrent au simple plaisir d'être ensemble et, bercés par le roulis des vagues, ils s'abandonnèrent à la fugacité de ce moment où l'existence, soudain inondée de lumière, semblait leur offrir une nouvelle chance.

Ils avaient regagné le port depuis une demi-heure. Juliette était allée se réchauffer devant une tasse de thé dans l'un des petits restaurants du coin, tandis que Sam remettait le voilier en ordre. Quand il eut terminé, il remonta la longue promenade en bois qui bordait la mer. Il se sentait léger et euphorique. La vie prenait vraiment d'autres couleurs lorsqu'on était amoureux. À nouveau, son existence lui paraissait avoir un sens.

Il s'apprêtait à rejoindre Juliette lorsqu'une sonnerie mit fin à sa béatitude. Ce n'était ni son beeper, ni son portable, juste l'un des téléphones publics d'une cabine en plein air. Une blague ? Il se tourna à droite puis à gauche : le *boardwalk* était désert. Il décida d'abord de ne pas y prêter attention, mais il fut vite rattrapé par le réflexe du médecin : et si quelqu'un avait besoin d'aide ? Mieux valait ne pas prendre le risque de laisser un appel sans réponse.

— Oui ? demanda-t-il en décrochant.

Au bout du fil, la personne qu'il avait le moins envie d'entendre se rappela à son bon souvenir :

— N'oubliez pas notre marché, Galloway : l'histoire s'arrête samedi en milieu de journée.

— Costello ? Que voulez-vous encore ? Et d'abord, où êtes-vous ?

— Vous savez très bien ce que je veux, répondit Grace.

— Je ne peux pas faire ça à la femme que j'aime !

— Je crains que vous n'ayez pas le choix.

— Pourquoi vous nous faites ça à nous ? J'ai déjà connu le deuil ! J'ai déjà payé ma part de souffrance !

— Je sais, Sam, mais ce n'est pas moi qui décide.

— Qui décide alors ? cria-t-il. Qui décide ?

Grace avait raccroché.

De rage, Sam fracassa le combiné contre la cabine.

21

*On doit vivre sa vie en regardant devant soi, mais on ne
la comprend qu'en regardant en arrière.*

Sören Kierkegaard

Jeudi matin

Sam se tourna vers Juliette. Ne dépassaient de la
couette qu'un morceau d'épaule nue et quelques mèches
dorées qui s'étalaient en rayons de soleil sur l'oreiller. Il
avait réussi à dormir quelques heures, mais, malgré la
présence de la jeune femme, une angoisse sourde n'avait
cessé de le tourmenter. Libéré des bras de Morphée, il
jeta un coup d'œil au réveil – *5 h 4* – et décida de se lever
malgré l'heure matinale.

Désormais, il ne pouvait plus se raconter d'histoires :
un danger le menaçait et il ne savait pas comment
l'affronter. Submergé par l'incertitude, il se sentait
comme un personnage de la *Quatrième Dimension*, cette
série télé qu'il regardait lorsqu'il était gosse : un homme
ordinaire qui avait franchi une frontière dont il ne soupçonnait pas l'existence et qui prenait conscience avec
terreur de la présence d'une fêlure dans la réalité.

Il sortit du lit sans faire de bruit. Sur le parquet étaient
éparpillés des vestiges de leur étreinte de la veille : un
cache-cœur, un pull coloré, une chemise Arrow, quelques
sous-vêtements...

Il passa dans la salle de bains et ouvrit le robinet de la
douche. L'arrivée de l'eau chaude fit trembler la plombe-
rie et emplit la pièce de vapeur. Sam se jeta sous le jet

brûlant, toujours tenaillé par les mêmes doutes. Le contrôle des événements était en train de lui échapper et, surtout, il se retrouvait seul avec ses questions. À qui pourrait-il parler de ce qui lui arrivait sans susciter l'incrédulité générale ? Vers qui se tourner ?

Il y aurait bien quelqu'un, pensa-t-il soudain, *mais ça fait trop longtemps...*

Il refusa d'approfondir cette éventualité, sortit de la douche et se sécha vigoureusement.

De retour dans la chambre, il s'habilla rapidement et griffonna un mot destiné à Juliette qu'il posa bien en évidence sur l'oreiller. Il lui laissa également les clés de son appartement de Manhattan.

Dans la cuisine, il chercha désespérément un reste de café mais sans succès.

Juste ce matin où il m'en aurait fallu dix tasses !

Avant de partir, il regarda Juliette une dernière fois et alla sur le perron où il fut accueilli par un vent glacial et par le bruit assourdissant des vagues. Plongé dans ses pensées, il descendit les quelques marches en se frottant les mains. Malgré le froid, le 4 × 4 démarra au quart de tour.

Comme il était encore tôt, il fut à New York en moins d'une heure. Il allait obliquer vers l'est pour prendre la direction de l'hôpital lorsqu'il braqua son véhicule avec l'intention de faire demi-tour vers Brooklyn.

— Aaaahhh !

Il venait de donner un grand coup de frein pour ne pas emboutir la camionnette d'un fleuriste qui repartait d'une livraison. Ses pneus crissèrent et glissèrent sur la chaussée. Le système de freinage était efficace, mais il n'empêcha pas le 4 × 4 de terminer dans l'arrière de la fourgonnette. Ce ne fut pas un choc violent, il fut néanmoins secoué.

Sam recula puis déboîta pour dépasser la voiture du livreur. Il constata que son conducteur – un jeune hispanique vindicatif – n'était pas blessé. Au contraire, il gesticulait dans tous les sens et brandissait son poing en direction du médecin, le traitant de diverses amabilités.

Sam décida de ne pas descendre de son véhicule. Il attrapa l'une de ses cartes de visite qui traînaient toujours dans son portefeuille et la balança à travers la vitre.

— Je paierai pour tout! cria-t-il en redémarrant.

Il était prêt à faire face à ses responsabilités mais, pour l'instant, il avait d'autres priorités.

Il fallait qu'il aille voir quelqu'un.

Quelqu'un vers qui il s'était déjà tourné autrefois.

Lorsqu'il n'avait plus été capable de donner un sens aux choses.

*

Sam se gara le long du trottoir. Dix ans avaient filé depuis qu'il avait quitté Bed-Stuy. Il s'était juré qu'il ne reviendrait jamais ici et, jusqu'à présent, il avait tenu parole.

D'abord, il fut désarçonné par l'embourgeoisement du quartier. La flambée immobilière avait chassé les classes moyennes de Manhattan et bon nombre de citadins s'étaient précipités pour racheter à bas prix les petits immeubles en pierre brune autrefois squattés par la racaille.

Plus bas dans la rue, une voiture de police patrouillait tranquillement et l'endroit semblait même trop propre, comme si en quelques années le *Petit Beyrouth* était devenu aussi calme qu'une banlieue résidentielle!

Pourtant, il s'écoula peu de temps avant qu'un frisson lui parcoure l'échine comme au bon vieux temps. Sam comprit alors que, pour tous ceux qui avaient vécu ici durant les années difficiles, planeraient toujours les fantômes menaçants des squatters et des vendeurs de crack.

Il remonta la rue à pied. La petite église était toujours là, coincée entre le terrain de basket et un entrepôt bientôt promis à la démolition. Sam gravit les quelques marches et s'arrêta devant l'entrée. Autrefois, le père Hathaway laissait toujours ouverte la « maison du Seigneur », juste *au cas où*. Depuis, le père Hathaway était mort et un nouveau prêtre lui avait succédé. Cependant, lorsque Sam poussa l'épaisse porte en bois, elle s'ouvrit en grinçant. Enfin quelque chose qui n'avait pas changé...

L'édifice était reconnaissable à sa décoration exubérante. Les ornements les plus hétéroclites cohabitaient dans une drôle d'harmonie, un peu à la manière des églises d'Amérique du Sud. Les murs étaient rehaussés de tissus dorés et d'une myriade de petits miroirs. Au-dessus de l'autel, une statue de Vierge ailée tendait les mains aux visiteurs tandis qu'une fresque aux couleurs audacieuses mettait l'accent sur la souffrance du Christ.

Sam s'avança dans la travée avec émotion. Enfant, il se réfugiait souvent ici. Le père Hathaway lui avait aménagé un petit espace dans la sacristie pour qu'il puisse y faire ses devoirs. Sam n'avait jamais eu une foi débordante, mais les endroits propices à l'étude étaient trop peu nombreux dans le quartier pour faire la fine bouche.

Le médecin s'approcha d'un renfoncement baigné d'une lumière blonde. Une cassolette suspendue à des petites chaînes faisait office d'encensoir. Tout autour brûlaient des dizaines de cierges. Il mit quelques dollars dans le tronc et alluma trois bougies : une pour Federica, une pour Angela et la dernière pour Juliette.

L'église était toujours imprégnée d'une odeur particulière de poivre et de vanille qui joua pour Sam le rôle d'une machine à remonter le temps et le replongea brusquement dix ans en arrière.

Au fond de lui, il n'attendait que ça. Pendant longtemps il s'était convaincu qu'il avait triomphé des épreuves de sa jeunesse, mais ce n'était pas vrai. Depuis dix ans, il avait vécu de façon mécanique, étudiant et soignant sans relâche. Stupidement, il s'était dit que s'il arrivait à sauver un certain nombre de malades, il guérirait définitivement de ses angoisses et trouverait la paix. Mais ça ne marchait pas comme ça : même si les bleus avaient disparu, les blessures étaient toujours là. Et il ne savait pas comment y faire face. Le suicide de Federica aurait pourtant dû le contraindre à affronter la réalité de son passé pour mieux s'en libérer. Au lieu de ça, il s'était figé dans la position du veuf inconsolable. Jusqu'à ce qu'il croise un regard, un espoir... Mais cette rencontre inespérée avec Juliette avait été ternie par son mensonge puis par les prédictions alarmantes de Grace Costello.

Sam s'assit sur l'un des bancs rustiques qui s'alignaient des deux côtés de la travée. Là, dans la lumière réconfortante de l'église, il se laissa envahir par les souvenirs.

Quelques bribes du passé, trop longtemps cadenassé dans le coffre de sa mémoire, remontèrent à la surface pour le projeter au mois d'août 1994.

L'été où leurs deux vies avaient basculé...

*

C'était l'année de leurs dix-neuf ans. Jusqu'à présent, Federica et lui avaient réussi, cahin-caha, à rester en dehors des tourbillons de violence de la cité.

À l'école, Sam s'était bien débrouillé. Depuis un an, il étudiait avec succès les sciences à l'université. Il passait son temps dans les livres, et ses efforts portaient leurs fruits : il était major de sa promotion et s'il continuait sur sa lancée, il pourrait intégrer l'une des meilleures *medical school* de la côte est. Cependant, il aurait besoin d'argent. Pour l'instant, il bénéficiait d'une petite bourse, qui prendrait fin l'année prochaine. Il contracterait alors un prêt étudiant, mais ça ne suffirait pas. Depuis ses quatorze ans, il travaillait donc tous les étés, économisant chaque sou, presque secrètement, dans l'espoir de se constituer une petite cagnotte. Cet été-là, il avait trouvé un job comme garçon de plage à Atlantic City, dans l'un des luxueux hôtels qui bordaient l'océan. La *ville du jeu* étant à deux heures et demie de New York, Sam dormait sur place et ne rentrait voir Federica que toutes les deux semaines, lors de son *day off*.

Le parcours de la jeune fille avait été plus chaotique. Elle terminait une formation dans une école horticole tout en travaillant à mi-temps pour un apiculteur du Massachusetts qui avait installé des dizaines de ruches dans les jardins et les parcs de Manhattan.

La vérité oblige à dire que, même si elle ne s'était jamais droguée, elle faisait encore un peu de deal par intermittence, pour payer la dope et le traitement de sa mère dont l'état de santé s'était détérioré.

Sam avait bien proposé de lui prêter de l'argent ; elle avait refusé avec une telle véhémence qu'il n'avait pas insisté. Il avait aussi essayé de la raisonner, l'avertissant que tout cela finirait mal, y allant même de sa leçon de morale : en distribuant de la drogue, elle mettait la vie d'autres personnes en danger et se faisait ainsi complice des trafiquants. Mais rien n'y avait fait. « Ne me demande pas de laisser mourir ma mère » avait été la seule réponse de Federica et la discussion avait été close.

Pendant longtemps, elle s'était contentée de livrer quelques sachets par-ci, par-là, au fil de sa tournée des ruches. Puis, au début de ce fameux été, la maladie de sa mère s'était encore aggravée. Il aurait fallu l'opérer rapidement, ce qui nécessitait d'avancer une grosse somme.

C'est alors que Dustface avait fait irruption dans leur vie. Ce trafiquant irascible et brutal contrôlait une partie du quartier. Dustface guettait Federica depuis déjà un moment. La jeune femme avait cette aura mystérieuse qu'ont parfois les femmes d'Amérique du Sud, même lorsqu'elles vivent dans la misère. Un mélange de dignité et de distinction qui expliquait sans doute que lors des fréquentes descentes de police, les flics ne lui cherchaient jamais d'histoires. Cet étrange don avait donné une idée à Dustface : celle d'utiliser Federica comme passeur pour importer de la cocaïne aux États-Unis.

Si Sam avait eu connaissance de ce projet, il s'y serait opposé, même de force, pour protéger son amie. Malheureusement, c'était l'époque où il travaillait à Atlantic City. Sans lui en toucher un mot, Federica prit un avion pour Caracas et, dans le vol de retour, rapatria avec elle trente boulettes de cocaïne ingérées un peu plus tôt. Ce moment fut l'un des plus terribles de sa courte existence. Elle passa tout le voyage à prier, tenaillée par la peur que le latex d'emballage ne se déchire et que la drogue ne se répande dans son estomac.

Ce cauchemar enfin terminé, elle s'était juré de ne jamais recommencer, mais Dustface était revenu à la charge, lui proposant une mission moins risquée assortie d'une commission importante. Cette fois, il s'agissait de se rendre au Mexique et d'en ramener une voiture dont les chambres à air avaient été soufflées de cocaïne.

Pour son malheur, Federica ne sut pas dire non. Elle s'envola donc pour Mexico où on lui remit une Toyota banalisée pleine de poudre blanche. Après avoir franchi le poste frontière de Tijuana sans être contrôlée, elle mit le cap vers New York, empruntant les routes les moins fréquentées et respectant les limitations de vitesse. Jusque-là, tout s'était bien déroulé ; pourtant, elle aurait dû se méfier car, c'est bien connu, la chance n'habite jamais longtemps à la même adresse.

Sur la route de Baton Rouge, elle s'arrêta dans une station-service pour faire le plein et aller aux toilettes. Lorsqu'elle ressortit sur le parking, la voiture avait disparu. Hasard malheureux ou arnaque ? Pour elle, les conséquences seraient les mêmes : jamais elle ne pourrait rembourser une telle somme et une brute comme Dustface était capable de la torturer, de la réduire en esclave et probablement de la tuer.

Dans l'impossibilité de rentrer à Brooklyn, elle prit l'autobus jusqu'à Atlantic City pour s'effondrer dans les bras de Sam.

En écoutant le récit de son amie, le jeune homme tomba des nues. Désespérée, Federica lui fit part de son intention de quitter définitivement New York. Sam tenta de la raisonner : ils ne pouvaient pas tout laisser derrière eux du jour au lendemain. Et s'ils commençaient à fuir aujourd'hui, ils fuiraient toute leur vie. Néanmoins, pas question pour lui de l'abandonner. Il avait toujours été persuadé que leurs destins étaient liés et qu'ils se sauveraient ensemble ou qu'ils périraient ensemble. Lui-même se reprochait de ne pas avoir vu arriver cette catastrophe, mais ne refuse-t-on pas souvent de voir ce qu'on a peur de voir ? Toute la nuit, Federica lui demanda pardon pour l'avoir entraîné dans ses histoires, mais il était maintenant trop tard pour faire marche arrière.

Finalement, Sam décida de rentrer seul à New York. Naïvement, il pensait que les choses finiraient par s'arranger. L'autobus Greyhound le déposa alors que le soir tombait sur la cité. Il se rendit d'abord chez lui puis décida d'aller lui-même affronter Dustface. Auparavant, il déterra la boîte en fer où il cachait les économies pour ses études. Elle contenait presque six mille dollars. Il était prêt à les proposer à Dustface en échange de sa promesse de laisser Federica tranquille. Mais avant, il fit un détour chez son ami Shake Powell. Ce dernier n'était pas là et Sam jugea que c'était encore préférable. Il escalada la façade de l'immeuble jusqu'au toit et, de là, se faufila jusqu'à la fenêtre de la chambre de son copain. Derrière une brique du mur, il trouva l'arme que gardait Shake. Une sorte de dépôt que lui avait fait son frère avant de partir passer quelques vacances à Rykers Island [1]. Sam vérifia qu'elle était chargée puis la glissa dans la poche intérieure de son blouson. Il s'était toujours tenu loin des armes, mais il se doutait bien que les choses, cette fois, ne se dérouleraient peut-être pas comme il l'espérait.

Preuve, finalement, qu'il n'était pas si naïf...

---

1. Prison située sur une île, entre le Queens et Manhattan, et connue pour son extrême violence.

— Alors le fils prodigue, toujours en train de rêvasser !

Le timbre d'une voie cuivrée ramena le médecin à la réalité et le fit tressaillir comme s'il était pris en faute. Il leva les yeux pour apercevoir Shake Powell qui venait d'entrer par la porte de la sacristie.

— Shake !

— Salut, Sam.

Aussi incroyable que cela puisse paraître, Shake était devenu prêtre et avait pris la suite du père Hathaway. Il avait été anéanti par la mort de son frère qui s'était suicidé en prison et sans doute avait-il trouvé dans la foi le réconfort dont il avait besoin.

Comme au bon vieux temps, ils se serrèrent la main selon un code compliqué avant de se donner une accolade chaleureuse. Le grand Black était toujours aussi massif qu'un catcheur. Il portait un jean délavé et une veste de survêtement qui peinait à contenir sa masse de muscles. Sa barbe taillée très court et décolorée tranchait avec sa peau noire et mate. Shake était une force de la nature, un concentré de puissance, et Sam ne comptait plus les fois où son ami l'avait protégé jadis des violences de la cité.

— Comment vas-tu ?

— Mieux que la dernière fois.

Les deux hommes ne s'étaient plus vus depuis dix ans, bien qu'ils aient, de loin en loin, gardé le contact. Comme Shake le lui avait conseillé après cette terrible nuit, Sam avait rompu toute attache avec le quartier même s'il lui en avait terriblement coûté de ne plus pouvoir côtoyer le seul ami dont il ait été réellement proche.

— J'ai l'impression que c'était hier, remarqua Sam pour ne pas se laisser gagner par l'émotion.

— Moi, ça m'a paru une éternité. La dernière fois, nous étions encore des gosses alors qu'aujourd'hui tu portes ce costume de businessman et tu bosses dans un grand hôpital.

— C'est un peu grâce à toi.

— Arrête tes conneries !

Ils restèrent un moment sans parler puis Shake se décida :

— J'ai appris pour Federica et je t'ai téléphoné plusieurs fois...

— Je sais, j'ai eu tes messages et ils m'ont fait du bien, même si je ne t'ai pas rappelé.

Puis, guidé par une sorte de sixième sens, Shake demanda :

— Tu as des emmerdes, mec ?

— Qui n'en a pas ?

— Allez, viens me raconter ça devant un café. C'est peut-être la maison du Seigneur, mais il y fait foutrement froid !

Shake habitait un petit appartement, propre et bien tenu, juste derrière l'église. Il invita Sam à prendre place sur l'un des tabourets du séjour puis passa derrière un comptoir pour préparer deux expressos sur une antique machine à café chromée qui n'aurait pas dépareillé dans un vieux bar italien. Sur les étagères s'entassaient les nombreux trophées gagnés par Shake lors de tournois de boxe. Mais, pour ne pas laisser croire à une apologie de la violence, le prêtre avait encadré une phrase de Shakespeare : « *On ne lave pas du sang avec du sang, mais avec de l'eau.* »

— Goûte ça, tu m'en diras des nouvelles, fit-il en posant une tasse crémeuse devant le médecin.

— C'est un café colombien ?

— Un jamaïcain : le Blue Mountain. Fameux, n'est-ce pas ?

Sam acquiesça d'un hochement de tête.

— Regarde, fit Shake en pointant un bout de journal punaisé contre une poutre en bois, j'ai découpé l'article que le *New York Times* a fait sur toi.

— L'article parlait surtout de l'hôpital, pas que de moi, répondit Sam.

— Toujours à jouer les modestes, à ce que je vois...
Sam haussa les épaules.

— J'ai bien reçu tes mandats, aussi, reprit Shake. Cinq mille dollars à chaque Noël pour les bonnes œuvres de la paroisse...

— Je te fais confiance : je sais que cet argent a été bien employé.

— Ouais, mais tu n'es pas obligé d'envoyer autant.

— C'est une manière de payer mes dettes, expliqua Sam. Lorsque nous sommes partis d'ici avec Federica, le père Hathaway nous a prêté de l'argent.

— Je suis au courant : il m'a dit une fois que c'était le meilleur investissement qu'il avait fait de toute sa vie.

— Mais cet argent, il était destiné aux pauvres...
Un mince sourire éclaira le visage de Shake.

— Il ne t'est jamais venu à l'esprit qu'à l'époque les pauvres, c'étaient nous ?
Sam médita un instant sur cette vérité, puis il se tourna vers son ami.

— Shake, il m'arrive un truc complètement dingue...
Sam lui raconta alors les événements étranges qui avaient affecté sa vie ces derniers jours. Il évoqua d'abord sa rencontre providentielle avec Juliette, cette sensation nouvelle de bien-être et de plénitude qui l'avait envahi, lui donnant l'espoir de retrouver l'amour et de fonder une famille. Ses craintes et ses maladresses aussi qui l'avaient empêché de la retenir et qui avaient précipité ce micmac judiciaire après le crash aérien. Avec quelque appréhension, Sam fit ensuite le récit de son incroyable passe d'armes avec cette femme flic qui affirmait être un *émissaire*, tombé du ciel pour y effectuer une macabre mission.

Shake Powell était un prêtre de terrain qui avait décidé d'employer sa vie à aider les familles défavorisées et les jeunes en difficulté. La métaphysique n'était pas son fort et il laissait les questions théologiques à d'autres. De même, il n'était pas très porté sur le surnaturel. Il écouta cependant avec le plus grand sérieux les révélations de son ami. Il savait que Sam n'était ni un illuminé ni un homme crédule. Dans sa vie d'homme d'Église, Powell avait été lui-même confronté une ou deux fois à des choses inexplicables. Lorsque cela s'était produit, il s'était incliné avec humilité devant ce *quelque chose* qui le dépassait. Sans doute fallait-il parfois accepter de ne pas tout comprendre. Il espérait que toutes les réponses lui seraient fournies plus tard.

Pourtant, au fur et à mesure que le récit de Sam progressait, il ne pouvait s'empêcher d'être de plus en plus troublé, et son inquiétude monta encore d'un cran lorsque le médecin relata l'horrible marché que lui proposait l'émissaire.

Pendant un assez long moment, personne ne parla, puis Shake rompit le silence par une question qu'il était obligé de poser, même s'il en connaissait déjà la réponse :

— Tu n'as toujours pas la foi, n'est-ce pas ?

— Non, avoua Sam, je préfère ne pas te mentir.

— Tu sais, parfois Dieu...

Sam coupa court à la tournure que prenait la discussion :

— Laisse tomber Dieu, tu veux bien.

Puis il se leva du canapé pour s'asseoir sur le rebord de la fenêtre. À travers la vitre, il distinguait le terrain de basket sur lequel il avait joué tant de fois. Il en gardait des souvenirs mitigés. Certains jours, il s'était réellement amusé, d'autres fois, il s'était pris des raclées par des plus grands, des plus forts, des plus durs. En tout cas, il ne leur avait jamais montré ses larmes, ce qui constituait déjà une forme de victoire.

— D'après toi, que dois-je faire ? demanda Sam en se tournant vers son ami.

Shake soupira.

— Ce que tu m'as raconté est troublant, mais tu ne dois pas céder au chantage de ce prétendu émissaire.

— Mais elle nous menace, Juliette et moi.

— Alors, tu dois l'affronter, sans mêler Juliette à tout ça. Protège la femme que tu aimes, Sam.

— Je ne suis pas sûr d'en être capable.

— Toujours à te sous-estimer...

— Non, je suis sérieux. Je ne sais pas quoi faire.

— Laisse-moi lui parler, proposa Shake en frappant son poing dans la paume de sa main. Laisse-moi juste l'effrayer un peu...

— Non, Shake, cette fois ça ne marchera pas. Cette femme donne l'impression de n'avoir peur de rien.

— Personne n'a peur de rien, Sam. Crois-moi là-dessus.

Le prêtre raccompagna Sam à sa voiture. Lentement le quartier s'éveillait : l'épicerie coréenne ouvrait ses portes, un bus scolaire remontait lentement la rue et ça commençait à s'agiter chez Frisco.

— Tu sais, il ne se passe pas un jour sans que je repense à ce fameux soir d'il y a dix ans lorsque j'ai...

— Ouais, je sais, le coupa Shake. Si ça peut te consoler, j'y repense aussi tous les jours.

— Est-ce que tu es certain que nous ayons pris la bonne décision ?

Une sorte de vague à l'âme brilla dans les yeux du prêtre.

— On n'est jamais sûr d'avoir pris la bonne décision. C'est ce qui donne tout son sel à la liberté que Dieu nous a laissée.

Sam tourna la clé de contact puis baissa sa vitre :

— Salut Shake.

— Tiens-moi au courant et n'hésite pas si tu as besoin de moi. Et n'attends pas dix ans avant de revenir ! Les choses se sont bien tassées maintenant et tu ne crains plus rien ici.

Sam n'en était pas si convaincu.

Il démarra après un dernier signe de la main.

Souvent il s'était posé la question : que se serait-il produit s'il n'était pas allé trouver Dustface avec une arme dans son blouson? Et au fond, avait-il vraiment sauvé Federica, ce fameux soir, ou bien n'avait-il fait que retarder une issue inéluctable?

Depuis ce jour-là, en tout cas, il avait appris que les gens se classent en deux catégories : ceux qui ont tué un homme et les autres.

Il appartenait à la première.

22

Voici que j'envoie un ange devant toi pour te garder dans
le chemin et pour te faire arriver au lieu que j'ai préparé.

Exode 23, 20

Son sac à dos sur l'épaule, Grace flânait dans les rues de l'East Village. À ses débuts, on l'avait souvent envoyée patrouiller dans ce quartier. Elle s'en souvenait comme d'un endroit vibrant où les vieux immigrés d'Europe de l'Est côtoyaient les punks, les rastas et les gothiques. Comme partout à Manhattan, le quartier était aujourd-d'hui en voie d'embourgeoisement, même si quelques poches de pauvreté faisaient de la résistance autour des HLM d'Alphabet City.

Le froid était vif, mais le soleil du matin annonçait déjà une belle journée d'hiver. Grace s'arrêta dans l'une des pâtisseries du coin pour commander un café à emporter et une part de forêt-noire. Décidément, la vie humaine débordait de tentations auxquelles il était dur de résister !

Jodie Costello remontait la Première Avenue en direction de Tompkins Square Park. Une multitude de vendeurs de bric-à-brac s'étalaient en épi des deux côtés de la rue. Cachée derrière les étalages, Jodie s'assurait qu'il n'y avait aucun flic dans les environs. Lorsqu'elle volait des sacs à l'arraché, elle préférait cibler les vacanciers, car la probabilité de trouver du cash était plus forte. Pourtant, ce matin, elle s'était rabattue sur un coin moins touristique, mais aussi moins quadrillé par les policiers. Elle n'était pas en grande forme : elle grelottait, son ventre se tordait et c'est à peine si elle tenait sur ses jambes. Il ne fallait pas qu'elle s'attaque à quelque chose de trop difficile. Pas à un mec qui voudrait jouer les héros en lui courant après, par exemple.

Elle avisa une femme qui lui tournait le dos. Vêtue d'une veste en cuir, elle avait une allure sportive et semblait encore jeune. C'était risqué, mais ses deux mains étaient occupées par un gobelet de café et une pâtisserie. Surtout, son sac en peau tannée avait l'air de bonne qualité ce qui laissait supposer un certain niveau de richesse.

Jodie pesa le pour et le contre : *j'y vais, j'y vais pas, j'y vais, j'y vais pas...* Seigneur, elle détestait faire ça. Elle se sentait minable et elle avait peur. *J'y vais, j'y vais pas...* Il lui fallait de l'argent. Elle était à nouveau en manque et elle sentait des gouttes de sueur qui glissaient le long de sa colonne vertébrale. *J'y vais, j'y vais pas...* Soudain, elle se décida et commença à prendre son élan : *j'y vais.*

Grace sentit son bras gauche partir violemment en avant comme si on lui déboîtait l'épaule. Son gobelet valsa dans les airs avant de se renverser sur le bitume. Elle-même fut déséquilibrée et chuta sur le sol. Fugitivement, elle aperçut son agresseur : c'était une femme, une jeune fille même, vêtue d'une parka militaire. Elle eut le temps de remarquer ses cheveux écarlates et ses ongles peints en noir. L'espace d'un instant, leurs regards se croisèrent. Quelque chose s'alluma tout à coup dans les yeux éteints de Jodie : un mélange d'espoir et de terreur rapidement gommé par une vague d'incrédulité. Ça n'avait pas duré plus d'une seconde, mais le moment s'était étiré comme au ralenti, se fixant à jamais, tel un éclat de cristal, au cœur de leurs deux mémoires.

Puis tout s'accéléra. Déjà Jodie reprenait sa course, serrant contre sa poitrine le sac qu'elle venait de voler. Une clameur d'indignation s'éleva autour d'elle. Grace fut debout en un éclair et partit à sa poursuite... Quelque chose la troublait chez cette fille, mais elle ne savait pas quoi. Jodie traversa la rue, manquant de se faire écraser.

214

Elle jeta un rapide coup d'œil en arrière, contrariée de voir que sa victime l'avait prise en chasse. Elle tenta encore d'accélérer, courant à perdre haleine alors qu'elle ne sentait plus ses jambes. Dans un concert de klaxons, Grace traversa à son tour au milieu des voitures pour rejoindre le trottoir opposé. Elle était bien lancée, gagnant quelques centimètres à chaque foulée. Jodie sentit son estomac se retourner : si elle avait eu quelque chose dans le ventre, elle l'aurait vomi là, au milieu du trottoir. Inexorablement, Grace comblait son retard, et plus elle s'approchait, plus elle était bouleversée, sans bien comprendre encore la cause exacte de son émoi. Jodie était à bout de souffle. Plus que quelques pas et elle serait rattrapée. Au niveau de la 14ᵉ Rue, elle tourna à gauche. Il y avait une station de métro pas loin. Il fallait qu'elle tienne encore quelques mètres.

— Elle est là ! cria une voix masculine.

Jodie tourna brièvement la tête pour voir deux policiers en uniforme qui lui emboîtaient le pas.

En croisant pour la deuxième fois le regard de sa voleuse, Grace sentit un frisson la glacer le long de l'échine. Elle comprit alors ce qui l'avait tant troublée chez cette fille, mais c'était si incroyable que son cerveau refusa de l'admettre.

Complètement paniquée, Jodie s'engouffra dans la bouche de métro et dévala l'escalier principal. Rassemblant toutes ses forces, elle escalada la barrière automatique, avec Grace et les deux policiers sur ses talons. Grace ne voulait pas lâcher prise. Elle bouscula plusieurs voyageurs, descendit un escalator à contresens pour enfin rejoindre le quai. À nouveau, elle aperçut la fille et son cœur parla à la place de sa raison :

— Jodie ? cria-t-elle. Jodie !

La jeune fille fut stoppée net dans son élan, comme frappée par une décharge électrique. Elle se tourna lentement, lâcha le sac qu'elle tenait à la main et sentit son cœur crépiter comme si une grenade venait d'y exploser en mille éclats. *Cette voix, ce visage...*

Paralysées et interdites, les deux femmes se faisaient face, seulement séparées par quelques mètres.

— Mam...? commença Jodie et sa voix se brisa.

Elle ouvrit à nouveau la bouche, mais aucun son n'en sortit et son corps tout entier fut envahi de sanglots incontrôlables. À nouveau, le temps s'étira et ce fut *leur* moment. Un moment aérien de co-naissance et de reconnaissance ; un moment hors du temps et de toute rationalité.

La rame arriva en trombe, déplaçant l'air comme un cyclone.

Lorsque les lois de l'attraction reprirent leurs droits, Jodie fit encore un pas en avant pour se rapprocher de Grace. Mais déjà les deux policiers étaient revenus à leur niveau et le plus costaud tomba de tout son poids sur l'adolescente.

— Je la tiens ! cria-t-il en la plaquant violemment au sol.

Il l'immobilisa sans difficulté, la retourna face contre terre et lui tordit le bras par-derrière pour lui passer les menottes.

Il avait déjà bouclé un premier bracelet lorsqu'un terrible coup de pied sur le côté lui coupa le souffle. Sans comprendre ce qui lui arrivait, il pivota vers Grace juste à l'instant où celle-ci lui administrait un second coup au visage qui finit de le déséquilibrer.

— Monte dans le wagon ! ordonna Grace à sa fille tandis que le second flic dégainait sa matraque pour défendre son collègue.

Figée sous le coup de l'émotion, Jodie restait clouée sur place, sans vraiment saisir ce qui se passait.

— Monte dans la rame ! répéta Grace alors que retentissait le signal de la fermeture des portes.

Un premier coup de matraque s'abattit sur sa nuque, puis un deuxième. Juste avant de perdre connaissance, il lui sembla apercevoir sa fille sauter dans un wagon.

Alors que la rame se mettait en branle, Jodie colla son visage à la vitre pour voir les policiers traîner sa mère le long des escaliers.

*

Shake Powell était inquiet. Il n'avait pas voulu le montrer devant Sam, mais cette histoire d'émissaire l'avait perturbé et une question lui trottait dans la tête.

Il appela les renseignements et demanda à être mis en contact avec l'hôpital St. Matthew's. Là, il donna son nom et réclama le docteur Galloway.

— Shake?

— Dis-moi, mon vieux, comment s'appelle cette femme dont tu m'as parlé tout à l'heure?

— Grace Costello, répondit Sam, ça te dit quelque chose?

— Non, mentit le prêtre. Désolé de t'avoir dérangé.

Il s'empressa de raccrocher, de crainte que son ami ne lui pose d'autres questions.

Grace Costello, répéta-t-il comme en écho. C'était le nom qu'il redoutait d'entendre. Shake sentit soudain les battements de son cœur remonter le long de ses tempes. Il avait besoin d'air. Presque chancelant, il descendit les escaliers de son appartement jusqu'au terrain de basket.

Grace Costello! Peut-être devrait-il avertir Sam? Il considéra un moment cette éventualité, mais ne put s'y résoudre. Presque résigné, il pénétra dans l'église et se signa. Depuis toutes ces années, pour réussir à garder la foi, il avait sans cesse *parié* sur l'existence d'un Dieu compréhensif et compatissant. Mais au fond, que savait-il vraiment sur la nature du ciel? Certes, le Dieu avec qui il entretenait un dialogue intérieur était bienveillant et généreux.

Mais ce Dieu-là existait-il vraiment ailleurs que dans son esprit?

*

Juliette se réveilla dans un confort ouaté qui tranchait avec ses trois dernières nuits en cellule. Elle plongea une dernière fois sous la couette, douce et chaude comme un molleton, avant de risquer un œil vers la pendule et de s'affoler : déjà 8 h 30 alors que les services de l'immigration lui avaient pris rendez-vous à 10 heures pour la visite médicale indispensable au prolongement de son visa. Une histoire de vaccins qui n'étaient pas à jour.

Elle se leva en sursaut, appela une compagnie de taxis, puis consulta les horaires de train. Elle pouvait être à l'heure, mais il lui faudrait courir.

Elle allait se précipiter sous la douche, lorsqu'elle trouva le mot de Sam posé sur l'oreiller. Elle le lut avec délectation. Une fois, deux fois, trois fois.

Enroulée dans une couverture, elle sortit sur la plage pour être accueillie par le ciel, l'océan et le vent. Euphorique, elle savoura quelques instants son bonheur neuf, se repassant avec délice le film de leurs dernières heures.

L'air du large était glacial, pas assez toutefois pour l'empêcher de faire plusieurs fois la roue sur le sable.

Elle se sentait belle et légère. La vie était géniale.

*

Lorsqu'elle ouvrit les yeux, Grace était menottée à la portière arrière d'une voiture de police.

— Hé, doucement ! Je suis de la maison ! cria-t-elle.

À l'avant, l'un des deux flics se tourna vers elle en lui lançant un regard mauvais. Il faut dire qu'il tenait un mouchoir ensanglanté sur son nez...

— Vous êtes en train de faire une belle connerie, les gars. Je suis détective au 36ᵉ district.

— C'est ça, répondit le conducteur, et ma mère c'est Britney Spears !

— Vérifiez dans ma poche intérieure...

Par acquit de conscience, l'agent au visage amoché fouilla dans la veste de Grace et tomba sur l'insigne du NYPD.

— Ben merde alors ! jura le « matraqueur » en écrasant la pédale du frein.

Il manœuvra et se gara en double file le long de Lexington.

— Mais cette fille ? demanda-t-il à moitié convaincu.

— C'était l'une de mes indics ! expliqua Grace.

— Pourtant, elle vous a bien piqué votre sac ?

— C'était une feinte !

— Une feinte ?

— Écoutez, les gars, ne cherchez pas à tout comprendre, OK ?

— Et vous aviez besoin de nous démolir comme ça ? Vous m'avez presque pété le nez !

Grace haussa les épaules.

— Il fallait bien donner le change pour réparer vos conneries.

— On a juste fait notre boulot. Reconnaissez que les apparences étaient contre vous, se justifia le conducteur en la détachant.

— Ça va, ça va ! En attendant, rendez-vous utiles et conduisez-moi quelque part.

— Où voulez-vous aller ?

— À l'hôpital St. Matthew's, dit-elle en frottant ses poignets.

*

Le centre de santé John Kennedy avait ses quartiers dans une tour de métal et de verre à l'angle de Park Avenue et de la 52e Rue. Juliette s'engouffra dans le building en se pressant. Elle avait un petit quart d'heure de retard à son rendez-vous, mais bon, on n'allait pas la remettre en prison pour ça.

Quoique, ici, on ne sait jamais...

En attendant l'ascenseur, elle jeta un coup d'œil admiratif à la voûte byzantine – recouverte de feuilles d'or et de mosaïques – qui dominait le hall d'entrée. C'est ce qu'elle aimait le plus à New York : même quand on vivait ici depuis des années, il se passait rarement un jour sans qu'on tombe sur une splendeur inconnue.

Elle prit l'ascenseur jusqu'au trente-troisième étage, se promettant de revenir contempler la voûte tout à son aise lorsqu'elle en aurait fini avec cette formalité.

Elle présenta sa convocation à l'accueil. On lui demanda de patienter avant de la faire pénétrer dans un corridor aux odeurs d'hôpital. Juliette était toujours sur son nuage et même les couleurs austères, pâles et froides comme l'acier, ne réussirent pas à lui saper le moral. Bien sûr, elle aurait préféré être ailleurs. « Pour garder la santé, fuis les médecins », répétait toujours son arrière-grand-mère qui venait de franchir gaillardement la barre des quatre-vingt-quinze ans, et jusqu'à présent, la jeune Française s'était toujours appliquée à suivre ce conseil.

— Mademoiselle Beaumont ? demanda un homme en blouse blanche.

— C'est moi.

— Je suis le docteur Goldwyn. Si vous êtes d'accord, nous allons commencer.

Juliette le suivit jusqu'à une pièce impersonnelle et toute en longueur. La visite se présentait sous la forme d'un check-up rapide. On renouvela d'abord ses vaccins, puis on lui fit une prise de sang. Elle répondit ensuite à quelques questions concernant ses antécédents médicaux et ceux de sa famille. Enfin, le médecin lui fit une auscultation de routine. Pour détendre l'atmosphère, Juliette demanda comme une faveur :

— Pas de cancer aujourd'hui, s'il vous plaît : je suis amoureuse.

Mais le médecin n'esquissa même pas un sourire. Le centre de santé soignait des gens à la chaîne et si vous espériez un peu de chaleur, mieux valait sonner à une autre porte.

— C'est fini, mademoiselle.

— Je peux m'en aller?

— Oui, laissez-nous une adresse et nous vous ferons parvenir un bilan complet. À moins que vous ne préfériez attendre les résultats?

— Ça sera long?

— Une demi-heure.

— Je vais rester, décida-t-elle.

Autant en terminer une fois pour toutes avec cette histoire. On la pria de patienter dans une salle d'attente aseptisée. Elle prit un café dans un distributeur et resta un long moment à la vitre à observer les reflets des gratte-ciel qui bordaient Park Avenue. Comme dans les jeux de miroir, chaque prisme de verre reflétait le ciel et les buildings environnants. Juliette trouvait ça magnifique et terrifiant à la fois, peut-être parce qu'elle se sentait minuscule, fragile, mortelle.

Le café lui avait donné envie de vomir. Elle écrasa le gobelet en carton entre ses mains. Pourquoi avait-elle tout à coup un drôle de pressentiment à propos de son état de santé ?

C'était ridicule. Elle était en grande forme. Si on le lui avait demandé, elle aurait pu courir le marathon de New York ou grimper à cloche-pied les sept mille marches de l'Empire State Building. Elle chassa ses craintes en pensant à des choses positives. Dès qu'elle sortirait d'ici, elle passerait embrasser Sam. Il avait sûrement une pause à midi et ils pourraient aller se détendre à Bryant Park.

La porte de la salle s'ouvrit pour faire place à une infirmière.

— Mademoiselle Beaumont, le docteur Goldwyn a vos résultats. Si vous voulez bien me suivre.

*

Jodie garda son front collé à la vitre pendant tout le trajet. Le paysage souterrain du métro défilait devant ses yeux à une vitesse étourdissante. Partagée entre la stupeur et l'abattement, elle ne savait plus quoi penser. C'est sûr, elle devenait folle. Comment expliquer autrement qu'elle ait cru voir sa mère ?

Oh ! elle ne se faisait pas d'illusions. Elle savait bien que Grace était morte et enterrée depuis dix ans. Tout ça n'était qu'un effet secondaire de cette saloperie de drogue. Une sorte d'hallucination qui lui brouillait l'esprit.

Pourtant, tout avait paru si réel. Sa mère était exactement comme dans son souvenir : le même âge, la même allure, la même voix protectrice et rassurante. Dans sa tête, les images de cette drôle de rencontre défilaient comme au ralenti alors qu'un bourdonnement de plus en plus violent résonnait dans son crâne. Une question revenait sans cesse. Comment cette femme connaissait-elle son prénom et pourquoi l'avait-elle défendue contre les flics ? Jodie n'en avait pas la moindre idée et, à dire vrai, elle n'était plus du tout sûre de ce qu'elle avait vu car, depuis que la drogue était entrée dans sa vie, elle avait perdu toutes ses certitudes.

La jeune fille descendit à la station d'Union Square et prit la ligne qui remontait vers le nord. Dans le wagon qui la ramenait vers le Bronx, quelqu'un baissa les yeux vers la paire de menottes qui pendait à son poignet. Jodie plongea la main dans sa poche pour les camoufler.

Des larmes coulaient à présent le long de son visage et elle ne pouvait rien faire pour les arrêter. Jamais elle ne s'était sentie si vulnérable et solitaire.

*

Juliette poussa la porte du bureau du docteur Goldwyn.

— Asseyez-vous, mademoiselle Beaumont.

Elle prit place devant lui. Il avait l'air supérieur du médecin qui connaît quelque chose de vous que vous ignorez et qui considère cela comme un pouvoir.

— Alors? demanda Juliette pour mettre fin à cette comédie.

Le médecin tendit à la jeune femme une simple feuille de papier : les résultats de l'analyse sanguine. Juliette baissa la tête, mais ne vit qu'une série de chiffres qui dansaient devant ses yeux.

— Je vais mourir bientôt? demanda-t-elle, mi-sérieuse, mi-inquiète.

— Non, au contraire...

— *Au contraire?*

— Nous faisons un test de grossesse à toutes nos patientes en âge d'avoir un enfant...

— Et...?

— Vous êtes enceinte, mademoiselle Beaumont.

23

Nous ne sommes faits que de ceux que nous aimons et de rien d'autre.

Christian Bobin

Hôpital St. Matthew's

— Madame, vous ne pouvez pas pénétrer dans cette zone !

Grace Costello venait de contourner le comptoir d'accueil du service des urgences. Elle s'était rapprochée du tableau récapitulant les interventions en cours pour y chercher le nom de Sam.

— Cet endroit est réservé au personnel ! l'avertirent deux mastodontes de la sécurité en fondant sur elle.

Ils allaient l'empoigner lorsqu'elle brandit sous leurs yeux son insigne miracle avant de l'accrocher sur le revers de sa veste.

— Police ! Je cherche le docteur Galloway, c'est urgent.

Connie consulta le planning et la renseigna :

— Deuxième étage, salle 203.

Grace monta les escaliers quatre à quatre et débarqua dans la pièce où Sam terminait le bandage d'un gamin qui avait fait le malin en rejouant chez lui une séquence de *Jackass* [1].

---

1. Emission très controversée de la chaîne MTV dans laquelle quatre amis mettent en scène des cascades dangereuses dans un cadre quotidien.

En la voyant s'approcher, le médecin leva les yeux au ciel, mais Grace ne lui laissa pas le temps de manifester sa colère :

— J'ai besoin de votre aide, Galloway.

Surpris par cette requête, il la considéra plus attentivement.

— Que vous est-il arrivé ? demanda-t-il en pointant les ecchymoses laissées par les coups de matraque.

— Rien de grave.

— Attendez, vous saignez...

Étonnée, Grace porta la main à son arcade sourcilière : un filet de sang coulait le long de sa tempe. Sa tête avait heurté le sol quand elle s'était battue avec les policiers, mais elle ne pensait pas s'être blessée.

— Asseyez-vous, je vais soigner ça, proposa Sam après en avoir terminé avec son patient.

Grace enleva sa veste et s'installa sur une chaise. Sam s'empara d'une compresse et entreprit de lui désinfecter la plaie.

— Qui vous a amochée comme ça ?

— Deux flics, mais vous auriez dû voir ce que je leur ai mis.

Sam ne put s'empêcher de sourire devant ce sursaut d'orgueil et à cet instant, il comprit mieux Rutelli qui n'avait jamais osé avouer ses sentiments à cette femme fière et intimidante.

— Pas la peine de jouer la dure à cuire devant moi, vous savez.

— Tant mieux parce que j'ai besoin de vous, et j'aimerais autant ne pas avoir à vous supplier à genoux.

— Mon aide pour quoi ?

— Pour retrouver ma fille.

Presque imperceptiblement, sa voix avait changé et Sam crut discerner une ombre de vulnérabilité chez Grace Costello.

— Vous avez revu votre fille ?

— C'était involontaire : elle a essayé de me voler mon sac, il y a une demi-heure.

— Décidément, quelle famille ! soupira-t-il.

Elle le regarda d'un air de reproche.

— C'est sérieux, Galloway. Je suis vraiment inquiète. Elle avait ce truc dans les yeux, vous savez...

Il fronça les sourcils :

— Quoi ?

— ... cette lueur morne et angoissante qu'ont parfois les drogués.

— Mais comment avez-vous pu la rencontrer par hasard ?

Grace lui raconta en détail les circonstances de ses retrouvailles tronquées avec Jodie et quelque part, Sam ne put s'empêcher d'être ému.

— Pourquoi vous n'essayez pas d'aller lui parler ? proposa-t-il.

Elle murmura :

— Parce que je suis morte, Galloway, je pensais qu'avec le temps vous auriez fini par le comprendre.

— Pour une morte, vous avez une belle entaille, dit-il en examinant la blessure après l'avoir désinfectée. Il va falloir que je fasse deux points de suture.

Pendant qu'il préparait son matériel, Grace continua :

— Je veux que vous m'aidiez à mettre la main sur Jodie et que vous lui parliez.

— Pour lui dire quoi ?

— Vous trouverez quelque chose, je vous fais confiance.

— Pourquoi moi ?

— Parce qu'elle a besoin de soins et que vous êtes médecin. Et aussi...

— Oui ?

— ... parce que je n'ai que vous, Sam. Pour tout le monde, je suis morte et je dois le rester. Sous aucun prétexte je ne peux intervenir dans la vie des gens.

Elle leva les yeux vers lui. Dans son regard, l'espérance se mêlait à la crainte d'un refus. Pendant quelques secondes, la femme en Grace prit le dessus sur le flic, et Sam fut touché par son mélange de force et de féminité.

Grace ne laissa pas le trouble s'installer :

— Aïe, allez-y doucement, demanda-t-elle en sursautant, vous le faites exprès ou quoi ?

— Oui, j'aime bien vous voir souffrir.

— Bon, ravie de vous avoir offert votre petit plaisir de la journée, mais maintenant j'attends une réponse : vous m'aidez ou pas ?

Ignorant la question, Sam continua à se renseigner :

— Où habite votre fille en ce moment ?

— Si je le savais, je pourrais me passer de vos services.

— C'est vous la police, fit-il remarquer, moi je ne suis que médecin.

Elle ne dit rien. Il prit quelques secondes pour réfléchir, avant de constater :

— Si nous voulons retrouver Jodie, je crois que nous allons avoir besoin de quelqu'un...

Grace fronça les sourcils. Sam sortit de son portefeuille la carte que lui avait donnée Rutelli et la montra à Grace. Sa réaction fut véhémente :

— Laissez Mark en dehors de tout ça, vous voulez bien !

— Écoutez, vous m'avez dit que Jodie avait une paire de menottes attachée à un poignet. C'est un détail qui ne passe pas inaperçu. Quelqu'un le signalera peut-être à la police et Rutelli sera au courant.

— Pas forcément. Vous savez bien qu'il a été rétrogradé...

Sam insista :

— Si nous le mettons au courant, je suis sûr qu'il nous aidera d'une façon ou d'une autre. C'était un bon flic, non ?

— Le meilleur, répondit Grace sans hésitation.

— Alors, laissez-moi l'appeler. Ça ne nous interdira pas de tenter nous-mêmes quelque chose de notre côté.

Grace hésitait toujours. Sam la poussa dans ses retranchements.

— Ce type est fou de vous, Costello, mais ça, je présume que vous le saviez déjà.

Grace ne répondit pas mais quelque chose brilla dans son regard. Pas une larme. Juste un éclat coloré de nostalgie et de regret.

Sam continua :

— Après votre mort, quelque chose s'est définitivement éteint chez Rutelli.

— Si vous croyez que je ne m'en rends pas compte ! Pas la peine de retourner le couteau dans la plaie pour me faire culpabiliser. Je vous rappelle qu'on m'a assassinée. Je n'ai pas choisi ce qui m'est arrivé !

Sam la regarda avec compassion. Pour la première fois, Grace lui semblait humaine. Sans doute n'était-elle pas très différente de lui finalement et, s'ils s'étaient rencontrés dans d'autres circonstances peut-être auraient-ils pu être amis. Une question lui vint alors à l'esprit :

— Qui vous a tuée, Grace ? Vous le savez ?

La question resta en suspens, flottant quelques secondes dans l'air douillet de l'hôpital, jusqu'à ce que la porte s'ouvre et que Janice Freeman entre dans la pièce avec un patient.

— Je pensais que cette salle était libre...

— J'ai terminé, répondit Sam, mais j'aurais besoin que vous m'accordiez ma journée.

— N'y songez même pas, l'arrêta Janice, la salle d'attente est pleine à craquer et je vous rappelle que vous avez déjà pris votre après-midi pas plus tard qu'hier...

— Je ne vous ai pas demandé le moindre jour de congé depuis deux ans que je travaille ici !

— Eh bien, continuez comme ça.

— C'est important, insista-t-il.

— Je vous ai dit non, Galloway, j'ai un service à faire tourner.

Grace s'impatientait. En adepte des méthodes musclées, elle s'interposa entre les deux médecins et toisa l'imposante chef de service.

— Police de New York. Nous sommes sur une enquête délicate et nous réquisitionnons le docteur Galloway pour nous aider.

Jodie descendit sur le quai d'une des stations de South Bronx. Ses lèvres tremblaient et son front était brûlant. Elle se sentait si faible qu'elle décida de se rendre directement chez Cyrus, même si elle savait très bien que c'était une erreur. Elle n'avait pas d'argent et il ne manquerait pas de revenir à la charge avec ses avances. Mais c'est comme ça lorsqu'on est en manque : on ne s'appartient plus vraiment. On appartient au diable intérieur qui vous dévore le ventre et vous torture sans relâche. Et cela n'a rien à voir avec la volonté ou la raison.

Jodie traversa la cour entourée d'immeubles tagués et délabrés puis coupa par un terrain vague cerné de barbelés. Depuis quelques années, grâce aux fonds publics, certains endroits avaient été rénovés, ce qui n'était pas le cas du secteur de Hyde Pierce. Dans les médias, il était de bon ton de mettre l'accent sur l'esprit créatif du quartier et les efforts de ses habitants pour restaurer un climat de sécurité. Cela dit, le sud du Bronx restait toujours l'un des coins les plus pauvres du pays. Les gens qui vivaient ici l'avaient rarement voulu et, si l'envie vous prenait d'une petite balade, mieux valait choisir un autre endroit.

Comme téléguidée par une force mauvaise, elle arriva devant le block où vivait Cyrus. Sur la façade de la HLM, un tag sombre figurait un prisonnier derrière ses barreaux qui regardait s'envoler une colombe. En dessous, des lettres au pochoir prévenaient : « L'enfer c'est quand il n'y a plus d'espoir. » Un beau slogan qui n'avait jamais empêché personne de se droguer...

Lorsque Jodie s'engouffra dans l'escalier, elle croisa l'une des clientes de Cyrus, une silhouette fantomatique, maigre et couverte de plaies, qui avait été autrefois une femme mais qui ne ressemblait plus à rien.

Il est encore temps de ne pas monter, tu sais... lui chuchota une voix dans sa tête.

C'était un murmure odieux, un ricanement mauvais qui se délectait de sa souffrance et qu'elle était incapable de contrôler. Mais c'était comme ça : la culpabilité faisait aussi partie de la torture.

Tu as peur, n'est-ce pas ? affirma la voix. *Je sais que tu as peur.*

Jodie lutta pour ne pas l'écouter. Elle montait les marches comme un automate, s'efforçant de ne plus penser. De toute façon, elle n'avait plus la force de lutter. Elle avait froid, tellement froid qu'elle aurait voulu s'enrouler dans une couverture et s'endormir pour toujours.

Mais la voix ne lui laissa aucun répit :

Tu es une esclave, tu le sais ? Une sale esclave junkie.

Elle arriva devant l'appartement de Cyrus. Elle entendait cette musique insupportable, si forte qu'elle semblait faire vibrer la porte.

Tu as l'impression d'avoir déjà beaucoup souffert, n'est-ce pas ? Mais si tu pousses cette porte, tu franchiras un pas de plus dans les ténèbres.

Jodie s'arrêta pendant quelques secondes, comme pour se persuader qu'elle avait encore la maîtrise de sa destinée.

Allez, vas-y, entre, l'incita la voix. *Mais ça sera encore pire que ce que tu imagines, crois-moi.*

Elle aurait voulu appuyer sur un bouton pour faire taire ses souffrances. Elle sentit ses jambes flageoler et dans un ultime effort elle tambourina à la porte :

— C'est moi, Cyrus !

Il y eut le bruit d'un verrou que l'on pousse. Puis la porte s'ouvrit et Jodie fut aspirée dans la pièce comme si elle tombait dans un abîme.

*

Côte à côte, Sam et Grace remontaient l'avenue qui longeait l'hôpital. Pendu à son portable, Sam était en pleine discussion avec Rutelli. Il voulait savoir si le policier avait eu récemment des nouvelles de Jodie.

— Et en quoi ça vous concerne? demanda Rutelli, méfiant.

— Parce que je crois que Jodie est en danger.

— Ça fait dix ans que cette petite est en danger : depuis qu'elle a perdu sa mère.

Une ombre de tristesse voila le regard de Grace, qui suivait la conversation à l'aide d'une oreillette.

— Vous savez où elle habite? demanda Sam.

— Elle s'est enfuie d'un foyer pour jeunes délinquants il y a six mois, expliqua le policier. Depuis, impossible de la localiser. Dernièrement, on l'aurait aperçue du côté de South Bronx mais je n'ai pas d'adresse précise et il est difficile d'aller patrouiller là-bas au petit bonheur la chance.

— Écoutez : Jodie a failli se faire embarquer par deux flics ce matin.

— À quel endroit?

— Du côté de l'East Village. Elle a pu leur échapper, même si l'un d'entre eux avait commencé à lui passer les bracelets.

— Bon sang, comment savez-vous tout ça?

— Peu importe, Rutelli.

— Vous l'avez revue, n'est-ce pas?

— Qui?

— Cette femme qui se fait passer pour Grace, vous l'avez revue?

Sam interrogea Grace du regard, mais elle secoua la tête et, d'un geste de la main, l'incita à mettre fin à la conversation.

— Je suis obligé de raccrocher, Rutelli. Rappelez-moi si vous avez des informations.

*

Le taxi était englué dans les embouteillages. Impatiente, Juliette demanda au chauffeur de la laisser au

232

niveau de Murray Hill. Elle irait plus vite à pied et l'air glacé l'aiderait peut-être à éclaircir ses idées.

Encore sous le choc de l'annonce de sa grossesse, elle ne parvenait pas à calmer son excitation. Si son cœur lui disait de vivre pleinement ce bonheur, sa raison lui conseillait plutôt ne pas s'emballer.

Elle repensa à tout ce qu'elle avait vécu ces derniers jours. Il y avait vraiment des époques où tout s'accélérait dans la vie. Cet enfant avait été conçu une semaine auparavant, un soir de tempête de neige, avec un homme qu'elle ne connaissait alors que depuis quelques heures.

Elle tenta de mettre de l'ordre dans son esprit. Était-ce le bon moment pour avoir un enfant? Sûrement pas. Y avait-il réellement un bon moment? Dans l'idéal, elle s'était toujours dit qu'elle deviendrait mère lorsqu'elle aurait un emploi stable, un appartement à elle et qu'elle vivrait en couple. Et pourquoi ne pas attendre également la fin de la misère en Afrique ou l'avènement d'un nouveau Messie?!

Bien sûr, elle était fauchée et sa vie n'était pas un modèle de stabilité. Bien sûr, le monde était chaotique et la planète crevait sous la pollution, mais quel sens aurait sa vie sans enfants?

Deux questions trottaient à présent dans sa tête. Allait-elle dire à Sam qu'elle était enceinte? Et, si oui, comment allait-il réagir?

Une voiture qui essayait de se frayer un chemin à coups de klaxon la frôla et le chauffeur l'insulta copieusement. Pour ne pas finir écrasée, elle fouilla dans son sac et mit la main sur ses lunettes de myope. Elle venait de les chausser lorsqu'elle aperçut Sam de l'autre côté de la rue.

Son cœur s'accéléra. Elle allait l'appeler et lui faire signe lorsqu'elle se rendit compte qu'il était accompagné d'une femme. D'abord, elle ne la distingua pas nettement. En face d'elle, un soleil de midi éclairait la rue en contre-jour. Juliette se décala pour observer Grace plus en détail. Elle était grande, brune, élancée, juchée sur des bottes à talons. Une paire de jeans moulait ses jambes fuselées et une veste en cuir bien ajustée lui donnait une allure à la fois séduisante et décontractée.

Pour ne pas se faire repérer, Juliette renonça à traverser et se dissimula derrière la devanture d'un magasin de bagels.

Qui était cette femme ? Une collègue de travail ? Une amie ? Une maîtresse ?

En une seconde, toute la joie liée à sa prochaine grossesse s'était envolée pour faire place à une brusque mélancolie.

Malgré ses efforts, Juliette n'arrivait pas à détacher son regard de celle qu'elle considérait déjà comme une rivale. Sam et elle semblaient liés par une étrange complicité. Tous les deux avaient une conversation animée. À un moment, la femme posa sa main sur l'avant-bras du médecin pour l'inviter à entrer dans un café. Comme ils avaient pris une table près de l'entrée, Juliette put continuer à les observer à travers la vitre.

C'est étrange comme cette femme captait la lumière. Elle rayonnait. Il y avait en elle quelque chose d'inaccessible, un faux air de Catherine Zeta-Jones mais avec un côté *girl next door* qui inspirait la confiance. En tout cas, c'était une vraie New-Yorkaise, Juliette en était certaine. Elle la devinait charismatique, avec un fort caractère. Le genre de femme capable de prendre son destin en main.

L'espace d'un instant, Juliette se demanda pourquoi elle ressentait cette colère et cette frustration. Sans doute parce que cette femme était « mieux qu'elle » : plus grande, plus belle, bien dans sa peau. La voir avec Sam réveillait en elle tous ses doutes à propos de sa propre capacité de séduction.

Était-ce de la jalousie ? De toute façon, c'était une vraie souffrance. Elle aurait tant aimé avoir confiance en Sam, tout en sachant très bien que c'était en elle-même qu'elle manquait de confiance.

Alors, pour se rassurer, elle pensa au message qu'il lui avait enregistré au magnétophone, au billet qu'il lui avait écrit ce matin, aux dernières heures pleines de passion qu'ils avaient passées ensemble.

Mais ça ne calma pas sa douleur.

*

Attablés près de la fenêtre, Sam et Grace réfléchissaient à ce qu'ils pourraient faire pour retrouver Jodie.

— Si votre fille se drogue, elle a sûrement déjà fréquenté un hôpital ou un centre de soins.

— Vous croyez ?

— Entre les overdoses et la quête de méthadone, on accueille beaucoup de toxicos dans les services d'urgences. Je pourrais consulter les dossiers d'admission pour voir s'ils ont gardé une trace du passage de Jodie.

— Vous avez le droit de faire ça ?

— En théorie, non. Je peux quand même essayer de donner quelques coups de fil. Je connais des médecins dans la plupart des hôpitaux : des gens que j'ai rencontrés en mission humanitaire en Afrique et dans les Balkans. Ça crée des liens : si j'insiste, ils ne refuseront pas de m'aider.

— Très bien, mais il faut procéder par ordre. Mark a dit qu'on avait vu traîner Jodie à Bronx South.

— OK, j'appelle le standard pour avoir les numéros des hôpitaux de ce secteur.

*

— Non ? Aucune trace d'une Jodie Costello ? Tu es sûr ? Tant pis Alex, je te remercie.

Sam raccrocha. Il venait de passer son cinquième appel sans succès. Il espérait pourtant beaucoup de son coup de fil à Alex Stiple, un médecin qu'il avait connu au Nigeria, lors de la dernière campagne de vaccination contre la poliomyélite. Stiple était chef des internes aux urgences de Mount Crown, le plus grand hôpital du Bronx, et Sam avait réellement cru qu'il trouverait une piste en téléphonant là-bas.

Il lut une vraie déception sur le visage de Grace et essaya de la rassurer :

— On va y arriver, affirma-t-il, je suis sûr qu'on va finir par trouver Jodie.

Pour lui montrer son implication, il allait composer un autre numéro lorsque son portable sonna.

— Galloway, dit-il après avoir décroché.

— Sam ? C'est Juliette...

— J'ai voulu t'appeler plusieurs fois, mais je n'avais pas de numéro. Alors, comment s'est passée cette visite médicale ?

— Plutôt bien.

— Tu es où ?

— Sur Park Avenue. Je peux passer te voir ? On déjeunerait ensemble...

— Écoute, j'aimerais bien, mais ce n'est pas possible. Avec cette épidémie de grippe, on est débordé. Les gens entendent parler de la grippe aviaire à la télé et ils mélangent tout. On doit les rassurer. Je suis coincé aux urgences jusqu'à 14 heures puis j'enchaîne avec mes consultations.

— Tu es où ?

Sam hésita. Même s'il ne voulait pas mentir, ce n'était pas le moment de lui parler de Grace Costello. Il raconterait tout à Juliette... plus tard, lorsqu'il serait certain que la menace était derrière eux.

— Je suis où ? Eh bien, au travail.

— À l'hôpital ?

— Oui, à l'hôpital, répondit-il, mal à l'aise.

Grace lui lança un drôle de regard, comme pour le mettre en garde contre quelque chose.

— Qu'est-ce que tu faisais lorsque je t'ai appelé ?

— J'étais avec une de mes patientes, répondit-il, une petite fille de six mois.

— De quoi souffre-t-elle ?

— D'une bronchiolite. C'est une bronchite qui touche les nourrissons et qui...

— Je sais ce qu'est une bronchiolite. Comment s'appelle ta patiente ?

— Euh... Maya. Écoute, tu as une drôle de voix, Juliette. Tu es sûre que tout va bien ?

— Non, tout ne va pas bien.

— Pourquoi ?

— Parce que tu me mens.

— Bien sûr que non, se défendit-il.

— TU ME MENS ! cria-t-elle en frappant deux coups avec le plat de la main contre la devanture du café.

Tous les clients sursautèrent et, en même temps que Sam, levèrent les yeux vers la baie vitrée.

Juliette se tenait là, debout derrière la paroi de verre. Sam la regarda, l'air hébété. Elle murmura quelque chose à son intention et en lisant sur ses lèvres, il devina le message :

I don't trust you anymore [1].

Le médecin se leva et sortit du café en courant. Mais Juliette le fuyait. Il essaya de la retenir.

— Attends-moi, s'il te plaît !

La jeune femme s'était avancée sur la chaussée et agita le bras pour héler un taxi.

— Juliette ! Écoute-moi, tu veux bien ? Laisse-moi au moins la possibilité de m'expliquer !

Un taxi s'arrêta à la hauteur de la Française, qui s'y engouffra sans un regard pour Sam. Le médecin courut à côté de la voiture en tambourinant sans succès contre la vitre. Puis le taxi prit de la vitesse et se fondit dans la circulation.

— Et merde ! lâcha Sam dépité.

---

1. Je n'ai plus confiance en toi.

Lorsqu'il revint sur ses pas, il vit Grace écarter les bras en signe d'impuissance.

— Je suis désolée, Galloway.

— Vous, ça suffit !

Il allait ajouter quelque chose lorsque son téléphone sonna. Il décrocha sans attendre, persuadé que c'était Juliette qui le rappelait.

— Ecoute chérie, je peux tout t'expliquer ! En tout cas, ce n'est absolument pas ce que tu imagines...

— Je veux bien te croire, répondit la voix d'Alex Stiple, mais je ne suis pas certain que ce soit moi que tu cherches à convaincre...

— Alex ? Excuse-moi, mon vieux, je t'avais pris pour... quelqu'un d'autre.

— Les femmes ! soupira Stiple. Elles finiront par avoir notre peau un de ces quatre, hein ?

— Ouais, approuva Sam en jetant à Grace un regard mauvais, tu ne crois pas si bien dire...

— En tout cas, si ça t'intéresse toujours, nous avons retrouvé Jodie Costello.

— Vraiment ? fit Sam en levant le pouce en direction de Grace.

— Ça a pris un peu de temps parce que ce n'est pas elle qu'on a soignée mais, il y a trois mois, elle a accompagné une copine qui avait fait un mauvais trip. J'ai une adresse si tu veux.

— Vas-y, répondit Sam en prenant un stylo dans la poche intérieure de sa veste.

Comme un collégien, il nota sur sa main les coordonnées que lui dictait son ami.

Sam raccrocha après l'avoir remercié. Il avait retrouvé un peu d'entrain.

— Allons-y, proposa-t-il en se tournant vers Grace. Ma voiture n'est pas loin, mais avec cette circulation, mieux vaut se dépêcher.

Sam marchait d'un pas décidé vers le parking de l'hôpital. Il avait dépassé Grace d'une bonne dizaine de mètres lorsque celle-ci l'interpella :

— Une petite précision Galloway!

— Quoi?

— Croyez bien que j'apprécie votre assistance, assura-t-elle en le rejoignant, mais, même si vous m'aidez, il n'y aura rien en échange.

— De quoi parlez-vous? fit-il en fronçant les sourcils.

— Je suis ici pour ramener Juliette avec moi et ça ne changera pas, vous comprenez?

Pendant quelques secondes, il ne répondit rien comme s'il ne croyait toujours pas à cette histoire malgré les éléments troublants qui s'étaient accumulés. Grace le fixait avec perplexité. Comme hypnotisée par son énergie. Ce type-là avait quelque chose de touchant dans son obstination à vouloir faire le bien.

— Dépêchez-vous, nous allons retrouver votre fille, dit-il seulement, en soulevant son bras et en pointant son index vers sa montre pour faire comprendre à Grace que le temps était compté.

*

Un sourire sadique éclairait le visage de Cyrus. Devant lui, Jodie le suppliait de lui donner quelque chose. N'importe quoi : des pilules, du crack, de l'héro... Elle n'avait pas d'argent, mais elle pourrait payer *autrement*.

Le dealer exultait. Il avait toujours su que Jodie serait un jour à sa merci. C'était comme ça avec la dope : au début, les filles s'amenaient devant lui avec leur air bravache puis lorsqu'elles tombaient vraiment dedans, elles revenaient en rampant, laissant leur dignité sur la touche, prêtes à faire n'importe quoi.

En plus, la petite Jodie était drôlement bien roulée. Un peu maigre peut-être, à cause de toutes les saloperies qu'elle avalait... drôlement bien roulée quand même.

Rarement il avait été aussi excité. Il n'éprouvait ni pitié ni compassion pour cette fille en plein désarroi. Cyrus vivait dans un monde où n'existaient que les rapports de force. Mais avant de passer aux choses sérieuses, il allait s'amuser un peu avec elle. Il lui ordonna de s'asseoir sur le canapé et de retirer sa parka. Comme elle s'exécutait mollement, il se colla contre elle et lui déchira son pull en tirant sur le col en V.

— Montre-moi ton petit piercing !

L'agression sortit soudain Jodie de sa torpeur. Elle poussa un cri et chercha à se dégager. Mais Cyrus fondit sur elle et, d'une poigne de fer, l'attrapa au niveau de la gorge.

— Pas si vite, Babe-o-rama.

Jodie suffoqua. Elle tenta de se dégager en vain. D'une seule main, le jeune Black l'étranglait, resserrant son pouce et son majeur autour de sa trachée. Jodie manquait d'air. Elle sentit un afflux de sang bourdonner tout près de ses oreilles. Cyrus serra encore plus fort et Jodie crut qu'elle s'évanouissait. Il en profita pour la déséquilibrer et la plaquer au sol. Immédiatement, il fut sur elle, à califourchon sur son dos. Il sentit une nouvelle bouffée de désir l'envahir, mais Jodie se débattait avec une énergie qui nécessitait toute son attention.

— Tiens-toi tranquille !

Il lui plaqua le genou sur la colonne vertébrale pour l'immobiliser, ce qui ne fut pas difficile vu qu'il pesait le double du poids de l'adolescente. Puis il lui tordit le bras en tirant vers l'arrière. Quelque chose craqua et Jodie poussa un cri de douleur.

— Tu vas la fermer ! hurla-t-il tout en lui balançant une gifle capable d'assommer un catcheur.

La tête de Jodie heurta le sol et elle sembla perdre connaissance. Ses membres se raidirent et tous ses muscles se figèrent, comme si elle partait dans une crise de catalepsie. Cyrus en profita pour dénouer le bandana qu'il portait autour de la tête et l'enfonça dans la bouche de la jeune fille. Il aurait bien aimé continuer son petit jeu, mais il avait d'autres projets la concernant.

Lorsqu'elle reprit connaissance, Jodie était bâillonnée et ligotée. Cyrus descendait l'escalier en la portant sur son épaule comme un vulgaire sac de ciment. Une fois dans la cour, il ouvrit le coffre d'une Lexus dernier modèle, y jeta Jodie sans ménagement et s'installa sur le siège conducteur.

Tout en conduisant, il tira un portable chromé de sa poche et composa un numéro pour annoncer son arrivée.

— Tu as ce que je t'ai demandé ? questionna une voix.

— Oui, monsieur, répondit Cyrus.

Puis il raccrocha.

Le dealer agita sa main en grimaçant de douleur : cette petite conne l'avait griffé jusqu'au sang, lui arrachant la peau sur une dizaine de centimètres. Il aurait dû lui mettre une bonne raclée et lui faire son affaire juste après. C'est tout ce qu'elle méritait.

S'il s'était freiné dans son élan, ce n'était pas par empathie pour Jodie, mais uniquement parce qu'il avait prévu pour elle d'autres réjouissances.

Et de toute façon, de l'endroit où il l'emmenait, bien peu étaient revenus.

24

Le mal que font les hommes vit après eux. Le bien est souvent enseveli avec leurs cendres.

Shakespeare

Au volant de son bolide, Cyrus roulait à toute vitesse à travers les blocs de Hyde Pierce. Il voulait en terminer au plus vite avec cette affaire. S'il avait eu le choix, il aurait préféré être ailleurs, mais lorsque le Vautour vous demandait un *service*, mieux valait ne pas traîner pour l'exécuter. Du moins, si vous teniez à prolonger de quelque temps votre séjour ici-bas...

Le Vautour s'appelait en fait Clarence Sterling. Il dirigeait une bonne partie du trafic de drogue sur Bronx South et presque toute la dope que refourguait Cyrus provenait de ses stocks. À l'origine, Sterling n'était qu'un *liquidateur* qui offrait ses talents au plus offrant. Puis il avait profité d'un règlement de compte meurtrier entre deux bandes rivales pour se lancer à son tour dans les affaires.

Avec le temps, sa cruauté et sa façon impitoyable d'éliminer ses ennemis lui avaient valu ce surnom de Vautour même si personne n'aurait osé le prononcer devant lui. Certes, la violence fait partie intégrante de ce genre de business, mais Clarence Sterling y ajoutait une dose supplémentaire de brutalité.

La vérité, c'est qu'il *aimait* faire souffrir. Il avait établi une partie de sa légende en crucifiant à une table de billard un dealer qui avait tenté de le doubler : deux burins plantés dans ses poignets, deux autres pour lui briser les chevilles. Et ce n'était pas son seul fait d'armes. À d'autres occasions, des témoins avaient parlé de tortures et de mutilations, là où une « simple » balle dans la tête aurait fait l'affaire.

Ces derniers temps, cette violence semblait s'être encore accrue. Il se murmurait çà et là que le Vautour était malade et qu'il n'avait plus toute sa tête (si tant est qu'il y ait jamais eu de cohérence dans un esprit aussi tordu que le sien).

Quelques jours auparavant, alors que Cyrus prenait livraison d'un nouvel arrivage d'héroïne, Sterling avait manifesté son intention de trouver une fille pour *quelque chose de spécial.* Ce que le Vautour entendait par là, Cyrus ne voulait pas le savoir et il s'était bien gardé de poser la moindre question. Quand, à la fin de sa visite, Sterling avait renouvelé sa demande, il avait tout de suite pensé à Jodie.

Cyrus rétrograda pour s'engager dans une petite allée qui donnait sur une rangée d'entrepôts récemment rénovés. C'est ici que le Vautour avait son quartier général. Le dealer s'arrêta devant un garage, donna un bref coup de klaxon pour signaler sa présence, puis fit un signe à la caméra de surveillance placée au-dessus de l'entrée.

Vivement qu'on en finisse, pensa-t-il en entendant Jodie donner des coups de pied dans le coffre arrière. En quelques secondes, la porte automatique se souleva et la Lexus s'engagea sur une rampe bétonnée qui menait à un niveau inférieur.

Cyrus mit à exécution les ordres qu'il avait reçus. Il ouvrit le coffre, empoigna Jodie par les cheveux et l'obligea à le suivre.

— Cyrus, je t'en prie. Ne...

— Ferme-la !

Jodie essaya de se débattre, mais elle s'était fracturé la clavicule et chaque mouvement brusque ravivait sa douleur.

Ils traversèrent un petit parking mal éclairé, puis le dealer la conduisit dans une pièce longue et étroite où il la força à s'asseoir dans un fauteuil incliné qui ressemblait au siège utilisé chez les dentistes. Là, il lui attacha les poignets aux accoudoirs avant de la bâillonner avec un ruban de chatterton.

Sa tâche terminée, Cyrus s'empressa de quitter la pièce sans demander son reste.

Au moment d'éteindre la lumière, il jeta un dernier regard à la jeune fille, persuadé qu'il ne la reverrait jamais.

*

Mark Rutelli stoppa sa voiture devant l'entrée principale des bureaux du NYPD.

— Vous ne pouvez pas vous garer ici ! l'avertit un jeune agent en uniforme.

— Tu sais quoi, fiston ? Non seulement je vais laisser ma voiture ici, mais en plus tu vas me la surveiller.

Il grimpa quelques marches, et s'arrêta net lorsque le flic le mit en garde :

— Je vais faire embarquer votre véhicule.

Rutelli revint sur ses pas et se planta devant l'agent. Ce dernier le dépassait d'une tête. C'était l'une de ces jeunes recrues, belle gueule et athlétiques, qui ressemblaient davantage à un chippendale qu'à l'idée que se faisait Rutelli d'un « vrai flic ».

— Tu ne vas rien faire enlever du tout, fiston.

— C'est une menace, officier ?

— Oh oui, répondit Rutelli en l'empoignant par le cou et en serrant fortement. Si, quand je ressors, cette voiture a été déplacée ne serait-ce que de deux millimètres, j'écrabouillerai ta petite gueule sur mon capot jusqu'à récolter assez de sang pour repeindre tout cet immeuble en rouge. Est-ce que c'est assez clairement formulé comme menace ?

— Hrrg... je... je crois.

— Comment ça, tu crois? demanda-t-il en accentuant encore sa pression.

— C'est... très... clair, parvint péniblement à articuler la jeune recrue sous les yeux des passants médusés.

Rutelli relâcha prise brutalement.

— Je vois qu'on s'est compris.

Il pénétra dans le bâtiment administratif sans se retourner. Il ne portait pas d'uniforme, mais son expérience lui permit d'éviter le filtrage à l'accueil. Il délaissa l'ascenseur pour les escaliers qu'il monta à vive allure. Enfin, il arriva à l'étage où se trouvait le bureau de Jay Delgadillo, le directeur des patrouilles du NYPD.

Rutelli l'avait bien connu autrefois. Au début de leur carrière, ils avaient été tous les deux de jeunes et brillants détectives. Puis leurs chemins avaient pris des trajectoires différentes. Rutelli avait sombré dans une vie de solitude et de dépendance pendant que Delgadillo gravissait rapidement tous les échelons de la hiérarchie policière. Animé d'une forte ambition politique, il ne faisait pas mystère de son intention de devenir le premier maire hispanique de New York.

Comme investi d'une mission, Rutelli traversa les barrages jusqu'à la porte du bureau de son ancien ami.

JAY DELGADILLO
CHIEF OF PATROL

Même si une secrétaire tenta de l'en dissuader : « Non, monsieur, vous ne pouvez pas... », Rutelli entra dans la pièce sans s'être fait annoncer.

Delgadillo était en discussion avec deux autres personnes. Mécontent de cette intrusion, il réagit vivement :

— Mark, tu ne peux pas débarquer comme ça dans mon bureau. Je te prie de sortir!

— Donne-moi trois minutes Jay, c'est important.

En d'autres occasions, Delgadillo n'aurait pas traîné pour prévenir la sécurité, mais il se méfiait des réactions imprévisibles de Rutelli et préféra ne pas courir de risques.

— Messieurs, si vous voulez bien m'excuser, dit-il à ses interlocuteurs.

Une fois seuls, les deux hommes eurent une discussion serrée.

— Qu'est-ce que tu veux encore, Mark ?

En quelques mots, Rutelli le mit au courant. Il lui expliqua qu'il recherchait Jodie Costello et demanda qu'on le prévienne prioritairement si quelqu'un signalait une jeune fille avec une paire de menottes au poignet droit.

— Pas question ! répondit fermement Delgadillo. Tu n'es plus qu'un simple patrouilleur, Mark. Et, après tes conneries de l'an dernier, tu n'es plus en position d'exiger quoi que ce soit.

Il laissa passer quelques secondes avant d'ajouter :

— Si tu veux mon avis, tu devrais même te satisfaire d'avoir encore un boulot.

Rutelli soupira. L'espace d'un instant, il eut envie de se ruer sur Delgadillo pour lui mettre son poing dans la gueule. Puis il pensa à Jodie et se maîtrisa.

— Cet entretien est terminé, décida Delgadillo en lui présentant la porte.

Au lieu de se diriger vers la sortie, Rutelli se rapprocha encore du bureau de son supérieur.

— Ecoute, Jay, il n'y a pas que la politique dans la vie. Tu connaissais bien Grace, toi aussi. Et, si je me souviens bien, nous deux, on était amis...

— C'est vrai, admit Delgadillo, on a été amis, mais c'était avant que tu ne deviennes une loque.

— Arrête ça, Jay.

— Tu sais, Mark : tu es un *faible* et je ne peux plus blairer les types comme toi. Vous êtes la honte de cette police et, lorsqu'on décidera de faire le grand ménage dans cette maison, tu seras le premier qu'on virera.

Rutelli s'efforça une nouvelle fois de se maîtriser. Il soupçonnait Delgadillo de chercher à le faire craquer. Au lieu de ruer dans les brancards, il se planta devant la grande fenêtre qui donnait sur l'avenue.

— Tu vois l'immeuble en marbre rose, là-bas?

— Ouais.

— Il y a une petite cour derrière, avec un terrain goudronné, où les gosses peuvent jouer au basket.

— Et alors? demanda Delgadillo, exaspéré.

— Et alors, répondit Rutelli en le regardant dans les yeux, si nous posons nos armes et nos insignes pour aller s'expliquer d'homme à homme dans cette petite cour, tu sais très bien qui sera le *fort* et qui sera le *faible*...

— Aller se battre dans une petite cour! S'expliquer « d'homme à homme »! se moqua Delgadillo. Réveille-toi Mark! Tu te crois où? Dans un film? C'est fini tout ça. Tu as fait ton temps.

Rutelli secoua la tête.

— Tu *crois* que c'est fini parce que tu n'es plus sur le terrain, parce que tu portes des costumes Armani et parce que tu imagines être devenu quelqu'un d'important.

— Tu me fais pitié.

— Je te fais pitié? Très bien. Laisse-moi te rappeler quelque chose : tu te souviens du cambriolage chez ce bijoutier de Broadway où on nous avait appelés tous les deux en urgence?

— Je vois où tu veux en venir...

— Tu te souviens de ce que tu as ressenti lorsque l'un des deux braqueurs t'a mis son flingue sur la nuque? Moi, je suis sûr que tu t'en souviens. Je suis même sûr que tu en rêves encore la nuit. Et ce jour-là, tu étais bien content que je sois avec toi...

— D'accord, admit Delgadillo, tu m'as sauvé la vie il y a quinze ans en butant ce voleur, mais tu as fait ton boulot, rien de plus. Et si tu veux tout savoir, sans mon intervention, tu aurais déjà été viré depuis longtemps. Alors, je pense avoir déjà payé ma dette, Mark...

— Il te reste un versement, insista Rutelli. Et c'est le dernier, tu as ma parole : si tu m'aides sur ce coup-là, je ne te demanderai jamais plus rien.

Delgadillo croisa les mains et se balança légèrement sur son siège en soupirant. Sa réflexion se prolongea encore une dizaine de secondes avant qu'il ne tranche :

— OK, je vais donner des instructions, fit-il en décrochant son téléphone. Si une patrouille apprend quelque chose sur Jodie Costello tu seras prévenu en priorité et on te laissera libre d'agir.

— Merci, Jay.

— Cependant, il y a une condition en échange : lundi matin, je veux ta démission sur mon bureau. C'est à prendre ou à laisser.

Rutelli ne s'attendait pas à ce dernier coup. Sa démission ! Qu'allait-il devenir si on lui retirait son boulot ? Lui qui avait déjà presque tout perdu. Néanmoins, il encaissa le choc sans ciller.

— Très bien, tu l'auras.

— Ta démission, ton arme et ton insigne, précisa Delgadillo.

*

Sam quitta East Harlem et s'engagea sur Triborough Bridge pour rejoindre le Bronx. Grace le mit en garde.

— Si nous retrouvons Jodie, il ne faudra lui parler de moi sous aucun prétexte, vous comprenez ?

— Ça va être difficile...

— Je sais, mais débrouillez-vous pour l'examiner et pour la convaincre de faire une cure de désintox.

Sam secoua la tête :

— Et comment vais-je justifier mon intervention ? Jodie est une adolescente en rupture qui ne va pas accepter qu'un inconnu débarque dans sa vie pour lui donner des leçons de morale.

— Si c'est vous, ça marchera. Vous avez ce petit truc qui inspire confiance et vous le savez bien.

Dehors, le soleil avait fait place aux nuages et quelques flocons de neige tombaient çà et là sur le pare-brise. Grace poussa un bouton sur son accoudoir pour enclencher le chauffage de son siège. L'intérieur du 4 × 4 lui faisait penser à un yacht de luxe avec son mélange de bois, de cuir et de technologie high-tech. Pour la vingtième fois, elle relut avec appréhension l'adresse où était censée habiter sa fille.

— Écoutez, Galloway, l'adresse que nous avons se situe à Hyde Pierce. C'est un coin qui peut être dangereux, alors je vous demande de prendre ça avec vous.

Sam quitta brièvement la route des yeux pour constater que Grace lui tendait son Glock.

— Je croyais vous avoir confisqué votre arme, s'étonna-t-il.

— Un bon flic en a toujours une de rechange. Allez, prenez-la.

Le médecin refusa.

— Je déteste les armes.

— Arrêtez vos sermons : lorsqu'elle est bien utilisée, une arme peut sauver des vies.

— Vous ne me convaincrez pas. La dernière fois que j'ai pris un flingue, ça s'est mal terminé.

— C'est-à-dire ?

— J'ai tué un homme.

Grace eut un mouvement de surprise. Pendant un moment chacun se renferma dans son silence. Puis Grace comprit que Sam disait la vérité.

— C'était quand ?

— Il y a une dizaine d'années, à Bedford-Stuyvesant.

— Je connais le quartier.

— C'est là-bas que j'ai été élevé, avec Federica. Elle devait de l'argent à un dealer du coin, un certain Dustface qui fixait ses rendez-vous dans une ancienne crack -house.

— Et c'est vous qui êtes allé le trouver... devina Grace.

— J'avais réuni une partie de la somme et je croyais que ça le calmerait, mais j'avais emprunté l'arme d'un copain, au cas où...

Grace anticipa :

— Vous avez descendu le dealer?

— Non.

— Pourtant vous m'avez dit que...

— Ce n'est pas lui que j'ai tué.

— Qui alors?

Sam mit son clignotant en gardant le silence. Il se sentit soudain fébrile et agité, comme s'il revivait la scène, presque physiquement.

— Lorsque je suis entré dans cette crack-house, personne ne m'attendait. Dustface se disputait avec un client. Le ton est monté très vite et le dealer a sorti son flingue.

— Qu'est-ce que vous avez fait?

— Je savais qu'il allait tirer. Alors, pour l'intimider, je l'ai menacé avec mon arme. La tension était très forte. J'ai fermé les yeux et le coup est parti. Je ne sais même plus si j'ai réellement appuyé sur la détente. Tout ce que je sais, c'est que quand j'ai rouvert les yeux, ce n'est pas Dustface qui était mort, mais l'autre homme dont il s'était servi comme bouclier humain.

— C'est une sale histoire, reconnut Grace.

— Il ne se passe pas un jour sans que j'y repense. D'une certaine manière, cet acte a gâché ma vie. Jamais je ne serai en paix avec ça...

Il baissa sa vitre pour prendre un peu d'air frais avant d'ajouter :

— Voilà pourquoi je ne veux pas de votre arme.

— Je comprends, Sam, je comprends.

*

Plongée dans une obscurité qui la terrifiait, Jodie grelottait de terreur. Elle essaya de défaire ses liens, mais

Cyrus l'avait ligotée avec un fil de fer qui s'enfonçait dans ses chairs chaque fois qu'elle esquissait un mouvement. Son bâillon lui coupait la respiration et l'empêchait de crier. Et même si elle avait pu hurler, qui l'aurait entendue ?

Elle tentait de reprendre son souffle lorsqu'elle distingua un bruit de pas. Immédiatement, son corps fut parcouru de frissons. Les pas se rapprochaient, comme si quelqu'un descendait un escalier métallique. De toutes ses forces, Jodie pria pour que la porte ne s'ouvre pas car elle savait que la personne qui entrerait ne pourrait que lui faire du mal.

Un hayon se souleva dans un grincement de ferraille et la pièce fut éclairée d'une pâle lueur en provenance d'un globe de verre poussiéreux.

Un homme se tenait dans l'embrasure de la porte. Sa silhouette immense et famélique se détachait dans la lumière. Jodie sentit son sang se glacer. L'homme s'avança vers elle. Malgré sa maigreur, son corps était musclé et dur. Il avait le crâne rasé, la peau dépigmentée et un tatouage coloré courait sur son cou, long et dénudé, qui lui avait valu son triste surnom.

Clarence Sterling, le Vautour.

Comme la plupart des gens du quartier, Jodie connaissait sa réputation mais n'avait jamais pensé que sa route croiserait la sienne. Que lui voulait le Vautour ? Tel un animal traqué, elle posa ses yeux partout, à la recherche d'une échappatoire, mais la pièce ne comportait qu'une table en dehors du fauteuil sur lequel elle était ligotée.

Sterling portait une mallette en acier qu'il posa sur la table. Il s'approcha tout près de l'adolescente à qui il jeta un regard de zombie. Sa peau laiteuse, marbrée de gris, brillait comme de la nacre et le faisait ressembler à une créature éthérée.

Jodie voulut hurler, mais ne put émettre aucun son. Alors, contre toute attente, le Vautour lui retira son bâillon :

— Vas-y : crie, pleure, j'aime ça...

Jodie détourna son regard et partit dans un long sanglot.

Clarence ouvrit la mallette pour en examiner le contenu : un assortiment de seringues, de flacons et de bistouris de toutes tailles.

Il prit une minute pour faire son choix et lorsqu'il se retourna vers Jodie, il tenait une seringue remplie d'une solution jaunâtre.

Elle se contorsionna pour lui échapper, mais c'était illusoire. Sans peine, il lui immobilisa un poignet puis planta l'aiguille dans une veine apparente.

— Tu voulais de la drogue ? demanda-t-il d'une voix spectrale, eh bien tu vas en avoir...

D'un coup sec, il appuya sur le piston.

Très vite, Jodie sentit toutes ses résistances céder et comprit qu'elle ne s'appartenait plus. Une terrible douleur, comme une brûlure, irradia près de son cœur. Elle rejeta sa tête en arrière et le plafond tourbillonna à une vitesse affolante.

Puis ce fut le trou noir.

25

Les vampires ont de la chance : ils se nourrissent des autres. Nous, on est obligés de se dévorer nous-mêmes.

Extrait du film *Bad Lieutnant,* d'Abel Ferrara

Jodie ouvrit les yeux avec difficulté. D'abord, elle ne distingua qu'une sorte de poussière de feu, intense et aveuglante, qui tournoyait autour d'elle. Il y avait du bruit aussi : des cris d'enfants comme dans une cour de récréation. Pour se protéger de la luminosité, elle porta ses deux mains devant ses yeux avant d'écarter progressivement les doigts. La première chose qu'elle vit alors fut l'arche de Washington Square.

Comment avait-elle atterri ici, assise sur un banc solitaire, au beau milieu de Greenwich Village ? Elle regarda sa montre : il ne s'était même pas écoulé une demi-heure depuis son agression par le Vautour. La jeune fille fit une tentative pour se mettre debout, mais elle dut très vite y renoncer. Une sorte de corset lui barrait le thorax, sans parler de ses vertèbres cervicales tout endolories.

Elle essaya de tourner la tête, mais son mouvement fut stoppé net par une décharge paralysante qui irradia le long de son épaule. Elle étouffa un cri plaintif. Un frisson glacé la traversa et elle entendit ses os craquer comme du cristal. Elle posa une main tremblante sur son torse : pourquoi avait-elle l'impression d'avoir cinq ou six côtes enfoncées ?

Lentement, elle ouvrit la fermeture éclair de sa parka. Une sorte de gilet de sauvetage lui enserrait la taille et la poitrine. Pourquoi l'avait-on affublée de ce machin ? Elle mit un long moment avant de comprendre ce qui lui arrivait vraiment. Jusqu'à ce qu'elle mette ses mains dans ses poches et qu'elle trouve cet avertissement rédigé sur un bristol :

```
One move : you BLOW
One word : you BLOW
Never forget I'm WATCHING YOU
```
[1]

À nouveau elle ouvrit sa parka et examina l'accessoire qui courait autour de son thorax : ce n'était pas un gilet de sauvetage, c'était une ceinture d'explosifs.

*

Voilà, elle vient de comprendre !
Assis derrière son moniteur, le Vautour était au comble de l'extase. Grâce au réseau de webcams installées à travers le parc, il pouvait observer en temps réel sur son ordinateur tout ce qui se passait à Washington Square. Il avait divisé son écran en quatre rectangles : trois vues du parc sous des angles différents et un plan rapproché sur Jodie.

Délicatement, il passa son doigt sur le bouton orange du détonateur relié à son portable. Ce simple contact le fit frissonner.

Car tout allait sauter. L'engin explosif qu'il avait placé sur Jodie contenait plus d'un kilo de TNT associé à des fragments métalliques. La déflagration allait faire un massacre et provoquer des scènes de panique. Le mois dernier, une kamikaze s'était fait sauter dans le métro de Moscou. C'est ça qui lui avait donné l'idée... À la télé, ils avaient parlé de vingt morts et de plus de soixante bles-

---

1. Un mouvement et tu exploses.
Un mot et tu exploses.
Et n'oublie pas que je te surveille.

sés. Il espérait en faire davantage. Dans vingt minutes, une représentation théâtrale étudiante allait avoir lieu devant la fontaine. Cette manifestation hebdomadaire rassemblait toujours beaucoup de monde. De quoi faire un beau carnage !

Dans son cerveau détraqué, il avait toujours pensé que détruire une chose était la façon la plus absolue de la posséder. Bien sûr, il aurait pu ne pas attendre et tout faire sauter dans la seconde. Mais il préférait patienter encore un peu pour savourer pleinement son acte et faire le maximum de victimes. Il aimait particulièrement cette sorte de préliminaires, ce petit moment de calme avant de laisser parler le feu, lorsque la plus folle des apothéoses semble encore possible...

En quelques clics de souris, il effectua un zoom sur le visage de Jodie pour se délecter de sa détresse. Il était fasciné par la fragilité de cette fille et les efforts qu'elle déployait pour ne pas sombrer. Néanmoins, il la sentait au bord de la rupture. Pour l'instant, tout s'était bien déroulé, mais il devait rester prudent. De nouveau, il passa son doigt sur le détonateur.

Il ne fallait plus qu'il tarde trop.

*

Dans le couloir de l'immeuble, quelqu'un s'était amusé à détruire gratuitement toutes les sonnettes de l'étage. Sam en fut donc réduit à tambouriner à la porte de l'appartement. Il entendit des pas puis un feulement, et devina qu'on l'observait à travers le judas.

— Allez-vous-en ! cria une voix derrière la porte.

Sam examina avec attention la serrure pour constater qu'elle avait déjà été fracturée auparavant.

— Je ne suis pas un voleur, annonça-t-il en se voulant rassurant, et je ne suis pas de la police non plus.

Enfin, un verrou se tourna et un visage boudeur apparut dans l'embrasure : celui de Birdie, la colocataire de

Jodie. La jeune femme était en petite tenue : un shorty provocant et un tee-shirt rose bonbon qui laissait voir son nombril.

— C'est pour quoi ?

— Je m'appelle Sam Galloway, je suis médecin et j'ai besoin de voir Jodie.

— Elle est pas là, répondit Birdie en regrettant déjà d'avoir ouvert.

— S'il vous plaît, c'est très important, assura Sam en glissant un pied dans la porte.

— Qu'est-ce que vous lui voulez ?

— Juste l'aider.

— Elle n'a pas besoin de votre aide.

— Je crois que si.

— Jodie a des ennuis ?

— Elle se drogue, n'est-ce pas ?

— Un peu...

Sam chercha le regard de Birdie. Ses yeux étaient tristes, vitreux, salis par des coulées de mascara.

— Ecoutez : je sais que vous avez déjà été hospitalisée après une overdose et que Jodie vous a conduite à l'hôpital. Elle vous a secourue quand vous en aviez besoin. Aujourd'hui, c'est à votre tour de l'aider. Donnez-moi juste une adresse où j'aurai une chance de la trouver.

Birdie hésita :

— En ce moment elle traîne pas mal chez Cyrus...

— Cyrus ?

— C'est notre *fournisseur*. Je vais vous écrire son adresse, mais ne lui dites pas que c'est moi qui...

— Promis.

Birdie griffonna quelques mots au dos d'un coupon de réduction. Sam la remercia et lui tendit une carte de visite avec ses coordonnées à l'hôpital.

— Si un jour vous voulez décrocher, venez me voir, je vous aiderai.

Birdie refusa la carte.

— Z'avez pas vingt dollars, plutôt ?

— Non, désolé, répondit-il, déçu de la réaction de la jeune femme.

Chaque fois qu'il voyait des gens dans la misère et la détresse, Sam culpabilisait de ne pas réussir à les aider. Il aurait voulu sauver tout le monde, même s'il savait que ce n'était pas possible. À l'hôpital, on se moquait souvent de ce trait de sa personnalité, mais il savait que c'était aussi sa force et son équilibre. Il s'était déjà engagé dans l'escalier lorsqu'il ne put s'empêcher de revenir sur ses pas.

— Attendez !

Sam tira deux billets de son portefeuille et les plia en insérant sa carte à l'intérieur de telle façon que, si Birdie voulait l'argent, il lui faudrait prendre la carte en même temps.

Elle attrapa ce qu'il lui tendait et claqua la porte sans rien dire.

Une fois dans le salon, Birdie retourna à ses occupations – regarder des clips à la télé – non sans avoir d'abord fait un détour par la cuisine pour jeter la carte dans la poubelle. Elle coinça les deux billets dans l'élastique de son sous-vêtement. Avec ça, elle pourrait s'acheter deux ou trois cachets pour un joli voyage...

Pendant ce temps, Sam avait rejoint Grace qui l'avait attendu, adossée au capot de la voiture, prête à intervenir en cas de danger.

— Alors ? demanda-t-elle anxieuse.

— Jodie n'était pas là, mais j'ai une autre adresse. Montez, je vais vous raconter...

Birdie s'était allongée en travers du canapé, la tête en bas et les bras en croix pour mieux se laisser envahir par la musique. Soudain, un éclair de lucidité venu de nulle part la conduisit de nouveau dans la cuisine. Elle fouilla dans la poubelle, récupéra les coordonnées de Sam et punaisa la carte sur le panneau de liège à côté du frigo.

Un jour, peut-être...

*

Terrorisée à l'idée d'esquisser le moindre mouvement, Jodie entendait son cœur cogner contre les explosifs. Ses genoux tremblaient et un vide immense se creusait dans son ventre, comme si elle basculait dans un gouffre sans fin.

Quelques heures auparavant, la vie lui semblait désespérante et vaine, et elle avait pensé plusieurs fois que la mort pourrait être une délivrance. Pourtant, à cet instant précis, elle n'était certaine que d'une chose : elle ne voulait pas mourir. L'idée que tout prenne fin, si subitement, par cet après-midi d'hiver, la saisissait d'effroi. Fiévreuse, elle rejeta sa tête en arrière pour s'enivrer de l'infinité du ciel. Un flocon cotonneux s'écrasa sur sa joue et se transforma en larme brûlante.

Sans bouger de son banc, elle regarda autour d'elle. Sous l'effet de la panique, elle percevait tout avec une plus grande acuité, comme si elle faisait corps avec chaque personne présente dans le parc.

Washington Square était situé dans l'un des quartiers les plus agréables de Manhattan. Ici, les gratte-ciel cédaient la place à de petits immeubles élégants en briques rouges. Noël n'était pas si loin et, dans les arbres et sur les balcons, des guirlandes électriques dessinaient des anges et des étoiles.

Malgré la neige, une faune éclectique se pressait à travers les allées. L'endroit était l'un des lieux de prédilection des élèves de la New York University dont les bâtiments occupaient plusieurs blocs tout autour du parc. Certains étudiants répétaient une pièce de théâtre, d'autres jouaient au frisbee, jonglaient ou faisaient du roller.

Surtout, beaucoup avaient sorti leurs instruments de musique et, malgré le froid, faisaient profiter les passants de leurs petits concerts. C'était tellement mieux de jouer ici qu'entre les murs étroits d'un studio ! À l'ouest du parc, des bancs et des tables en bois accueillaient des joueurs d'échecs et quelques passionnés suivaient une partie acharnée entre un vieux juif en kippa et un Bobby Fisher en herbe.

Il y avait aussi des mères de famille qui réajustaient les écharpes de leurs enfants, leur enfonçaient des bonnets de laine jusqu'aux oreilles avant de se résoudre à les laisser courir derrière les écureuils.

C'était le véritable esprit de New York. Un New York pluriethnique et multiculturel, où pendant quelques instants on pouvait presque croire à l'utopie d'un monde fraternel.

Jodie regardait tout cela avec une empathie nouvelle. Sur un banc à côté d'elle, un couple d'amoureux partageait une gaufre en se bécotant. Elle les regarda avec émotion : elle, elle allait mourir sans avoir jamais eu d'amoureux.

Soudain, près de la fontaine centrale, un groupe d'étudiants qui attendait le début de la pièce de théâtre reprit en chœur le *Hallelujah* de Leonard Cohen à la manière de Jeff Buckley. Frappés par la beauté du chant, de nombreux passants s'arrêtèrent pour les écouter et, pendant un court moment, un sentiment de grâce et de pureté plana au-dessus du parc.

Puis, un prédicateur, Bible à la main, arrêta les badauds pour leur annoncer l'imminence d'une catastrophe.

Mais personne ne fit vraiment attention à lui...

*

Mark Rutelli patrouillait dans Midtown, attendant, sans trop y croire, qu'un appel radio le mette sur la piste de Jodie. Il n'avait rien bu de toute la matinée. Delgadillo aurait été trop satisfait de le voir ivre et il n'avait pas tenu à lui offrir ce plaisir. Question de dignité.

Pourtant, depuis quelques minutes, il sentait que ses mains tremblaient de plus en plus. Presque contre son gré, son pied écrasa la pédale de frein, juste au niveau d'un magasin de spiritueux. Pas la peine de rêver : ce n'était pas encore aujourd'hui qu'il arrêterait de boire.

Il pénétra dans la boutique pour en ressortir avec une petite bouteille de vodka camouflée dans du papier kraft. Il attendit d'être dans la voiture pour boire une première gorgée. L'alcool lui brûla la langue, le palais et la gorge avant d'allumer sa flamme réconfortante dans l'œsophage, puis dans tout son corps. Rutelli savait très bien que ce réconfort n'était qu'un leurre, mais à court terme, ce poison lui permettait au moins d'être rapidement opérationnel. Le cœur empli de tristesse et de culpabilité, il prit même une deuxième gorgée et constata avec soulagement que ses mains ne tremblaient plus.

Rutelli se sentait fissuré à l'intérieur et cabossé à l'extérieur. On le croyait viril et blindé, mais c'était tout le contraire. Plus il s'immergeait dans son métier et plus il était submergé d'un trop-plein d'émotions qu'il ne savait comment gérer.

Le boulot de flic ne donnait pas toujours à voir l'humanité dans ce qu'elle a de meilleur. De plus en plus souvent, il lui semblait que la réalité n'était pas telle qu'elle aurait dû être. Alors, il buvait. Pour se sentir extérieur au monde et pouvoir tolérer la détresse et la misère qu'il percevait autour de lui.

Du temps où il travaillait avec Grace, sa vie était plus légère. Leur complicité permettait de faire passer plus facilement les côtés pénibles de leur profession. Grace avait un réel talent pour ça : elle rendait le quotidien lumineux et trouvait facilement un sens à chaque chose alors que lui ne savait que traîner une mélancolie profonde qui désormais ne le quittait plus.

Grace lui manquait tous les jours. Parfois, lorsqu'il était vraiment ivre, il arrivait même à se convaincre qu'elle vivait toujours. Mais cela ne durait jamais très longtemps et les retours à la raison étaient chaque fois plus douloureux.

Il était en train de ruminer cette dernière pensée lorsque le grésillement de sa radio le ramena à la réalité :

— Officier Rutelli ?

— C'est moi.

— Je crois qu'on a repéré Jodie Costello...

*

Sam se gara devant la barre de HLM, laissant le moteur tourner. La neige qui tombait maintenant en abondance avait vidé les rues et donnait au quartier des airs de ville fantôme. Grace lui fit une dernière recommandation de prudence qu'il effaça d'un haussement d'épaules.

— Ecoutez, Galloway, insista-t-elle, nous sommes au cœur du Bronx et vous allez interroger un dealer, c'est dangereux !

— Je sais.

— Alors n'essayez pas de jouer au plus fin avec ce Cyrus, compris ?

— *Yes, sir.*

Grace marqua une pause, pensive, puis :

— Je me demandais quelque chose...

— Je vous écoute.

— Le dealer de votre femme, ce Dustface, il est mort ?

— Oui.

— Comment ?

Sam ouvrit la portière. Un air glacé s'engouffra dans l'habitacle du 4 × 4.

— C'est une vieille histoire et pas de celles que l'on raconte à la fin des repas de famille...

Il quitta la voiture sans en dire davantage. Songeuse, Grace le regarda s'éloigner sous la neige, puis elle le rejoignit quelques mètres plus loin.

— Attendez, Sam.

Elle sortit son arme, en retira le chargeur et à nouveau la lui proposa.

— Il est vide. Avec ça, vous ne risquez pas de le tuer et ça pourra peut-être l'intimid...

Le médecin ne la laissa pas achever sa phrase :

— N'insistez pas, s'il vous plaît ! À chacun sa méthode.

— Très bien, faites-vous tuer si ça vous chante, répondit-elle, presque vexée.

Sam entra dans le premier bâtiment pour essayer de s'orienter, mais en ressortit presque aussitôt : une dispute de voisinage battait son plein dans la cage d'escalier. Après tout, Grace n'avait pas tort : inutile de se prendre un coup de couteau en voulant jouer au héros et de finir assassiné dans un lieu sordide.

Il mit un moment à repérer l'adresse exacte de Cyrus à cause des boîtes aux lettres qui avaient été arrachées. Il ne demanda son chemin à personne : il avait passé son enfance dans une cité comme celle-là et il savait qu'il ne pouvait compter que sur lui-même. Arrivé devant la bonne porte, il sonna plusieurs fois. Personne n'ouvrit malgré la musique assourdissante qui venait de l'appartement. Il tambourina à la porte jusqu'à ce qu'un jeune Black se pointe en lui lançant un regard hostile.

— Qu'est-ce que tu veux, mec?

— C'est toi, Cyrus?

— Ça se pourrait.

— Je cherche Jodie Costello. Elle est avec toi?

— Connais pas, répondit Cyrus d'un air laconique.

— Te fous pas de moi. Je sais très bien que tu lui refourgues tes saloperies.

— Tire-toi d'ici, mec, ou je t'aplatis la gueule. Je la connais pas, ta Jodie.

Il allait refermer. Sam tenta à nouveau le coup du pied dans la porte.

— Dis-moi juste où elle est, Cyrus.

Mais le dealer n'entendait pas coopérer. Il prit son élan, arma sa jambe puis la déplia brusquement en un coup de pied circulaire qui projeta Sam contre le mur du couloir.

— *Fucking hell! Get stuffed, man*[1] ! l'insulta-t-il, ravi d'avoir mis en pratique son entraînement de *kick boxing*.

Là-dessus, il claqua la porte derrière lui.

Sam se releva, humilié et mal en point. Le coup l'avait atteint au foie et il était comme asphyxié. Un bruit de pas se fit entendre dans l'escalier.

— Alors... J'ai comme l'impression que votre méthode rencontre ici ses limites, ironisa Grace.

— Elle ne porte pas ses fruits à tous les coups, admit Sam en époussetant son manteau.

— Comme nous sommes pressés, nous allons utiliser *ma* méthode, si vous voulez bien.

— Pas d'objection.

— Excusez par avance son manque de subtilité, dit-elle en retirant son arme de son étui.

Elle se plaça devant la porte et tira deux coups rapprochés qui firent exploser la serrure. Sam balança un coup de pied pour finir de faire céder la porte et entra dans l'appartement à la suite de Grace.

---

1. Bordel ! Va te faire foutre, mec !

26

Jodie était frigorifiée. Sa parka, trempée de sueur gla-cée, était trop mince pour la protéger du froid et son jean lui collait salement à la peau parce qu'elle s'était oubliée lors de sa rencontre avec le Vautour. La jeune fille tremblait tellement qu'elle sentait son corps se liqué-fier, comme s'il se dissolvait dans sa peur.

— Salut, Jodie.

Elle leva les yeux, paniquée : Mark Rutelli, les mains dans les poches, s'avançait dans sa direction. Elle aurait voulu le mettre en garde, lui dire de ne pas approcher, de ne surtout pas lui parler !

Parce que le Vautour les guettait.

Parce que tout allait sauter.

Pour ne pas la faire fuir, Rutelli s'installa sur le banc d'à côté. Immédiatement, il nota le sale état dans lequel se trouvait l'adolescente.

— Qu'est-ce que tu deviens ? demanda-t-il pour enga-ger la conversation.

— Ça va pas fort, admit Jodie.

Sa voix était faible et chancelante, prête à s'éteindre, comme la flamme d'une bougie qu'on cherche à proté-ger du vent.

— Tu t'es attiré des ennuis ?

D'abord, elle resta immobile, puis elle acquiesça de la tête et Rutelli constata qu'elle pleurait.

— Je peux t'aider, Jo ?

Entre deux sanglots étouffés, elle parvint à articuler :

— Je crois... que j'ai une bombe...

— Une bombe ?

— ... sur moi...

— Qu'est-ce que tu racontes ?

— ... autour de ma taille.

Rutelli secoua la tête.

— Laisse-moi voir ça ! demanda-t-il en se levant.

Il allait s'avancer vers le banc, mais elle lui fit comprendre de ne pas approcher. Les yeux de la jeune fille étaient emplis d'une terreur qui déconcerta le policier et le poussa à se rasseoir.

Rutelli essaya de mettre de l'ordre dans ses pensées. Cette histoire de bombe ne tenait pas debout. Jodie délirait, c'était évident. Elle faisait une overdose comme il en avait déjà vu beaucoup tout au long de sa carrière. S'il voulait l'aider, la seule chose sensée était d'appeler une ambulance. Il allait lancer un appel par radio lorsqu'il la regarda dans les yeux. Généralement, il évitait toujours de le faire parce qu'elle avait le regard de Grace et que ça lui faisait mal.

Les yeux clairs de Jodie débordaient de feu, comme si on avait enflammé la mer. Les larmes, la peur, la drogue, le manque de sommeil s'y entremêlaient. Au-delà de tout ça, Rutelli y lisait un message, un appel :

Sauve-moi !

*

De rage, le Vautour balança son poing sur la table. Qui était ce type qui parlait à Jodie ? Bon sang, il aurait dû l'équiper d'un micro pour pouvoir l'écouter ! Dans son excitation, il s'était précipité jusqu'à en oublier les règles de base. Hors de lui, il tapota quelques instructions au clavier pour régler la caméra qui filmait l'adolescente. En arrière-plan, il distinguait la silhouette de Rutelli. Il fronça les sourcils et plissa les yeux. Est-ce que Jodie connaissait cet homme ? Non, sûrement pas. Sans doute, un de ces pervers qui draguaient les gamines dans les parcs...

Pourtant, leur conversation semblait se prolonger au-delà du raisonnable. Le Vautour hésita et consulta ses autres écrans. La représentation théâtrale allait bientôt commencer et de plus en plus de monde se pressait autour de la fontaine.

Encore deux minutes, décida-t-il en serrant son détonateur d'une main tremblante.

*

— Tu crois qu'il nous regarde ?
Imperceptiblement, Jodie acquiesça de la tête.
À mots couverts, elle venait de raconter au policier ce qu'elle avait vécu ces dernières heures : comment elle avait été enlevée par son dealer et livrée au Vautour.
— Tu penses qu'il est là, dans les environs ?
Elle secoua la tête. Rutelli ne comprenait plus.
— Comment fait-il pour nous voir alors ?
— Grâce aux caméras.
Rutelli tourna la tête.
— Quelles caméras ? Il n'y a pas de caméras dans le coin.
— Des webcams... expliqua Jodie.
Rutelli poussa un grognement. Il n'aurait pas été capable de dire ce qu'était une webcam. Depuis dix ans, il ne s'était pas vraiment tenu au courant de l'évolution technologique. Les téléphones portables, les Palm Pilot, les e-mails, le Wifi... : rien de tout ça n'avait de place dans sa vie. Il repensa à ce que lui avait dit Delgadillo un peu plus tôt : sans doute n'avait-il pas tort lorsqu'il affirmait que Rutelli avait « fait son temps ».

Cette constatation le plongea encore un peu plus dans ses tourments.

— Pardon, dit soudain Jodie en se maîtrisant pour ne pas fondre en larmes.

— Pardon de quoi? demanda Rutelli en relevant la tête.

— Pardon de ne pas vous avoir fait confiance avant...

Le policier sentit son cœur se serrer. Lui aussi était tourmenté de regrets.

— C'est pas toi, Jodie. C'est ma faute. Je n'ai pas su te protéger. J'aurais dû être plus présent dans ta vie.

— Je ne vous en ai pas donné la possibilité, s'excusa l'adolescente.

À nouveau, leurs regards se croisèrent et Rutelli se sentit soudain habité d'une force inconnue.

— Je vais te sortir de là, affirma-t-il. Mais il faut d'abord que tu me dises où se terre ce salopard. Tu connais l'adresse de son entrepôt?

Jodie réalisa alors avec consternation qu'elle ne savait pas exactement où se trouvait l'antre du Vautour. Cyrus l'avait baladée dans le coffre de la voiture pour ensuite l'enfermer dans une pièce sombre et sans fenêtre. Elle essaya de réfléchir, mais elle était épuisée, mentalement et physiquement. Une migraine comme elle n'en avait jamais connue lui vrillait le cerveau.

— Je ne sais plus... balbutia-t-elle.

— Essaie de faire un effort, l'encouragea Rutelli.

Consciente que sa vie dépendait peut-être de ce renseignement, Jodie se concentra, tenta de puiser des forces à l'intérieur d'elle-même, dans des endroits qu'elle n'avait jamais sondés auparavant, malgré son extrême faiblesse.

— Je crois... je crois que c'était quelque part du côté de Traverse Road, à l'ouest de Hyde Pierce.

— Il faut que tu sois plus précise.

— Je ne sais pas... je ne sais plus.

Rutelli essaya de ne pas montrer sa déception.

— OK, dit-il en se levant pour regagner sa voiture, je vais me débrouiller avec ça mais il faut que je me dépêche.

— J'ai peur de rester toute seule, avoua Jodie.

— Je sais, dit-il, ne bouge surtout pas. Je vais revenir bientôt.

En temps normal, il n'était pas très doué pour réconforter les gens et encore moins une jeune fille en détresse. Pourtant, à son étonnement, les mots sortirent de sa bouche comme une évidence :

— Tu sais quoi? En attendant que je revienne, tu vas faire la liste de toutes les choses que tu voudrais réaliser avant d'avoir vingt ans. Tu comprends?

Elle acquiesça timidement.

— Et, quand tout ça sera fini, je t'aiderai à rattraper le temps perdu. Je te le promets.

*

— À droite, indiqua Cyrus d'une voix tremblante.

Le dealer était assis sur le siège arrière du 4 × 4, l'arme de Grace appuyée contre sa tempe. Après un interrogatoire musclé, elle l'avait convaincu de les conduire jusqu'à la planque du Vautour.

— Et ensuite? demanda Sam.

— Tout droit, puis la deuxième à gauche.

Sam enclencha les essuie-glaces pour chasser la neige qui commençait à s'accumuler. Le tout-terrain s'engagea dans une allée qui longeait une rangée d'entrepôts.

— C'est là? demanda Grace.

— Ouais, fit Cyrus, le garage le plus à gauche.

Tout en restant à bonne distance, Sam avança lentement jusqu'à la porte automatique.

— Il faut un code, constata-t-il, tu le connais?

— Non, répondit Cyrus, c'est lui qui m'ouvre lorsqu'il sait que je dois venir.

Grace arma son pistolet et, déterminée, en enfonça le calibre dans la bouche de Cyrus.

— Donne-nous le code !

Terrifié, le dealer écarta les bras en signe d'impuissance.

— Tu as trois secondes. Un... deux... tr...

— Arrêtez, hurla Sam, il dit la vérité !

— Qu'est-ce que vous en savez ?

— Je suis médecin psychologue, je sais lorsqu'un homme ment.

— Je ne suis pas convaincue.

Néanmoins, elle retira le canon de l'arme de la bouche de Cyrus.

— Viens avec moi.

Elle sortit de la voiture en entraînant le jeune Black. Elle le plaqua contre le capot et le fouilla pour s'emparer de son téléphone cellulaire.

— Quel est le numéro du Vautour ?

— J'en sais rien, mentit Cyrus, c'est lui qui me prévient lorsqu'il a de la marchandise.

Grace donna le portable à Sam. Le médecin consulta rapidement le répertoire, et ne découvrit aucune trace du numéro du Vautour.

Grace jeta le téléphone au sol et l'écrasa avec son pied.

— Barre-toi, dit-elle à Cyrus.

— Je... je peux ?

— Si tu cherches à le prévenir, je te retrouverai et je te tuerai. Tu comprends ça ?

— Ouais, madame.

Mais Sam ne l'entendait pas comme ça.

— C'est un dealer, Grace. On ne l'arrête pas ?

— Vous n'êtes pas officier de police, Galloway.

— Mais vous, oui...

— Laissez tomber : on n'est pas là pour ça.

Tandis que Cyrus filait sans demander son reste, Grace ajouta :

— Les médecins ne peuvent pas sauver tout le monde et les flics ne peuvent pas arrêter tout le monde. C'est comme ça.

— Alors, qu'est-ce que vous proposez maintenant ?

Grace fit lentement le tour du véhicule, l'inspectant comme si elle avait l'intention de l'acquérir. C'était un 4 × 4 haut de gamme, aux lignes élégantes mais à l'allure carrée et massive, presque militaire.

Grace observa l'énorme calandre, abrupte et massive, qui descendait à la verticale entre les phares carrés. La largeur des pneus, la hauteur impressionnante des sièges : tout contribuait à donner au véhicule une apparence robuste et anguleuse, comme s'il se tenait prêt à l'abordage.

— Ça coûte dans les combien un truc comme ça ? demanda Grace.

— Très cher, confirma Sam. Et, pour votre information, je n'ai pas encore fini de le payer.

— C'est bizarre, commenta Grace, Je ne vous imaginais pas avec ce type de voiture.

L'espace d'un instant, le regard de Sam se troubla et il confessa, d'une voix confuse :

— Ça m'a pris comme ça... le jour où Federica m'a annoncé qu'elle était enceinte. J'étais tellement heureux que je me suis précipité dans la première concession venue, comme si le fait d'acheter une grosse voiture me donnerait la famille nombreuse qui allait avec. J'imaginais déjà les sorties du week-end, les vacances familiales à travers les parcs nationaux... C'est con, hein ?

— Non, Sam.

Et dans un geste de compréhension, elle posa la main sur son épaule. Sam regarda son 4 × 4 d'un air songeur et déclara :

— Je sais à quoi vous pensez, Grace. Et je suis d'accord pour le faire.

— OK, dit Grace, ne perdons pas de temps.

Puis il remonta dans la voiture et elle prit place à ses côtés.

Il fit marche arrière de façon à prendre le maximum d'élan. Le véhicule disposait d'un V8 – 4,4 litres, le moteur le plus puissant jamais monté sur un Land Rover.

— Accrochez votre ceinture, demanda-t-il.

Sur le tableau de bord, une commande permettait de préciser le revêtement sur lequel évoluait le véhicule. Sam fit glisser le curseur de *conduite normale* vers *conduite sur terrain accidenté*. Immédiatement, le système ajusta les réglages les plus appropriés en termes de suspension, de puissance et d'antipatinage.

— Je savais bien que, tôt ou tard, ce 4 × 4 servirait à quelque chose, affirma-t-il avant d'appuyer sur l'accélérateur.

Et, tel un puissant bélier, les deux tonnes du tout-terrain furent projetées à pleine vitesse contre le portail métallique.

*

Le Vautour était fasciné par les images qui défilaient devant lui. Washington Square était l'un des endroits les plus animés de la ville et cette animation l'éblouissait, lui qui n'avait jamais réussi à se sentir vivant. Il s'enivrait de l'existence de tous ces gens, se gargarisant de chaque petit détail : la couleur des cheveux de cette étudiante, le sourire de cette mère à son enfant, les pas de danse de ces deux rappeurs...

Un moment, il ferma les yeux et imagina la suite. L'explosion serait entendue à plusieurs kilomètres à la ronde, déclenchant un état de choc. Il y aurait d'abord ces visages hébétés ne comprenant pas comment la guerre pouvait d'un seul coup faire irruption dans leur vie. Puis des corps déchiquetés qui joncheraient le sol. Des hurlements atroces s'élèveraient de partout. Les gens s'enfuiraient dans tous les sens, le visage ensanglanté et les tripes à l'air.

Les images de l'effroyable carnage lui parvenaient, par bribes, comme s'il avait réellement déjà eu lieu.

Tout était si réel. Une petite fille, coincée sous un banc, hurlait : « Maman ! maman ! » Un homme encore jeune se relevait après avoir été projeté contre la fontaine. Sa tête n'était plus qu'une bouillie sanglante. Le corps secoué de sanglots, une femme constatait avec effroi qu'elle avait perdu un bras.

De tous côtés des morts, des blessés, l'horreur. Un chaos indescriptible. Une impression de désolation totale. Des corps éparpillés dans des flaques de sang.

La détresse sera partout, si intense et si bouleversante qu'ils ne pourront jamais l'oublier.

Etait-il fou ? Oui, sans doute. Mais qu'est-ce que ça changeait ? Après avoir longtemps réfléchi à la question, Clarence en était arrivé à la conclusion que la société avait besoin de gens comme lui. Les plus grands criminels sont nécessaires à l'humanité, ne serait-ce que pour lui faire comprendre ce qu'est le Mal. Et seul le Mal permet au Bien d'exister. Car, si l'on y réfléchit : sans maladie, pas de médecin ; sans incendie, pas de pompier ; sans ennemi, pas de soldat...

Oui, pensa-t-il, *seul le Mal permet d'ouvrir la porte du Bien.*

*

Sam s'y reprit à plusieurs fois avant que le portail ne cède. Au bout de la troisième tentative, les attaches de la barrière métallique se rompirent enfin pour ouvrir un passage au Land Rover.

Le Vautour sursauta en entendant le fracas au-dessous de lui. La police ? Comment l'avait-elle repéré ? Un coup d'œil sur son écran de sécurité lui confirma qu'il était assiégé. Cependant, à son grand soulagement, il constata qu'il n'y avait qu'une seule voiture et que ce n'étaient pas les flics.

Frustré d'être ainsi interrompu, il attrapa un pistolet automatique rangé dans un tiroir. Quels que soient les intrus, ils allaient regretter leur incursion.

Sam dévala la rampe bétonnée et arriva dans un parking souterrain. L'endroit était plongé dans l'obscurité. Il voulut allumer ses phares, mais Grace le lui déconseilla pour qu'on ne puisse pas repérer leur position. Alors qu'il coupait le moteur, une rafale de balles fit exploser le pare-brise en mille éclats.

— Baissez-vous, lui ordonna Grace en le tirant par le bras.

Les balles sifflaient et ricochaient de toutes parts, déchirant l'espace dans un fracas assourdissant.

Le 4 × 4 était toujours immobilisé au milieu du parking. Grace regarda Sam. Son visage était livide.

— Restez là ! lui chuchota-t-elle.

Ils s'étaient tous les deux recroquevillés sous les sièges. L'arme au poing, Grace ouvrit la porte sans faire trop de bruit et roula sur le sol.

À nouveau, une rafale de balles arrosa le véhicule.

Grace avait réussi à se glisser dans une alcôve bétonnée. Plaquée contre un mur, elle riposta en tirant quelques coups de feu. Pendant un moment, un silence plein de tension régna dans le parking. Puis soudain, des bruits de pas claquèrent sur l'asphalte. Grace risqua un œil hors de son abri et entrevit fugacement la silhouette du Vautour qui s'enfuyait dans le corridor. Elle arma son bras, tira, mais loupa sa cible. Alors, elle se découvrit et s'engagea à son tour dans le passage. Elle avança prudemment. Une pénombre orangée régnait à l'intérieur du couloir, laissant tout juste entrevoir un mince rai de lumière derrière une porte.

Toujours dans la voiture, Sam se contorsionna pour attraper son manteau sur l'un des sièges arrière. Il fouilla dans la poche intérieure et mit la main sur son portable. Il fallait qu'il contacte la police le plus rapidement possible. Dans le noir, il distinguait mal les commandes de l'appareil. Il appuya sur une touche pour illuminer l'écran, mais rien ne se passa. Merde, il n'avait pas rechargé son téléphone et la batterie était vide ! Il s'en était bien rendu compte la veille, dans la maison de Leonard McQueen, mais il n'avait pas son chargeur sur lui. Il regretta alors amèrement de n'avoir pas gardé avec lui l'appareil de Cyrus qu'ils avaient bêtement écrasé quelques minutes auparavant.

Alors, il descendit à son tour du 4 × 4. Comment pouvait-il aider Grace ? Il plissa les yeux et la distingua à une vingtaine de mètres devant lui. Courageuse et solitaire, elle s'enfonçait dans les ténèbres du couloir avec, en point de mire, cette porte entrouverte où était peut-être enfermée Jodie.

Sam se rongeait les sangs. Grace prenait trop de risques en avançant à découvert. Sans doute caché derrière la porte, le Vautour l'attendait, prêt à balancer une nouvelle rafale. Le combat était inégal. Le pistolet du malfrat permettait le tir automatique alors que Grace n'avait que son arme de service.

Soudain, Sam aperçut une forme sombre et mouvante qui se décalait derrière Grace et il sentit son cœur s'emballer. Le Vautour s'était tapi dans une niche enfoncée dans la paroi. Grace l'avait dépassé sans le voir et le piège se refermait sur elle. Il ouvrit la bouche pour la mettre en garde, mais aucun son n'en sortit.

— C'est moi que tu cherches ? demanda le Vautour.

Surprise, Grace se figea pendant une demi-seconde avant de se retourner avec toute la rapidité dont elle était capable. Mais il était trop tard. Le Vautour appuya sur la détente et Grace, le corps criblé de balles, fut projetée plusieurs mètres en arrière.

— Non !! hurla Sam en se précipitant sur le Vautour.

Profitant de l'effet de surprise, il lui assena un puissant crochet qui le projeta au sol. Sonné par le choc, le criminel lâcha son arme. Sam l'empoigna par la nuque pour lui donner un coup de genou, mais l'autre parvint à se libérer de l'étreinte. Toujours à terre, il tenta un balayage qui déséquilibra le médecin et le fit chuter à son tour. Les deux hommes se relevèrent en même temps et se firent face, prêts à en découdre. Sam avait oublié sa peur et il bouillonnait de rage. À ses pieds, le corps de Grace était étendu sur le dos.

Il ne s'était plus battu depuis une éternité mais, animé par la colère, il attaqua le premier, enchaînant une série de crochets que le Vautour parvint à parer avant de se défendre d'un coup de coude qui atteignit Sam à la tempe. Le médecin répliqua d'un coup de pied qui toucha son adversaire dans un mouvement percutant. Le Vautour fit mine de se recroqueviller. Il était maintenant de dos, apparemment vulnérable. Sam relâcha sa garde une seconde mais au mauvais moment, car Sterling déplia sa jambe en ruade d'un coup de pied retourné qui déséquilibra le médecin.

Profitant de son avantage, le Vautour plia son genou et, d'un coup de pied écrasant, enfonça son talon, droit dans le tibia de Sam.

Le médecin tomba au sol en hurlant, comme si son os était cassé. Un dernier coup de coude lui écrasa l'épaule et termina de le mettre K.-O.

— Efficace, n'est-ce pas ? affirma le Vautour en récupérant son pistolet. Les Japonais appellent ce coup un *fumikomi*. Ça marche aussi très bien pour briser un genou ou une cheville...

Couché sur le sol, Sam avait plaqué ses deux mains sur son tibia pour tenter de contenir la douleur. Le parking était toujours dans la pénombre. Le Vautour appuya sur un interrupteur pour éclairer le visage de son prisonnier avant de le tuer. Pour lui, il était très important de *voir* le Mal au moment où il l'accomplissait.

Une lumière crue envahit l'entrepôt. Sam ferma les yeux, terrorisé. Il allait donc mourir comme ça, brutalement, d'une balle dans la tête, seul, au fond d'un entrepôt sordide du Bronx ? C'était trop dur ! Il ne s'était pas préparé ! Ce matin, il s'était réveillé aux côtés de Juliette et pas une seconde il n'avait pensé que cette journée serait la dernière. Bien sûr, il ne serait pas le premier dont la vie serait fauchée en plein élan, mais c'était une maigre consolation. Il était maintenant au-delà de la peur, comme si son cœur lui remontait dans la gorge.

Pourtant, le Vautour ne tirait toujours pas.

Dans un ultime geste de courage, Sam ouvrit les yeux. Autant regarder la mort en face. Pour la première fois, il distingua clairement le visage de son agresseur et constata avec stupeur qu'il le connaissait.

— Clarence Sterling!

Tout à l'heure, lorsque Cyrus avait évoqué l'homme à qui il avait livré Jodie, il n'avait jamais mentionné son véritable nom, se contentant chaque fois de le désigner par son macabre surnom.

Sam n'était pas le seul à l'avoir reconnu et Sterling partit d'un rire effrayant.

— Ah! ah! ah!... Galloway...

Il se releva lentement. Dans sa tête, tout remontait à la surface. Il n'avait vu Sterling qu'une seule fois dans sa vie, dix ans auparavant, mais il ne l'avait jamais oublié.

Le moment de surprise passé, le Vautour constata :

— Toi, je sais qui tu es et tu sais qui je suis...

Clarence Sterling : le tueur à gages qu'il avait payé pour se débarrasser de Dustface. À l'époque, Sterling n'était qu'une petite frappe du quartier, même s'il était déjà redouté pour sa cruauté.

— ... je n'ai donc pas besoin de te tuer. Allez! Lève-toi et avance!

Sam se mit debout et sous la menace du pistolet s'engagea dans le couloir.

Après son entrevue manquée avec Dustface, Sam avait pris conscience que le dealer les traquerait – Federica et lui – jusqu'à les avoir éliminés. Mille fois, il avait retourné cette idée dans sa tête avant de se rendre à l'évidence : la seule façon de recommencer une nouvelle vie était d'éliminer Dustface. Dans la cité, il se murmurait des noms de *nettoyeurs* capables d'exécuter un contrat. Sam avait pris ses six mille dollars d'économies pour les proposer à l'un d'entre eux. L'homme s'appelait Clarence Sterling. Deux jours plus tard, Dustface était mort. Personne n'avait jamais su que Sam était derrière tout ça. Ni le père Powell ni Federica. C'étaient sa décision et sa responsabilité. Et tous les matins, quand il se regardait dans le miroir au moment de se raser, il continuait à en payer le prix.

Le prix du sang.

Les deux hommes arrivèrent au bout du couloir et s'engagèrent dans l'escalier métallique qui les mena dans une sorte de bureau. Sam était persuadé d'y trouver Jodie ligotée dans un coin. À la place, il n'y avait qu'un ordinateur avec plusieurs écrans. Le Vautour retrouva son siège et fit signe à Sam de se poser dans un coin.

— Tu vas être aux premières loges avec moi ! Ouvre les yeux et regarde. On va bien s'amuser !

Sur l'écran principal, Sam vit Jodie, assise sur son banc. En arrière-plan, il reconnut Washington Square, sans vraiment saisir les enjeux de la situation.

Puis il vit Sterling attraper son détonateur et il comprit alors l'imminence d'un carnage.

— C'est parti ! lança le Vautour.

Dans un ultime effort, Sam se rua vers le prédateur, mais, handicapé par sa blessure, il manqua de rapidité.

Sterling eut tout le temps de le voir approcher. Il attrapa le pistolet qu'il avait gardé à portée de main et le pointa sur le médecin.

— Tant pis pour toi !

Il mit son doigt sur la détente et tira. Une première détonation creva le silence de l'entrepôt, bientôt suivie d'une autre, qui prolongea la première comme dans un écho.

Sam sentit son épaule éclater. Du sang l'éclaboussa au visage, mais, lorsqu'il vit le Vautour s'écrouler à ses pieds, il comprit que ce n'était pas le sien.

Epuisé, perclus de douleurs, la main appuyée sur sa blessure, le médecin s'affaissa sur lui-même tout en écarquillant les yeux.

Dans l'embrasure de la porte, Mark Rutelli regardait sa main droite, agrippée à la crosse de son arme.

Elle n'avait pas tremblé.

Il fit quelques pas à l'intérieur de la pièce et s'assura que Sam n'était pas grièvement atteint. Puis il s'avança vers le cadavre du Vautour et tira encore deux balles, comme s'il libérait par ce geste des années de souffrance et de chagrin.

Au loin, on entendait les hurlements des voitures de police et des ambulances.

Rutelli passa derrière le bureau pour découvrir l'arsenal informatique qui permettait au Vautour d'observer ses proies. Il examina le moniteur principal. Les yeux de Jodie, en gros plan, semblaient le regarder. Il s'approcha de l'écran et murmura :

— C'est fini... Tout ira bien maintenant.

27

... chacun protégeant l'autre du reste de la terre, chacun représentant pour l'autre le reste de la terre.

Philip Roth

Hôpital St. Matthew's – service des urgences – 8.46 pm

— Tenez-vous tranquille, docteur Galloway.

Claire Giuliani, une jeune interne des urgences, terminait un volumineux bandage autour de l'épaule de Sam qui avait revêtu pour l'occasion le pyjama réglementaire de l'hôpital. À l'invitation de sa collègue, il cessa de se tortiller sur son lit et ferma les yeux. Au chaos de la fusillade avait succédé le calme de l'hôpital. Quelques secondes après la mort du Vautour, une armada de policiers et d'ambulanciers avait envahi l'entrepôt et, sans qu'on lui demande vraiment son avis, Sam avait été conduit dans son propre hôpital pour y subir une batterie d'examens et de radios.

— Vous avez eu de la chance, remarqua Claire : la balle a traversé le trapèze sans toucher l'os. Par contre, il faudra faire un bilan infectieux dans quelques jours : le tissu musculaire a été déchiré et...

— Ça va, n'oubliez pas que je suis médecin, moi aussi. Et ma cheville ?

Elle lui tendit le résultat des radios.

— Elle n'est pas cassée, vous avez seulement une méchante entorse. Et le fait d'être médecin, *vous aussi*, ne vous dispensera pas de devoir vous reposer pendant quinze jours. Si vous êtes sage, je vous ferai peut-être un joli pansement compressif...

Sam fit la moue et tourna la tête. Un tuyau en plastique piqué dans son bras restreignait ses mouvements, mais pas suffisamment pour l'empêcher d'apercevoir le colosse en costume sombre qui montait la garde devant la porte entrouverte.

— Claire, j'aurais besoin que vous me rendiez un service.

— Qu'est-ce que je gagne en échange? demanda la jeune interne en retirant la poche de glace de la cheville de son patient.

— Mes remerciements les plus sincères, proposa Sam.

— Plus un dîner chez Jean-Georges [1], il paraît que leurs desserts sont à tomber.

— Va pour le dîner.

Il pointa du doigt l'agent du FBI juste au moment où une infirmière apportait une paire de béquilles. Le policier profita de son arrivée pour s'introduire lui aussi dans la pièce. L'homme était taillé comme une armoire à glace et arborait la traditionnelle coupe en brosse en vigueur chez beaucoup de ses pairs. Il s'avança vers le lit et présenta sa carte pour affirmer sa légitimité.

— Bonsoir monsieur Galloway, je suis l'agent Hunter. Je sais que c'est un moment pénible pour vous, mais j'aurais quelques questions à vous poser.

— À votre service, répondit Sam, faussement coopératif.

Claire, qui avait deviné ce que Sam attendait d'elle, entra à son tour dans le jeu :

— Il n'en est pas question, dit-elle d'un ton sévère, la gravité des blessures de mon patient nécessite un repos complet.

— Ce sera très rapide, promit Hunter, juste quelques éclaircissements pour recouper les propos de l'officier Rutelli.

---

1. Célèbre restaurant français près de Central Park.

— Je m'y oppose formellement, répondit-elle en le poussant vers la sortie.

Mais Hunter n'était pas décidé à battre en retraite.

— Donnez-moi un quart d'heure.

— Tout ce que je vais vous donner, c'est l'ordre de décamper !

— Vous menacez un agent fédéral ! s'insurgea-t-il.

— Parfaitement, répondit la jeune femme sans se démonter. M. Galloway est sous ma responsabilité et son état ne permet pas de l'interroger pour le moment. Je vous demande donc de ne pas insister.

— Hum... très bien, admit Hunter, mécontent d'être mis en déroute par ce petit bout de femme. Je reviendrai demain matin.

— C'est ça, lança-t-elle, prévenez-moi que je vienne vous accueillir avec des fleurs !

L'agent Hunter sortit en étouffant un juron et en regrettant l'époque, pas si lointaine, où les femmes savaient rester à leur place.

Dès que le policier fut hors de la pièce, Sam repoussa les couvertures, s'assit au bord du lit et retira sa perfusion.

— Puis-je savoir ce que vous faites ?

— Je rentre chez moi.

— Recouchez-vous immédiatement ! ordonna Claire. Vous vous prenez pour qui ? Jack Bauer ? Il est hors de question que vous quittiez cet hôpital.

Avec sa jambe, Sam repoussa le chariot sur lequel étaient posés les instruments de suture et attrapa ses habits.

— Je vous signe toutes les décharges que vous voulez, si ça peut vous rassurer.

Claire s'énerva :

— Ce n'est pas une question de décharge, c'est une question de bon sens : vous avez frôlé la mort, votre épaule et votre cheville sont dans un triste état, il est 9 heures du soir et dehors la température est de moins dix degrés... Qu'est-ce que vous voulez faire d'autre à part rester au lit ?

— Retrouver une femme, répondit Sam en se mettant debout.

— Une femme ! s'exclama Claire surprise. Vous imaginez peut-être qu'elle va vous trouver irrésistible avec vos béquilles et votre pansement ?

— Ce n'est pas la question.

— Et d'abord, c'est qui cette femme ?

— Je ne crois pas que ça vous regarde.

— Eh bien si, figurez-vous !

— Elle est française... commença Sam.

— Il ne manquait plus que ça ! plaisanta-t-elle. Pour une fois que je vous avais toute une nuit pour moi seule, vous me trahissez pour une Française...

Sam lui rendit son sourire et se traîna avec difficulté vers la sortie.

— Merci pour tout, Claire.

Elle le guida à travers le couloir et attendit que le médecin se soit engouffré dans un ascenseur pour demander :

— Expliquez-moi une dernière chose, Sam !

— Oui ?

Leurs regards se croisèrent au moment où les portes se refermaient.

— Pourquoi ce sont toujours les mêmes qui ont de la chance ?

*

Les portes de l'ascenseur s'ouvrirent sur le hall de l'hôpital. Presque entièrement entouré de verre et décoré de plantes vertes, l'endroit avait des allures de jardin d'hiver. Sam traversa le patio en claudiquant pour rejoindre le service où était hospitalisée Jodie. Avant de retrouver Juliette, il voulait s'assurer que la jeune fille était entre de bonnes mains.

286

Il s'arrêta quelques secondes pour contempler la neige à travers les baies vitrées. Il aimait l'hôpital la nuit, lorsque toute l'agitation de la journée s'était dissipée. Il connaissait le bâtiment par cœur. C'était *son* espace, peut-être le seul endroit sur terre où il se sentait à sa place, utile.

Au bout d'un couloir, il poussa doucement la porte de la chambre que lui avait indiquée une infirmière.

Jodie dormait d'un sommeil fragile. À son chevet, Mark Rutelli la veillait, les bras croisés, debout près d'une chaise. Il avait *l'œil du tigre*, toujours en alerte, prêt à bondir au moindre nouveau danger qui menacerait sa protégée.

Sam fut accueilli par une accolade silencieuse. Les deux hommes ne s'étaient pas reparlé depuis la fin de la fusillade, mais ils savaient tous les deux qu'un lien étrange les unissait désormais. D'un froncement de sourcils, Rutelli l'interrogea sur sa blessure et Sam hocha la tête, de l'air de celui qui en avait vu d'autres.

Puis le médecin se rapprocha de l'adolescente. Un drap et une couverture lui recouvraient le corps, ne laissant émerger qu'un visage diaphane.

Sur la table de nuit, une petite veilleuse diffusait une lumière apaisante. Machinalement, Sam vérifia que les perfusions étaient bien posées et consulta le bilan de santé affiché au pied du lit.

— Il faut qu'on trouve un moyen pour la faire décrocher définitivement, s'inquiéta Rutelli à voix basse. Sinon, un jour ou l'autre, elle y passera.

Sam avait déjà réfléchi à la question.

— Je vais m'en occuper, promit-il. Je connais un centre de désintoxication dans le Connecticut. Un endroit vraiment efficace. Comme il y a peu de places, je les appellerai dès demain, personnellement.

Rutelli grogna quelque chose en signe de remerciement puis les deux hommes se laissèrent envelopper par le silence de la nuit jusqu'à ce que le policier ordonne :

— Allez vous coucher maintenant. Même les héros doivent dormir. En plus, vous avez une tête de déterré.

— Vous n'avez pas vu la vôtre ! répondit Sam en quittant la pièce.

*

Fébrile, Juliette tournait en rond dans l'appartement. Depuis leur dispute de la mi-journée, elle n'avait plus eu de nouvelles de Sam. Chaque fois qu'elle avait cherché à le joindre sur son portable, elle était tombée sur son répondeur, ce qui l'avait décidée à venir l'attendre chez lui.

Elle colla son front à la vitre froide et regarda les lumières qui brillaient au loin. Même si leur histoire devait s'arrêter là, il fallait qu'elle lui parle une dernière fois pour mettre les choses au clair. Elle ne savait pas quoi penser à propos de « l'autre femme », mais une chose était sûre : elle en voulait terriblement à Sam de lui avoir menti.

Juliette alluma quelques bougies et le salon s'éclaira d'une lumière douce qui lui rappela tristement leur première nuit d'amour. Bien vite pourtant, elle chassa cette pensée. Ce n'était pas le moment de retomber dans ses travers ! Elle se reprochait beaucoup d'avoir cru à l'amour, alors qu'elle en connaissait les pièges et les désillusions. En bonne littéraire, elle aurait dû écouter les mises en garde de Kant et de Stendhal : l'amour tourmente et fait souffrir ; l'amour n'est qu'un soleil trompeur, une drogue qui nous empêche de voir le réel. Nous croyons toujours aimer quelqu'un pour ce qu'il est, nous n'aimons en fait, à travers lui, que l'idée de l'amour.

Pour se changer les idées, elle alluma la télévision sur une chaîne d'information. Le bandeau rouge *Terror Alert in New York* clignotait sous la poitrine de la présentatrice, une brune pulpeuse « monicalewinskysée » qui commentait le principal titre du jour : la police venait de déjouer un attentat à Washington Square. Un reportage, orchestré comme la bande-annonce d'un film d'action, évoqua l'étrange mésaventure de cette jeune fille de quinze ans transformée en bombe humaine par un psychopathe. Sous prétexte d'un rappel à la prudence, la présentatrice égrena une nouvelle fois les mots qui faisaient peur : Al-Qaida, gaz sarin, bombe sale, anthrax...

Depuis qu'elle était à New York, Juliette avait l'habitude de cette dramatisation de l'information. Lasse, elle appuya sur le bouton de la télécommande pour mettre fin à cette litanie.

*

Dans le hall de l'hôpital, à côté des distributeurs automatiques, s'étendait une enfilade de téléphones publics. Sam chercha quelques pièces dans ses poches. Il fallait qu'il retrouve Juliette. À tout hasard, il composa le numéro de Colleen. Il réussit à la joindre, mais elle ignorait où était son amie et Sam regretta de l'avoir inquiétée.

Un peu dépité, il sortit sur le grand parking et s'engouffra dans l'un des taxis qui guettaient le départ des malades. Il grelottait. Son manteau était resté dans son 4 × 4. Sa blessure l'avait contraint à garder le haut de pyjama de l'hôpital et il n'avait plus que sa veste pour se réchauffer.

— Tout va bien, monsieur ? s'inquiéta le chauffeur en le regardant dans le rétroviseur.

— Ça va, assura-t-il en se pelotonnant contre le siège.

La voiture démarra. Une chanson douce de Cesaria Evora passait à la radio.

Sam posa la main sur son front et constata qu'il avait de la fièvre. Il était épuisé. Cette journée avait été l'une des plus éprouvantes de sa vie. La mort de Grace l'avait profondément affecté et il ne comprenait pas complètement le sens de ce qu'il venait de vivre.

Bercé par la voix de la chanteuse capverdienne, il ferma les yeux et se laissa emporter dans un sommeil tourmenté.

Une fenêtre mal fermée, un courant d'air, une porte qui claque, et Juliette qui frissonne.

Elle était venue pour annoncer à Sam qu'elle était enceinte. Elle lui devait la vérité, mais, quelle que soit sa réaction, elle avait décidé de garder cet enfant. Elle y avait réfléchi tout l'après-midi. À son grand étonnement, la décision s'était imposée comme une évidence et elle se rendait compte à présent qu'elle avait toujours su qu'elle porterait un jour la vie.

Malgré les incertitudes du lendemain.

Malgré les douleurs du monde et la folie des hommes.

Frigorifiée, Juliette chercha sans succès à augmenter le chauffage. Pour avoir moins froid, elle enfila l'une des vestes de Sam, posée sur l'accoudoir d'un fauteuil et, ainsi vêtue, courut se nicher au creux du canapé. Elle retrouva sur la veste l'odeur de Sam et sentit son cœur se serrer. Sous l'effet de l'émotion, sa peau fut envahie par la chair de poule comme si un liquide glacial avait figé brutalement ses gestes.

Avec sa manche, elle essuya une larme qui coulait sur sa joue.

Merde, comment un mec peut-il me mettre dans cet état ?

À travers ses yeux embués, elle remarqua une feuille de papier froissée qui dépassait d'une des poches. Curieuse, elle la déplia : c'était la photocopie d'un article de journal qui relatait un fait divers vieux de dix ans.

Grace Costello, une détective du 36ᵉ district, a été retrouvée morte la nuit dernière, au volant de sa voiture, tuée d'une balle en pleine tête. Les circonstances de sa mort restent pour l'instant mystérieuses...

Juliette parcourut les premières lignes d'un œil distrait, puis elle regarda les deux photos qui accompagnaient l'article et reconnut la femme qu'elle avait croisée en début d'après-midi en compagnie de Sam. Incrédule, elle se frotta les yeux, il n'y avait pourtant aucun doute possible : c'était bien la même personne.

Mais pourquoi n'avait-elle pris aucune ride pendant toutes ces années? Et surtout, que faisait-elle dans les rues de Manhattan si elle était morte dix ans plus tôt?

Juliette remuait toutes ces questions lorsqu'elle entendit s'ouvrir la porte d'entrée. Elle se précipita dans l'escalier et marqua un mouvement de surprise en apercevant Sam, appuyé sur deux béquilles, en train de réajuster un bandage à l'épaule. En un instant, toute la colère qu'elle avait accumulée contre lui se changea en inquiétude.

— Que t'est-il arrivé ?

Il l'attira à lui et enfouit sa tête dans son cou. L'odeur de ses cheveux fut le premier moment de réconfort de cette journée. Elle se dégagea et le regarda avec affolement. Ses lèvres bleutées tremblaient de froid.

— Tu es brûlant, constata-t-elle en posant sa main sur sa joue.

— Ça va aller, la rassura-t-il.

Elle l'aida à monter les escaliers et, à peine arrivé en haut, il aperçut l'article de journal qui traînait sur la table.

— Qui est cette femme, Sam ? s'enquit-elle la gorge serrée.

— C'est un ancien flic, expliqua-t-il, pris entre la volonté de ne plus mentir et l'impossibilité de dire la vérité. Une amie qui m'a demandé de l'aider à retrouver sa fille.

— Mais elle est morte il y a dix ans!

— Non, elle est morte aujourd'hui.

À nouveau, il voulut la prendre dans ses bras et elle le repoussa.

— Je ne comprends rien, s'étrangla-t-elle.

— Ecoute, je ne peux pas t'en dire plus, je te supplie seulement de me faire confiance. Et je te promets que cette femme n'est pas ma maîtresse, si c'est ce qui te préoccupe.

— Un peu que ça me préoccupe !

Sam avait bien conscience qu'il lui devait une explication franche. Il lui exposa donc les grandes lignes de l'histoire de Jodie et de son enlèvement par le Vautour. Il raconta comment Grace avait été abattue et comment lui-même n'avait dû son salut qu'à l'intervention de Mark Rutelli. Pour expliquer pourquoi l'article du journal annonçait la mort de Grace, Sam prétendit qu'elle avait bénéficié d'une nouvelle identité, dix ans plus tôt, dans le cadre d'un programme de protection des témoins. Ce fut sa seule concession à la vérité.

— Tu as failli mourir ! constata-t-elle lorsqu'il en eut terminé.

— Oui, au moment où ce dingue pointait son flingue sur moi, j'ai cru que j'allais mourir et alors, j'ai pensé que...

Il s'arrêta, fit quelques pas en direction de Juliette et effleura son visage avec ses mains.

— Tu as pensé quoi ?

— Que j'avais enfin trouvé quelqu'un à aimer et que je n'avais pas eu le temps de le lui dire.

Elle leva la tête vers lui, l'embrassa doucement et se laissa aller dans ses bras.

Entre deux baisers passionnés, il parvint à articuler :

— Je voulais te demander quelque chose...

— Je t'écoute, fit-elle en lui mordant la lèvre.

Il déboutonna les premiers boutons de son chemisier.

— Tu vas sûrement me prendre pour un dingue, mais...

— Dis toujours.

— Et si on faisait un enfant ?

*

Une heure plus tard

Sam et Juliette étaient allongés sur le canapé, leurs jambes entremêlées, leurs deux corps blottis l'un contre l'autre, paisibles.

Ils avaient poussé le chauffage au maximum et ouvert une bouteille de vin. Sur la platine, *Angie* des Rolling Stones tournait à plein volume.

Sam baissa la tête et constata que Juliette s'était endormie, la tête posée contre son torse. Une longue mèche de cheveux blonds coulait le long de sa joue. Du bout des doigts, il caressa sa poitrine qui se soulevait au rythme de sa respiration, douce et régulière. En sa présence, il éprouvait une sorte d'apaisement presque magique. Il ne bougea pas davantage pour ne pas la réveiller, se contentant de poser sa main sur son ventre. Un enfant! Il allait avoir un enfant! Lorsque Juliette le lui avait annoncé, il avait pleuré de joie. Décidément, il venait de vivre la journée la plus inattendue et aussi la plus intense de toute son existence. Pourtant, il n'arrivait pas à se détendre pleinement. Sans doute parce qu'il se méfiait du bonheur.

Lorsque tout va trop bien, ça ne dure généralement pas longtemps, était-il en train de se dire lorsque la sonnerie agressive de l'interphone le tira de sa léthargie.

Juliette émergea en sursaut de son demi-sommeil. Elle s'habilla d'une couverture et, en un clin d'œil, retrouva dynamisme et vitalité.

— Tu veux que j'aille répondre?

— D'accord, proposa Sam, qui avait du mal à se mettre debout à cause de sa blessure.

Il attrapa la télécommande de la chaîne hi-fi et, d'une pression sur un bouton, coupa la chique à Mick Jagger.

— C'est ton voisin, annonça Juliette en revenant dans la pièce. Il prétend que ton 4 × 4 est garé sur sa place de parking.

Sam fronça les sourcils.

Quel voisin ?

Et comment son 4 × 4 pouvait-il être ici puisqu'il était resté dans le parking du Vautour ?

L'inquiétude naissante qu'il éprouvait quelques minutes plus tôt gagna en intensité.

— Laisse-moi aller voir, fit-il en enfilant une robe de chambre, puis son manteau.

Il descendit l'escalier et sortit dans la rue. La nuit était froide et cristalline.

– Y a quelqu'un ? cria-t-il.

Personne ne répondit.

Une nappe de brume avait envahi tout le pâté de maisons. Sam fit quelques pas dans l'obscurité, presque à l'aveuglette.

— Galloway...

Il se retourna, abasourdi par le timbre de la voix qui l'interpellait : Grace Costello, appuyée contre un lampadaire, le regardait d'un air triste. Son visage, éclairé par la lumière blanche, brillait d'un teint de porcelaine.

— Grace ?

Incrédule, il s'avança vers elle.

C'était impossible ! Il avait vu son corps, criblé de balles, qui gisait sur le sol ! Et le Vautour ne tirait pas à blanc : son épaule et son pare-brise pouvaient en témoigner.

— Je... je ne comprends pas.

En tant que médecin, il avait parfois assisté à des guérisons spectaculaires, voire miraculeuses, mais personne ne pouvait être sur pied quelques heures après avoir reçu une rafale tirée par un automatique.

— Vous n'êtes pas... !

Grace ouvrit sa veste et détacha les deux bandes velcro qui, de chaque côté, retenaient un gilet pare-balles. Elle retira la lourde protection qui lui comprimait la poitrine pour la jeter aux pieds du médecin.

— Je suis désolée, Sam.

Alors, quelque chose en lui se brisa. Jamais sa raison n'avait été si fortement ébranlée. Dans sa tête, dans son corps, tout éclatait, tout se brouillait : le chagrin et la culpabilité qu'il éprouvait depuis la mort de Federica ; le choc d'avoir frôlé la mort entre les griffes du Vautour ; les souvenirs traumatisants de son passé qu'il avait essayé de fuir et qui le rattrapaient sans cesse ; la joie profonde qu'il avait ressentie en apprenant que Juliette était enceinte ; et maintenant cette réapparition de Grace qu'il avait crue morte.

Il se laissa tomber sur l'escalier recouvert de neige, prit sa tête entre les mains et pleura de peur, de rage et d'incompréhension.

— Je suis désolée, répéta Grace, mais je vous avais prévenu : je resterai ici jusqu'à ce que ma mission soit terminée. Je ne peux « rentrer » qu'avec Juliette.

— Pas maintenant ! supplia-t-il, ne me l'enlevez pas maintenant !

— L'échéance reste la même, Sam : après-demain, au téléphérique de Roosevelt Island.

Il se mit debout péniblement. Dans son épaule, la douleur avait repris son irradiation mais cela paraissait à présent dérisoire.

— Ce qui arrive dépasse ma propre volonté, précisa Grace en s'éloignant.

Désemparé, Sam lui cria.

— Je ne vous laisserai jamais faire !

— Nous reparlerons de ça, mais pas maintenant.

— Quand ?

— Demain matin, proposa-t-elle, venez me retrouver à Battery Park.

Malgré leur antagonisme, il sentit beaucoup de compassion dans sa voix, comme si c'était lui le malade et elle la soignante. Tout cela était-il si surprenant en fin de compte ? Au fond de lui, n'avait-il pas toujours été persuadé qu'il ne profiterait jamais très longtemps de ses moments de bonheur, comme si une malédiction, dont il ne saisissait pas le sens, s'attachait à chacun de ses pas ?

Avant de disparaître dans la nuit, Grace prononça une dernière phrase :

— J'aurais aimé ne pas revenir, Sam, j'aurais aimé que tout ça se termine autrement...

Et Sam comprit qu'elle était sincère.

28

Rien n'est plus sûr que la mort,
Rien n'est moins sûr que son heure.

Ambroise Paré

Vendredi – 8 h 12 am

Grace remonta le col de sa veste. Le vent soufflait en bourrasques sur Battery Park. Le petit jardin de la pointe sud de Manhattan formait un îlot de verdure coincé entre le front de mer et les gratte-ciel de Wall Street. Grace dépassa le parc pour déboucher sur la longue promenade qui longeait le fleuve et offrait un panorama à couper le souffle. Les touristes et les joggers se pressaient déjà en grand nombre malgré le froid et l'heure matinale. Grace s'installa sur un banc et, pendant un moment, s'abîma dans la contemplation de la baie, agitée par le mouvement des remorqueurs et des ferries.

L'air pur et froid lui piquait les yeux tandis qu'un léger frisson lui parcourait le corps. Depuis qu'elle était revenue, elle percevait les petits détails de l'existence avec une acuité nouvelle : la couleur du ciel, le cri des mouettes, la sensation du vent dans les cheveux... Elle savait que son séjour ici touchait à sa fin et qu'elle devrait bientôt renoncer à tout ce qui faisait la saveur de l'existence. Cependant, depuis qu'elle avait revu sa fille, elle avait repris goût à la vie et cela la rendait plus fragile et plus vulnérable.

Plus humaine.

Elle savait bien sûr qu'elle ne pourrait échapper à sa mission et qu'elle serait obligée de la mener à terme, mais cette idée même lui était devenue insoutenable et plusieurs questions continuaient à la tourmenter. Pourquoi était-elle toujours incapable de se souvenir avec précision des quelques jours ayant précédé sa mort? Pourquoi son autopsie avait-elle montré des traces de drogue dans son organisme? Et surtout, pourquoi l'avait-on choisie, elle, pour accomplir cette étrange mission dont elle ne comprenait toujours pas le sens?

*

Lorsque Sam ouvrit les yeux, Juliette n'était plus là. Ils étaient restés éveillés tous les deux jusqu'au petit matin, puis les premières lueurs de l'aube et le médicament qu'il avait absorbé pour combattre la douleur l'avaient plongé dans un demi-sommeil.

Paniqué, il fut debout en un rien de temps, mais un mot, posé en évidence sur l'oreiller, le rassura :

Mon amour,
Je dois retourner au consulat pour régulariser ma situation. On se voit plus tard. Prends soin de toi.
Je t'aime.
Juliette.
PS : Commence à réfléchir à des prénoms pour le bébé.
Moi j'aime bien Matteo si c'est un garçon et Alice pour une fille.
Ou pourquoi pas Jimmy et Violette... ?

Presque douloureusement, Sam se replongea dans l'oreiller, à la recherche d'un peu de l'odeur de la femme qu'il aimait. Il passa ensuite dans la salle de bains où l'attendait, sur le miroir, une inscription calligraphiée avec un tube de rouge à lèvres :

Ou peut-être Adriano et Céleste ?
Ou Mathis et Angèle... ?

Et si ce sont des jumeaux ? pensa-t-il soudain en se prenant au jeu.

Dans la cuisine, sur le réfrigérateur, il constata que les lettres aimantées, en forme d'animaux de la jungle, avaient été déplacées pour former deux nouveaux mots. Il parvint à déchiffrer : Guilermo puis, plus bas, Claire-Lise, tout en se demandant comment on prononçait ces prénoms en français.

Il s'habilla du mieux qu'il put malgré sa blessure à l'épaule et sortit dans la rue. Comme il était encore tôt, il trouva un taxi rapidement.

— Battery Park, indiqua-t-il au chauffeur.

Celui-ci le laissa devant les tours de Lower Manhattan. Une sensation de vide courait dans son estomac. Il se rendit compte qu'il n'avait rien avalé depuis plus de vingt-quatre heures et s'arrêta dans le premier Starbucks pour commander un petit déjeuner new-yorkais : un bagel et un grand café qu'il but en marchant dans la rue.

Durant le trajet, son portable sonna. Quelqu'un lui avait laissé un message. C'était la voix de Juliette qui lui proposait :

Peut-être Manon ou Emma ou Lucie, Hugo, Clément, Valentin, Garance, Tony, Susan, Constance, Adèle...

Il eut une pauvre mimique, frustré de ne pas pouvoir apprécier ce qui aurait dû être un moment de joie et de complicité.

En traînant la jambe, il contourna Castle Clinton, le petit fort au centre du parc qui servait autrefois à défendre le port et qu'on avait transformé en billetterie pour les ferries. Il avait choisi de ne pas prendre de béquilles, mais il le regrettait déjà amèrement.

Il abordait la courbe harmonieuse qui menait à l'embarcadère lorsqu'il aperçut Grace qui venait à sa rencontre.

À nouveau, il ne put s'empêcher d'être surpris de la voir vivante. Au réveil, ce matin, il avait presque souhaité que leur rencontre de la veille n'ait eu lieu que dans son imagination. Après tout, il était fiévreux et il avait déliré dans son sommeil.

Mais il ne fallait pas rêver.

Presque empruntée, Grace posa la main sur son avant-bras et demanda maladroitement :

— J'espère que vos blessures ne vous font pas trop souffrir.

— Comme vous le voyez, je pète la forme, répondit-il, mi-agressif, mi-désabusé. Une petite partie de squash, ça vous dirait ?

— Encore une fois, je suis désolée, Sam.

Il explosa :

— Arrêtez de répéter que vous êtes désolée ! C'est trop facile ! Vous débarquez dans ma vie en m'annonçant que la femme que j'aime va mourir et vous voudriez que je danse la samba pour montrer ma joie !

— Vous avez raison, reconnut-elle.

Tous les deux étaient transis de froid. Pour se réchauffer, ils se laissèrent emporter par le flot de passagers qui migrait vers le terminal des ferries de Staten Island. Sam chercha à cacher qu'il avait du mal à marcher, ce qui n'empêcha pas Grace de s'en rendre compte. Elle voulut l'aider, mais il la repoussa.

Un bateau était à quai et s'apprêtait à partir. Sans échanger un seul mot, ils décidèrent de monter : la traversée était courte, gratuite et le ferry était chauffé.

Le transbordeur était presque plein. Malgré le froid, Sam s'installa sur le pont arrière du ferry et Grace le rejoignit quelques instants plus tard. Comme lors de leur première rencontre, elle lui tendit un gobelet de café.

— Il paraît que c'est le pire de New York : il bouillonne toute la journée dans de grosses citernes de métal...

Sam prit le gobelet et en but une gorgée.

— C'est une curiosité, en effet, grimaça-t-il.

Le café était peut-être une vraie lavasse, mais il avait au moins le mérite de réchauffer les mains.

Tout en buvant, ils restèrent un moment côte à côte, sans parler, le regard perdu dans l'éclat bleuté de l'horizon. Grace fixait Ellis Island et les docks de Brooklyn comme si elle les voyait pour la première fois. Sam alluma une cigarette et en exhala longuement la fumée. À quelques encablures devant eux, la statue de la Liberté tendait sa torche à tous les vents.

Au bout de quelques minutes, Grace tenta de renouer le dialogue :

— Vous savez, Sam, même si je refusais d'accomplir ma mission, ils enverraient quelqu'un d'autre.

— Quelqu'un d'autre ?

— Un autre *émissaire*, pour réparer l'erreur...

— Réparer l'erreur ! Je vous signale que vous parlez de ma vie et de celle de Juliette !

— J'en ai bien conscience, mais je vous l'ai déjà expliqué : Juliette doit mourir, c'est pour ça qu'on m'a envoyée. Je n'ai jamais réclamé cette mission et croyez bien que je ne l'accomplis pas de gaieté de cœur.

Une nouvelle fois, il s'employa à plaider la cause de celle qu'il aimait :

— Je déteste cette idée de prédestination. Toute ma vie, j'ai lutté pour ne pas être prisonnier des déterminismes. Je suis né dans l'un des pires endroits de cette ville. Tout me destinait à être délinquant, mais je me suis battu pour devenir autre chose et j'ai réussi à m'en sortir !

— Nous avons déjà parlé de tout ça, Sam. Je ne vous ai jamais dit que les actions humaines étaient prévues dans leurs moindres détails ni que la vie n'était que l'accomplissement d'un scénario déjà écrit à l'avance.

Elle le regarda dans les yeux, puis :

— Ce que je vous dis, par contre, c'est qu'il y a des choses auxquelles on ne peut échapper.

Sam avait épuisé ses arguments. Hier soir, lorsqu'il avait revu Grace, après la fusillade, il avait compris que le combat était perdu d'avance. Il ajouta néanmoins quelque chose, comme un cri du cœur :

— Mais je l'aime !

Grace le regarda avec indulgence.

— Vous savez très bien que l'amour n'est pas suffisant pour protéger de la mort. J'aimais ma fille, j'aimais Mark Rutelli et ça ne m'a pas empêchée de me prendre une balle dans la tête...

Elle resta songeuse un moment, puis enchaîna, comme pour elle-même :

— Mon plus grand regret est d'être morte sans lui avoir avoué mon amour, il y a dix ans...

Sam s'était allumé une deuxième cigarette qui se consumait toute seule tant il était absorbé par le discours de Grace. Lentement, le ferry accosta à Staten Island, mais la plupart des passagers restèrent à bord pour revenir vers Manhattan.

Maintenant qu'il était forcé d'accepter l'incroyable histoire de Grace, Sam ne cessait de se poser des questions sur la nature de la vie et de la mort. Il y avait réfléchi une bonne partie de la nuit, mais cela revenait sans cesse de manière à la fois inquiétante et excitante. Est-ce que la vie humaine avait une finalité ou bien se résumait-elle seulement à un mécanisme biologique ? Et la mort... Etait-elle vide de sens ou bien ouvrait-elle un passage vers une autre vie, un ailleurs où nous irions tous ?

Depuis qu'il avait tiré sur un homme dans sa jeunesse, jamais plus il n'avait pu se résoudre à accepter la mort des autres et malgré son métier, il se sentait chaque fois un peu plus démuni. Même s'il avait essayé de nier la mort, celle-ci l'avait toujours rattrapé. Dans sa tête, il revoyait le visage de Federica qu'il avait été incapable de sauver, puis celui d'Angela, la petite patiente qu'il avait perdue récemment. Il pensa même au Vautour dont les images de la mort violente n'avaient pas fini de le hanter. Où étaient-ils à présent ?

Souvent, il avait discuté avec des patients asiatiques qui croyaient que quelque chose en nous ne mourait jamais et poursuivait un cycle sous une autre forme. D'autres fois, il avait été troublé par les récits de ceux qui avaient vécu une expérience de mort imminente : le tunnel de lumière, la sensation de bien-être, les retrouvailles avec les disparus... Mais il n'avait jamais été convaincu, ni par cela ni par les belles paroles du père Hathaway qui, dans son enfance, l'exhortait à chercher Dieu et à parier sur son existence.

Pourtant, aujourd'hui, sa rencontre avec Grace lui ouvrait un nouvel horizon de connaissances. Puisque Grace était passée de l'*autre côté*, elle allait pouvoir lui révéler le *grand secret*.

C'est donc avec un mélange de curiosité et d'appréhension qu'il demanda :

— Que se passe-t-il après, Grace ?

— Après quoi ?

— Vous savez très bien de quoi je veux parler.

Grace ne répondit pas tout de suite. Oui, elle savait de quoi Sam voulait parler. Elle avait d'ailleurs toujours su qu'ils en viendraient tôt ou tard à aborder cette question.

— Après la mort ? Je suis désolée de vous décevoir, mais je ne me souviens de rien.

— J'ai du mal à vous croire...

— C'est pourtant la vérité.

— Vous n'avez aucun souvenir de ces dix dernières années ?

— Dans ma tête, c'est comme si ces dix ans n'avaient jamais existé.

— C'est comme ça alors, la mort : un gigantesque trou noir...

— Pas du tout. Ce n'est pas parce que je ne m'en souviens pas qu'il n'y a pas quelque chose, sinon je ne serais pas là. Je pense plutôt que, lorsque les *émissaires* sont envoyés sur terre, le mystère de la mort doit demeurer entier, même pour eux. Car, de leur vivant, les hommes ne pourront jamais avoir accès à ce qu'il y a après. Je sais seulement que nous ne sommes pas sur terre par hasard.

Devant son désarroi, elle ajouta d'une voix plus douce :

— Ne croyez pas que ça ne m'angoisse pas moi aussi ! Je me sens désarmée et impuissante et, si vous voulez tout savoir, j'ai peur d'y retourner. Par contre, je sais quelque chose, c'est que j'ai une mission à accomplir et qu'en dehors de ça je ne peux intervenir dans la vie des gens.

— Quand c'était pour sauver votre fille, vous ne vous êtes pas gênée !

— C'est vrai, admit Grace, en cherchant à sauver Jodie, j'ai déjà failli en partie à ma tâche...

Sam haussa les épaules. Son téléphone portable sonna alors que le transbordeur manœuvrait pour rentrer au port. Il décrocha.

— Oui ?

C'était Juliette. La réception était mauvaise et sa voix paraissait lointaine. Sur le pont, le vent soufflait fort, mais Sam capta quelques mots à la volée : « j'ai hâte de... », « je t'aime... », « ne prends pas froid ...», ainsi qu'une salve de nouveaux prénoms : « Jorge, Margaux et Apolline... » Puis la transmission se brouilla, comme un signe que Juliette lui échappait déjà.

Alors que les premiers passagers commençaient à débarquer, Sam décida d'abattre sa dernière carte. Ces derniers jours, sans vouloir se l'admettre, il avait souvent réfléchi à cette éventualité. Dès le soir où il avait aperçu le message par anamorphose formé par les dessins d'Angela, il avait bien compris qu'il ne sortirait pas indemne de sa rencontre avec Grace Costello. Malgré ses dénégations, il avait passé en revue toutes les possibilités permettant de sauver Juliette et la seule issue qui lui semblait possible tenait dans la question qu'il posa à Grace :

— S'il vous faut absolument ramener quelqu'un, s'il faut vraiment respecter cet *ordre des choses*...

— Oui ?

— Eh bien dans ce cas, prenez-*moi*! Acceptez que je monte dans le téléphérique avec vous, à la place de Juliette.

Grace le regarda dans les yeux. Son visage était empreint d'une étrange douceur, comme si elle n'était pas vraiment surprise par la proposition de Sam.

Sa réponse resta en suspens quelques secondes. Sam ouvrit la bouche pour ajouter quelque chose, puis se ravisa.

— Il s'agit de votre propre vie, répondit finalement Grace. C'est une décision qu'on ne prend pas à la légère et vous pourriez la regretter au dernier moment.

— J'y ai suffisamment réfléchi. Pour sauver Federica, autrefois, j'ai commis un crime, et en fin de compte, je ne l'ai pas sauvée et je me suis perdu moi-même. Aujourd'hui, je sais que pour sauver Juliette je n'ai d'autre choix que de donner ma vie pour elle. Prenez-la, supplia Sam.

— D'accord, c'est vous qui viendrez.

Une bourrasque de vent se leva. Sam essaya de ne pas montrer son émotion, mais il sentait que ses jambes s'étaient mises à trembler.

— Au téléphérique de Roosevelt Island, n'est-ce pas ?

— Oui, demain, à 13 heures, précisa Grace.

— Et si je veux vous joindre d'ici là ?

— C'est moi qui vous ferai signe.

— Non, Grace, dit-il en sortant son portable, désormais vous n'êtes plus la seule à fixer les règles.

Avant qu'elle ait le temps de refuser, Sam lui mit d'autorité l'appareil dans la poche de sa veste, puis quitta le ferry.

Grace resta sur le pont encore quelques minutes. Du haut de son observatoire, elle regarda le médecin qui s'éloignait.

Pour l'instant, le plan s'était déroulé exactement comme elle l'avait prévu.

29

Début d'après-midi – hôpital St. Matthew's

La petite chambre de Jodie Costello était plongée dans la pénombre. La porte s'ouvrit en silence et quelqu'un passa une tête dans l'entrebâillement. Après avoir vérifié que la jeune fille était bien endormie, Grace s'approcha du lit sans faire de bruit.

Tout doucement, elle posa une main tremblante sur le front de sa fille. Bouleversée, elle resta à ses côtés sans bouger, tandis que des larmes silencieuses coulaient le long de ses joues. C'était un sentiment qu'elle n'avait jamais ressenti auparavant : la joie profonde d'avoir enfin retrouvé Jodie mêlée à la douleur immense de ne pouvoir lui parler. Un moment, elle fut à deux doigts de la réveiller pour lui dire combien elle l'aimait et combien elle était désolée de tout ce qui était arrivé. Mais elle savait qu'elle n'en avait pas le droit et que ce ne serait pas souhaitable : Jodie avait plus besoin d'apaisement que d'un nouveau choc émotionnel. Elle se contenta donc de lui murmurer :

— Pardonne-moi de t'avoir abandonnée pendant toutes ces années...

Puis elle lui prit la main.

– J'espère que, désormais, tout ira mieux pour toi.

Jodie dormait d'un sommeil léger. Elle s'agita dans son lit et marmonna quelques propos incompréhensibles. Sur la table de nuit, Grace reconnut la photo qu'elle-même portait toujours dans son portefeuille.

Elle se souvenait très bien du jour où le cliché avait été pris, au début des années 1990...

C'était une belle journée d'automne, un dimanche. Grace et Mark Rutelli avaient décidé de profiter du soleil de l'île de Nantucket, au sud de Boston. Ils avaient posé leurs sacs à Madaket, la plage favorite des surfeurs, avant d'installer leurs couvertures, face à l'océan. À côté d'eux, Jodie – qui venait de fêter son premier anniversaire – s'amusait dans le sable tout en grignotant un biscuit Oreo.

Un vieux poste de radio diffusait une chanson de Simon et Garfunkel qui parlait de la force des attachements sincères. Grace fermait les yeux. Elle était bien. Tranquille, bercée par le bruit des vagues et caressée par un reste de brise estivale.

Puis ils avaient déjeuné au grand air : des sandwichs à l'espadon, de la tourte au poulet et, pour faire plaisir à Jodie, des pancakes aux myrtilles et au sirop d'érable.

C'est aussi ce jour-là qu'ils avaient discuté de leur avenir dans la police. Un de leurs anciens collègues qui avait monté sa propre société de sécurité venait de leur proposer un emploi à la fois mieux rémunéré et moins dangereux que celui qu'ils occupaient actuellement. Rutelli – déjà éprouvé par la dureté de la vie de flic – était tenté d'accepter alors que c'était hors de question pour Grace.

— J'aime mon métier, Marko. J'aime le terrain...

— Tu aimes avoir un salaire misérable, rouler dans une bagnole pourrie et vivre dans un appartement miteux?

— Ne caricature pas. Et d'abord, mon appartement n'est pas miteux!

— De toute façon, ce boulot est trop dangereux. Surtout pour une femme !

— Ça y est ! Nous y voilà ! Les arguments machistes.

— Je ne suis pas machiste !

— Ce métier, c'est ce que j'aime faire. Je ne veux pas d'un emploi pépère. J'aime l'idée de mettre ma vie en danger pour sauver d'autres vies...

— Tu prends trop de risques, Grace. Tu as une gosse maintenant, pense un peu à elle !

— Je fais confiance à ma bonne étoile.

— Un jour, la chance te lâchera.

— Quand elle me lâchera, elle me lâchera. Je peux très bien me faire écraser en faisant mes courses dans la rue.

Rutelli avait pris l'appareil photo et il invita Grace à poser avec Jodie devant l'océan.

— Je n'abandonnerai jamais ce boulot, conclut Grace en prenant sa fille dans ses bras.

— N'empêche, tu devrais être plus prudente, répéta Rutelli. On ne vit qu'une fois.

Elle avait haussé les épaules tout en lui faisant ce petit sourire qui la rendait irrésistible.

— Qui peut le dire, Marko ? Qui peut le dire ?

Le grincement de la porte qui venait de s'ouvrir ramena brusquement Grace au présent. L'infirmière se contenta de vérifier que tout allait bien pour Jodie et quitta la pièce sans s'inquiéter de la présence de Grace.

Celle-ci poussa un soupir de soulagement, mais elle était bien consciente qu'elle prenait trop de risques. Elle ne pouvait rester ici éternellement.

De nouveau, Jodie s'agita dans son lit et, comme elle en avait autrefois l'habitude, Grace lui chantonna cet air de Gershwin qui sonnait comme une berceuse et qui avait un titre évocateur : *Someone to watch over me* [1].

---

1. Quelqu'un pour me protéger.

En guise d'adieux, elle se pencha vers le lit et lui promit tout bas :

— Je ne sais pas où je vais, je ne sais pas ce qui va m'arriver, j'espère seulement qu'un peu de moi demeurera avec toi, même si tu ne peux ni me voir, ni m'entendre...

Cette fois, Jodie se réveilla en sursaut.

Il y avait quelqu'un dans sa chambre !

Elle ouvrit les yeux et alluma la lampe de chevet.

Mais Grace avait déjà disparu.

*

Chelsea – 151 West 34ᵉ Rue

Avec ses cent mille mètres carrés et ses dix étages, Macy's occupait tout un pâté de maisons sur la Septième Avenue. C'est dans ce temple du shopping, le *plus grand des grands magasins du monde*, que Sam et Juliette étaient venus terminer leur après-midi. Entre une balade à SoHo et la dégustation d'une crème glacée à Serendipity, ils avaient passé les heures précédentes à faire des projets d'avenir pour les cinquante prochaines années. Ils s'étaient mis d'accord sur les prénoms de leurs trois enfants, la couleur des volets de leur maison, la marque de leur prochaine voiture et les lieux où ils partiraient en vacances.

Toute à son bonheur, Juliette rayonnait. D'un pas léger, elle parcourait les allées du grand magasin, fascinée par les berceaux, les peluches et les grenouillères. Un peu en recul, Sam essayait de donner le change même s'il était complètement anéanti. Tout l'après-midi, il avait dû disserter sur un bonheur qu'il ne connaîtrait jamais, alors qu'il était conscient de vivre ses derniers moments. Demain, à la même heure, il ne serait plus de ce monde, et ça lui foutait une peur bleue. Pas une seconde pourtant, il ne regretta la proposition qu'il avait faite à Grace. Il allait sauver Juliette et cette seule pensée lui procurait un soulagement qui rattrapait tout.

Car il ne fallait pas se leurrer, il était responsable de la mort de deux hommes et, même s'il s'agissait de dealers, la culpabilité qu'il éprouvait depuis lors lui avait gâché la vie. Il pouvait bien se raconter des salades : au fond de lui, il avait toujours su qu'il devrait payer un jour et la mort de Federica n'avait pas suffi à racheter sa dette. C'est pour ça qu'il avait menti à Juliette le premier soir, parce que le poids de sa faute était si lourd à porter qu'il lui interdisait à jamais d'être heureux.

— Sam !

À l'autre bout de l'allée, Juliette lui faisait de grands signes, s'émerveillant d'un dinosaure en peluche qui dépassait les cinq mètres de haut. Il lui rendit son sourire, mais il était ailleurs.

Comme s'il était déjà mort.

Bordel, il mourait de trouille ! Plusieurs fois pourtant, il avait accompagné des patients jusqu'aux portes de la mort. Il avait tenu la main à des gens sans famille, tentant de trouver des mots rassurants pour éloigner leur terreur. Mais c'était tellement différent lorsqu'il s'agissait de sa propre mort !

Sam était dépité. À sa peur se mêlait aussi la frustration de ne jamais connaître son enfant. Serait-ce un garçon ou une fille ? Même ça, il ne le saurait pas.

Pourtant, ça faisait des années qu'il souhaitait fonder une famille. Lui n'en avait jamais eu et il en avait souffert. Il voulait des enfants pour s'enraciner au monde. Dans un environnement de plus en plus hostile et déshumanisé, il aspirait à tisser des liens profonds et à construire un espace de sécurité affective.

Mais ça ne se passerait pas comme ça. Demain, il disparaîtrait. Juliette rentrerait probablement en France et referait sa vie. Peut-être même que son enfant n'entendrait jamais parler de lui. Après tout, quel héritage allait-il lui laisser ? Il n'avait aucun bien, aucune fortune, aucun réel témoignage de son passage sur terre. Certes, il avait guéri et soigné des centaines de personnes, mais qui s'en souviendrait ?

Tout à coup, il eut une idée : pourquoi n'épousait-il pas Juliette avant de mourir ? Voilà, c'était la solution ! Cela équivaudrait à reconnaître officiellement son enfant. Il cogita quelques instants, décrocha le portable qu'il avait emprunté à Juliette et contacta le City Hall pour se renseigner sur les démarches. Pouvaient-ils se marier dans la soirée ou le lendemain matin ? On lui répondit qu'on n'était pas à Las Vegas et que tout mariage dans l'Etat de New York nécessitait l'obtention d'une *wedding license* dont la demande devait s'effectuer vingt-quatre heures avant la cérémonie. C'était logique : on voulait éviter que les gens ne se marient sur un coup de tête. Sam raccrocha, dépité. Il n'avait même plus vingt-quatre heures à sa disposition.

— Est-ce que tu m'aimeras toujours ?

Perdu dans ses pensées, il leva la tête, pour découvrir Juliette qui se tenait devant lui, sur la pointe des pieds, en attente d'un baiser.

— Toujours, répondit-il en l'embrassant.

Et il aurait tant voulu que ce soit vrai, toutefois, comme le disait Grace Costello, sans doute y avait-il dans la vie des choses auxquelles on ne pouvait pas échapper.

Sur le trottoir, alors que Juliette montait la première dans un taxi, une autre idée germa dans l'esprit de Sam.

— Ça ne te gêne pas de rentrer sans moi ? Je voudrais faire un détour par l'hôpital.

— Mais j'espérais passer la soirée avec toi !

— Donne-moi deux heures, s'il te plaît. C'est important.

Elle fit une moue de déception.

— Seulement deux petites heures ! promit Sam en refermant la portière et en lui envoyant un baiser.

Resté seul, il regarda sa montre. Il n'était pas trop tard. S'il se dépêchait, il aurait peut-être encore le temps. Sans attendre un nouveau taxi, il s'engouffra dans la station de métro la plus proche et, contrairement à ce qu'il avait affirmé à Juliette, il ne se rendit pas à l'hôpital mais à sa banque.

— Nos conseillers financiers ne reçoivent normalement que sur rendez-vous, lui expliqua l'employée de l'accueil. Pourtant, il est possible que l'un d'eux ait pris de l'avance dans son emploi du temps. Je vais me renseigner.

Sam patienta dans un espace aménagé en salle d'attente où il put consulter les brochures mises à la disposition du public. Aussi, lorsqu'il pénétra dans le bureau d'Ed Zick Jr., *investment counselor*, il avait eu tout loisir d'affiner son projet.

— Que puis-je pour votre service, monsieur ?

— Je voudrais souscrire une assurance décès, expliqua Sam.

— Nous avons une excellente formule, simple et peu coûteuse, pour sécuriser l'avenir de vos proches, récita le banquier.

Sam hocha la tête et l'invita à poursuivre.

— Vous connaissez le principe des assurances décès ? Chaque mois, vous versez une cotisation. S'il ne vous arrive rien – et Dieu fasse que ce soit le cas –, vous aurez cotisé à perte. Mais en cas de décès prématuré, nous versons un capital au bénéficiaire que vous aurez désigné : votre femme, vos enfants ou... quelqu'un d'autre. Et tout ça, sans droits de succession à régler !

— C'est exactement ce que je cherche.

En moins d'une demi-heure, les deux hommes se mirent d'accord sur le montant des primes, la période de souscription, le niveau de couverture (sept cent cinquante mille dollars) et la bénéficiaire du contrat (Juliette Beaumont).

Sam compléta un questionnaire médical et s'engagea à passer dès le lendemain une visite doublée d'un examen sanguin. Vu son âge, les formalités étaient relativement légères. Ed Zick lui donna la liste des organismes agréés dont, heureux hasard, son hôpital faisait partie. Il pourrait faire cet examen demain matin. Autre coup de chance : Zick travaillait le samedi et il proposa de valider le dossier dès qu'il aurait reçu le fax correspondant.

Alors que Sam s'apprêtait à apposer sa signature, le banquier lui suggéra une garantie supplémentaire sur le ton de la confidence : le doublement du capital en cas de décès par *accident*.

Sam fronça les sourcils et fit mine de réfléchir. Il avait suivi un cours d'économie médicale et il connaissait cette ruse de marketing. Statistiquement, seul un décès sur douze ou treize était d'origine accidentelle. Les assureurs ne prenaient donc pas de gros risques supplémentaires tandis que la majoration des cotisations leur permettait de faire exploser leur marge.

— D'accord, accepta Sam en songeant à l'accident de téléphérique qui allait l'emporter.

Tout sourire, Ed Zick lui tendit la main, persuadé d'avoir facilement grugé ce client idéal.

Tu rigoleras moins demain, pensa Sam en prenant congé. Mais c'était une maigre consolation.

Lorsqu'il sortit dans la rue, le froid était piquant et la nuit commençait à tomber. Dans le ciel, les premières étoiles faisaient leur apparition.

Sam poussa un soupir de soulagement. Au moins, l'avenir matériel de Juliette et de son enfant était assuré.

Mais il savait que l'argent était souvent une fausse solution.

*

Sud de Brooklyn – quartier de Bensonhurst – début de soirée

Mark Rutelli grimpa les deux étages d'un petit immeuble de briques brunes. Il ouvrit la porte de son appartement et n'alluma pas la lumière tout de suite. Les stores étaient levés et la pleine lune baignait la pièce d'une lumière bleutée et apaisante. Contrairement à ce qu'on aurait pu supposer, le logement, modeste et impersonnel, était propre et bien tenu.

Rutelli n'était pas rentré depuis deux jours. Il avait passé la nuit dernière à l'hôpital et avait été de service toute la journée. Tant que le travail l'avait occupé, il s'était senti en bonne forme ; à présent, il redoutait de se retrouver seul. Il mit un CD dans le lecteur : une symphonie de Prokofiev. Il aimait et connaissait la musique classique. Les gens qui ne le fréquentaient que depuis peu le prenaient généralement pour un plouc alcoolique et il ne faisait rien pour les détromper. Mais ceux qui avaient discuté autrefois avec lui savaient qu'il était cultivé et sensible.

Il passa dans la salle de bains, prit une douche, se rasa et enfila des habits propres : un jean noir et un pull marine que Grace lui avait offert il y a longtemps et qu'il n'avait plus porté depuis des années. Pour la première fois depuis des mois, il osa se regarder dans la glace. D'habitude, il n'aimait pas ce qu'il y voyait, mais, depuis qu'il avait sauvé Jodie, il sentait que quelque chose avait changé en lui, et il soutint sans grimacer l'image que lui offrait le miroir.

Il se dirigea ensuite dans la cuisine et ouvrit le réfrigérateur pour y prendre un pack de six canettes de Budweiser. C'était sa ration, sa dose, le seul moyen qu'il avait trouvé pour être certain de s'endormir. Et il savait très bien ce qui allait se passer : il allait boire jusqu'à tomber, abruti d'alcool, dans un sommeil agité qui se prolongerait jusqu'à 3 heures du matin. Alors, il se lèverait, inquiet et tremblant, et pour se rendormir jusqu'au matin, il aurait encore besoin d'une rasade coupable de vodka.

Il posa les six canettes de bière sur la table, mais n'en toucha aucune.

À quoi tu joues ? Tu sais très bien que tu vas finir par les boire.

Il ouvrit la première, toujours sans la toucher.

Ça t'amuse, hein, de te faire croire que c'est seulement une question de volonté!

Il fit couler dans l'évier le contenu de la première canette puis de la deuxième, de la troisième, de la quatrième et de la cinquième.

Voilà, il n'en reste plus qu'une maintenant. Continue ton manège, un peu, pour voir.

Il avait envie de boire à en crever. Malgré, ça, il vida entièrement la dernière canette et ouvrit le robinet d'eau pour en chasser l'odeur.

Il alluma une cigarette et sortit sur la terrasse. Demain, il irait demander de l'aide à Sam Galloway et, s'il le faut, il partirait en cure. Pour la première fois, cela lui sembla en valoir la peine. Il allait arrêter de boire, pour lui et pour Jodie.

Il souffla dans ses mains pour se réchauffer. Le froid était vif et piquant. Alors qu'il s'apprêtait à rentrer à l'intérieur, il entendit un bruit de pas derrière lui.

— Salut, Marko.

Il se retourna brusquement, saisi de stupeur au timbre de la voix qui l'appelait.

Grace se tenait debout à trois mètres de lui. Lumineuse, rassurante, exactement comme dans ses souvenirs.

Les yeux de Rutelli se brouillèrent. L'émotion était trop forte pour lui.

Merde, je n'ai pas bu une goutte d'alcool depuis deux jours...

Sans doute perdait-il la raison. Il fit un pas vers elle, essaya de parler, et sa voix chancela :

— Je... je ne comprends p...

— Je crois qu'il n'y a pas grand-chose à comprendre, dit-elle en lui mettant un doigt sur la bouche.

Grace l'entoura de ses bras et Rutelli s'abandonna au moment qu'il était en train de vivre.

Longtemps, ils restèrent enlacés, Rutelli retrouvant intacte l'odeur de la peau de son ancienne coéquipière, un mélange de lait et de vanille, qu'il n'avait jamais oubliée.

— Tu m'as tellement manqué, avoua-t-il.

— Toi aussi, Marko, toi aussi.

Rutelli sentait son cœur qui battait sourdement d'excitation et d'angoisse. Il tenait Grace par la manche, incapable de la lâcher, la peur au ventre de la perdre de nouveau.

— Tu es vraiment revenue ? parvint-il à articuler.

Elle le regarda dans les yeux et posa sa main sur sa joue.

— Oui Marko...

Elle s'arrêta, saisie à son tour par l'émotion.

— ... mais je ne reste pas, acheva-t-elle.

Le regard brillant de Rutelli s'assombrit instantanément. Grace posa la tête sur son épaule.

— Je vais tout t'expliquer.

*

Une heure plus tard, Grace avait raconté à Rutelli son incroyable histoire. À plusieurs reprises, celui-ci avait haussé les sourcils d'étonnement, pourtant, il ne pouvait pas faire autrement que d'accepter le récit de sa collègue. Même si ses repères étaient en train de voler en éclats, il savait que Grace disait la vérité. Tout à son bonheur de la revoir, il ne s'encombra pas de questions dont il devinait bien qu'elles resteraient à jamais sans réponse.

Paradoxalement, c'était Grace qui était en quête d'informations.

— Peut-être que tu pourras m'aider, dit-elle en lui tendant une liasse de papiers.

Rutelli déplia le feuillet. C'était le rapport d'autopsie de Grace. Il l'avait déjà lu à plusieurs reprises, mais, à nouveau, il l'examina attentivement.

— Il n'y a rien qui te semble bizarre ?

— Quoi ? bougonna-t-il.

— Les traces d'héroïne, Mark ! Pourquoi ? Je ne me droguais pas, n'est-ce pas ?

Rutelli soupira, gêné.

— Tu ne te souviens pas ?

— Non.

À présent, Grace redoutait ce qu'allait lui apprendre Rutelli. Elle n'était plus sûre de rien. Qui était-elle réellement ? Avait-elle des choses à cacher ?

— À l'époque, les stups t'avaient proposé un poste d'agent infiltré...

— Je travaillais en sous-marin ?

Rutelli acquiesça :

— Lorsque tu as été tuée, tu essayais d'infiltrer un groupe de dealers.

— Ce qui explique les traces de drogue...

— Ouais, tu connais l'hypocrisie de ce genre de boulot...

Grace hocha la tête. Peu à peu, les souvenirs revenaient. Pour se faire accepter auprès des dealers, les flics infiltrés devaient souvent se piquer devant eux. Juste pour donner le change et ne pas perdre leur couverture. Grace savait que beaucoup d'entre eux devenaient accros à leur tour et passaient du mauvais côté de la barrière.

— Crois bien que j'ai essayé de te dissuader d'accepter ce job, l'assura Rutelli. Mais tu étais une jeune détective intrépide et fonceuse qui croyait dur comme fer à son travail.

— Je voulais être utile à la société et pouvoir offrir à ma fille un monde plus sûr.

— Ouais, tu étais surtout têtue et on sait où ça t'a menée !

— La vie est souvent cruelle, constata-t-elle en pensant à ce qui était arrivé à Jodie par la suite.

— Oui, approuva-t-il, cruelle et courte.

Une profonde tristesse s'était soudain abattue sur les deux policiers. Grace en prit conscience et s'en voulut d'avoir refroidi l'ardeur de leurs retrouvailles.

— Ne gâchons pas cette soirée, Marko. Tu m'emmènes manger quelque part ? proposa-t-elle pour mettre un peu de gaieté.

— Où tu voudras.

— Notre restaurant habituel, décida-t-elle malicieusement.

Ils roulèrent quelques minutes en direction du nord et garèrent leur voiture sur Brooklyn Heights, à deux pas du River Café. Le célèbre restaurant, connu dans le monde entier, offrait une vue unique sur Manhattan et le Brooklyn Bridge. Autrefois, lorsqu'ils faisaient des rondes dans le quartier, Grace et Rutelli se disaient souvent qu'un jour, s'ils avaient de l'argent, ils s'offriraient un repas dans ce luxueux restaurant. En attendant, ils achetaient une pizza chez Grimaldi's et revenaient la déguster dans leur véhicule. La pizza dans la voiture, c'était ce qu'ils appelaient leur restaurant habituel. Une alternative moins onéreuse que le River Café. Peut-être moins chic, mais, en tout cas, la vue était aussi belle.

Grace était restée seule pendant que Rutelli achetait les provisions. Il frappa contre la vitre et s'engouffra dans la voiture avec une boîte en carton.

— Pizza *del Mare*, si je me souviens bien ?

— Tu as bonne mémoire.

Comme au bon vieux temps, ils mangèrent en écoutant la radio, le regard perdu de l'autre côté du Brooklyn Bridge. Dans le poste, Neil Young plaquait sur sa guitare les beaux accords de *Harvest Moon*. Les gratte-ciel de Lower Manhattan s'étendaient devant eux et, à nouveau, ils eurent l'impression que la ville leur appartenait. Ici, des heures durant, ils avaient discuté, plaisanté et refait le monde.

Un ange passa, puis Rutelli posa la question qu'il gardait en réserve depuis un moment :

— Est-ce que tu ne peux pas rester encore quelque temps ?

Grace secoua lentement la tête.

— Non, Marko, ce que je suis en train de faire est déjà suffisamment irresponsable...

— Et tu *repars* quand et comment ?

Elle lui raconta ce qui était censé se produire le lendemain au téléphérique de Roosevelt Island et un abattement profond s'empara de Rutelli. Grace tenta de le raisonner :

— Il faut que tu arrêtes de m'idéaliser. Tu dois apprendre à vivre sans moi.

— Je ne peux pas.

— Bien sûr que tu peux. Tu es encore jeune, tu as des tonnes de qualités. Tu peux refaire ta vie, fonder une famille et être heureux. Et, s'il te plaît, pense à veiller sur Jodie.

Rutelli se tourna vivement vers elle et fronça les sourcils.

— Mais... et toi ?

— Moi, je suis déjà morte, répondit Grace très doucement.

Cette dernière vérité, pourtant, Mark Rutelli ne pouvait l'accepter.

— J'aurais dû aller avec toi, le soir où tu as été assassinée. J'aurais dû être là pour te protéger et ne jamais te quitter !

— Non Marko ! Non ! Tu n'as rien à te reprocher. C'est comme ça, c'est la vie.

Rutelli n'en démordait pas :

— Tout aurait été différent, alors.

Pendant un long moment, chacun se recroquevilla dans sa bulle et personne ne parla jusqu'à ce que Grace passe une main dans les cheveux de Mark.

— Tu dois faire ton deuil définitivement, murmura-t-elle.

Rutelli se contenta de hocher la tête.

— Fais-le pour moi. Détruis ce mur de solitude et de dépendance que tu as construit autour de toi.

— Si tu savais comme tu me manques, Grace.

Sa voix se brisa et il détourna la tête pour qu'elle ne le voie pas pleurer.

— Tu me manques aussi, dit-elle en se penchant sur lui.

Alors, ils oublièrent tout et s'embrassèrent enfin pour la première fois.

Ils rentrèrent à Bensonhurst peu après minuit. En arrivant en bas de son immeuble, Rutelli crut que l'heure de la séparation avait déjà sonné et son cœur se serra.

— Tu sais, il faut vraiment que tu saches...

Grace l'interrompit doucement :

— Je sais, Marko, je sais.

Elle luttait pour ne pas se laisser envahir par l'émotion. À la place, elle lança d'un ton moqueur :

— Tu ne m'invites pas pour un dernier verre ? Je croyais que tu savais t'y prendre avec les femmes...

C'est un peu empruntés qu'ils montèrent l'escalier, mais, une fois la porte refermée, leur gêne disparut et ils s'enlacèrent furieusement dans un ultime moment de vertige. Tous deux savaient que cette nuit serait *leur* nuit et que ce serait la dernière.

Ils profitèrent alors de chaque seconde. Le temps n'existait plus. Il y avait juste deux êtres, éperdument amoureux l'un de l'autre, qui s'aimèrent comme s'ils devaient ne jamais se quitter.

Au petit matin, Rutelli fut réveillé par le babil des tourterelles et des étourneaux. L'appartement était plein d'une lumière bleu pâle. Son premier mouvement fut de se tourner vers l'oreiller. Il n'y avait pas eu de miracle : Grace n'était plus à ses côtés et il savait qu'elle ne reviendrait pas.

Il se leva et regarda par la fenêtre le jour qui pointait.

Longtemps, il repensa à tout ce que lui avait dit Grace jusqu'à ce qu'une idée s'impose à lui comme une évidence. Il en examina toutes les conséquences puis prit une décision.

Lorsqu'il referma la fenêtre, son cœur était empli d'une étrange sérénité.

30

Quand je pense à tout ce qui m'est arrivé, je ne peux m'ôter de l'esprit l'idée qu'un mystérieux destin tisse les fils de nos vies avec une vision très claire du futur, sans prendre en compte nos désirs et nos projets.

D'après Matilde Asensi

— Je m'en vais, mon amour.

Sam s'éveilla en sursaut. Juliette, fraîche et pimpante, l'embrassa dans le cou et posa un plateau de petit déjeuner au milieu du lit.

Il se redressa brutalement.

— Où vas-tu? demanda-t-il, inquiet de la voir sur le départ.

— Colleen, mon ancienne colocataire, déménage aujourd'hui. Je vais lui donner un coup de main.

Il fut debout en un clin d'œil, surpris et mécontent de ne pas s'être levé plus tôt. Comment avait-il pu dormir d'un sommeil de plomb avec l'angoisse qui l'étreignait ?

— Mais... bredouilla-t-il, je croyais qu'on passerait la matinée ensemble...

— Je n'en ai que pour quelques heures. On peut déjeuner ensemble en début d'après-midi.

En début d'après-midi, je serai mort!

Elle lui tendit un bagel qu'elle avait tartiné de confiture. Il ne pouvait plus la quitter des yeux. Elle le regarda en souriant, ravie d'être l'objet de tant d'attention. Tout en elle rayonnait. Le yaourt à boire qu'elle avait oublié d'essuyer lui dessinait de fines moustaches blanches et le soleil du matin mettait de l'or dans ses cheveux.

Quelqu'un donna deux coups de klaxon sous leur fenêtre.

— C'est Colleen, constata Juliette en regardant à travers la vitre. Je lui ai demandé de venir me prendre.

Elle boutonna son manteau et attrapa son écharpe colorée.

— Attends encore un moment! supplia Sam.

Il la rejoignit près de la porte et lui prit la main. Elle l'embrassa et il enfouit la tête dans son cou, respirant son odeur de fleurs et d'abricot.

— Je ne m'en vais que pour quatre heures, chéri, remarqua-t-elle en se moquant gentiment de son empressement.

Moi, je m'en vais pour toujours!

Déjà, elle lui échappait. Plus jamais il ne la reverrait. Il n'avait pas pensé que cela arriverait comme ça, si vite. Quel souvenir garderait-elle de lui? Ils avaient passé si peu de temps ensemble. Il aurait aimé lui dire tant de choses; il aurait aimé qu'elle le connaisse mieux; il aurait aimé...

Mais peut-être que pour elle ce serait moins dur comme ça.

Résigné, il lui lâcha la main.

La jeune femme ouvrit la porte et descendit l'escalier. Sam la suivit jusque dans la rue où elle s'engouffra dans la vieille Chevy de Colleen. La voiture démarra et tourna au coin de l'avenue. À travers la vitre, Juliette agita son téléphone portable et Sam eut le temps de déchiffrer deux courtes phrases sur ses lèvres.

La première disait : *je t'appelle.*

Et la seconde : *je t'aime.*

*

Après s'être lavé et habillé, Sam fila à l'hôpital pour y effectuer les examens nécessaires à la validation de son contrat d'assurance. La veille, il avait prévenu Janice

Freeman de son passage et tout fut bouclé en moins d'une heure. En faxant les résultats à son banquier, il eut l'amère satisfaction de constater qu'il allait mourir en parfaite santé.

S'il n'en avait tenu qu'à lui, il serait resté là à travailler, occupant de façon utile ses dernières heures. Depuis qu'il était debout, une angoisse sourde ne le quittait plus et il appréhendait de demeurer seul. Mais Janice Freeman qui ignorait tout de ses tourments le mit dehors d'autorité en lui conseillant de profiter de ses vacances forcées.

Dehors, la réverbération du soleil sur la neige faisait briller la ville de mille feux. Sur le trottoir, il se laissa volontairement frôler par les gens. Il se sentait comme une goutte d'eau au milieu d'une vague ; un homme parmi ses semblables. Cette communion tacite le rasséréna et, au milieu de la foule, sa peur perdit de son intensité.

Il marchait vite pour se réchauffer, prenant plaisir à entendre la neige craquer sous ses pas. Il s'arrêta au Portobello Café, s'installa à une table et commanda un cappuccino.

Avant de *partir*, il avait encore une chose importante à faire : tenir une promesse. Sur son portable, il composa le numéro du Butterfly Center de Hartford, un centre de désintoxication spécialisé dans la prise en charge des adolescents. Comme il le prévoyait, la liste d'attente était pleine pour les six mois à venir et l'admission coûtait plus de dix mille dollars. Sam ne ménagea pas sa peine pour défendre le cas de Jodic, insistant sur le traumatisme que venait de subir la jeune fille et la nécessité de l'admettre d'urgence dans son programme. Au bout de vingt minutes, sa patience fut récompensée et le centre accepta de traiter l'adolescente à condition que le règlement de l'intégralité du séjour lui parvienne dans la journée. Immédiatement, Sam téléphona à sa banque et demanda à consulter le solde de son compte. Son poste de médecin dans un hôpital public lui rapportait une misère par rapport à ce qu'il aurait pu toucher dans le privé et il venait à peine de terminer de rembourser son prêt étudiant.

— Il vous reste onze mille trois cent vingt dollars, l'informa l'employé de la banque.

Sans hésiter, il ordonna le virement de cette somme sur le compte du Butterfly Center et laissa un message aux services sociaux de l'hôpital pour les informer de sa démarche.

Voilà, c'était mon dernier acte de médecin... songea-t-il en ressentant un pincement au cœur.

Il s'efforça pourtant de ne pas trop y penser et balaya la salle du regard.

Ce matin, il ne se lassait pas d'observer les gens qui l'entouraient. Il aurait aimé s'arrêter et dire un mot à chacun. Tous les menus détails lui paraissaient chargés de signification et de beauté : les rayons de soleil qui traversaient la vitre, les rires qui fusaient autour des tables, l'odeur du café et des pâtisseries... Pourquoi fallait-il attendre d'être aux portes de la mort pour apprécier les petites choses qui faisaient la saveur de l'existence ?

Il leva les yeux vers l'horloge murale, inquiet devant les secondes qui s'égrenaient si vite. Ainsi, c'était déjà fini ? Qu'avait-il vu de la vie ? Pas grand-chose. Il pensa aux pays où il n'était pas allé, aux pages qu'il n'avait pas encore tournées, à tous les projets qu'il avait remis à *plus tard...*

Sam quitta le café plein de mélancolie. Dans sa tête repassaient en accéléré les images de ces derniers jours. Vainement, il tenta de donner un sens aux événements récents. Pourquoi avait-il l'impression d'avoir laissé passer quelque chose d'important ?

En y réfléchissant, il se souvint d'un petit incident qui l'avait troublé et auquel il n'avait peut-être pas prêté suffisamment d'attention. Il arriva au croisement de la

Seconde Avenue et de la 34ᵉ Rue. Plusieurs taxis guettaient le client. Il leva le bras pour en arrêter un.

Il devait rendre une dernière visite à Shake Powell.

*

Lorsqu'il vit Sam sortir de son taxi, Shake ne fut pas surpris de sa visite. Depuis deux jours, il l'attendait autant qu'il la redoutait. Devant l'église, avec l'aide d'un bénévole, il chargeait des caisses de nourriture dans la fourgonnette d'un des foyers de SDF de la ville.

— Un coup de main ? proposa Sam.

— C'est pas un boulot pour les gringalets, l'avertit Shake.

— Tu sais ce qu'il te dit, le gringalet ? répondit le médecin en empoignant la caisse la plus lourde.

Les trois hommes s'activèrent en silence et, bientôt, tous les cartons de victuailles furent casés. Avant de refermer le hayon, Shake ajouta des couvertures et un sac de produits de toilette.

— Va-y mollo, Chuckie ! cria-t-il en regardant s'éloigner le véhicule, un antique pick-up qui devait déjà être une ruine du temps de Ronald Reagan.

Le bénévole répondit à ses recommandations par deux coups de klaxon. À moitié rassuré, Shake se tourna vers Sam.

— Qu'est-ce qui se passe, mec ? T'as ta tête des mauvais jours.

— Fais-moi un café.

Ils montèrent à l'appartement. Tandis que Shake s'activait devant son antique machine à expressos, Sam regardait, songeur, le crucifix tatoué sur l'avant-bras de son ami.

— Je ne l'ai jamais vu, affirma-t-il d'une voix où perçait une pointe de colère.

— Qui donc ? demanda Shake en apportant les cafés.

— Ton putain de Dieu. Je ne l'ai jamais vu. Ni dans le quartier lorsque j'étais gosse, ni dans mon hôpital, ni dans aucun des pays en guerre que j'ai visités...

— Il est là pourtant, répondit le prêtre en ouvrant la fenêtre. Il faut que tu apprennes à mieux regarder, mec.

Sam jeta un coup d'œil à travers la vitre.

Deux enfants, un garçon et une fille jouent sur le terrain de basket. Il est black, elle est asiatique, ils n'ont pas dix ans. Elle dessine une marelle à la craie, tandis qu'il s'exerce au lancer franc. Dans peu de temps, des plus grands, des plus costauds, débarqueront pour prendre possession du terrain et les chasseront. Mais, pour quelques instants encore, ce territoire n'appartient qu'à eux. Le gamin est rondouillard et de si petite taille que le ballon paraît énorme lorsqu'il le serre dans les mains. Malgré tous ses efforts, il ne parvient même pas à toucher le cadre à chaque fois, ce qui n'empêche pas sa petite copine de l'encourager affectueusement. Au bout de quelques minutes de ce manège, sans doute trouve-t-il qu'après l'effort est venu le temps du réconfort. Malgré le froid, il s'assoit sur le petit muret qui entoure le stade, sort un muffin au chocolat de sa besace et en donne la moitié à son amie, qui rit aux éclats.

Sam se tourna vers son ami.

— C'est beau, mais ça ne me suffit pas, dit-il.

— Ça ne te suffit pas ?

— Non.

La réponse était nette et tranchante. Shake soupira :

— Que veux-tu de plus ?

— Comprendre.

— Comprendre quoi ?

— Le sens de tout ça : les guerres insensées, les maladies incurables, les attentats qui frappent au hasard...

— Tu m'emmerdes, Sam. Dieu n'est pas Superman. Toi qui aimes tant la liberté, tu devrais te réjouir d'être libre de tes choix. Que dirais-tu si une force extérieure intervenait à tout bout de champ dans ton existence pour corriger la portée de tes actions?

Sam haussa les épaules pour signifier que l'argument ne l'atteignait pas.

— Nous sommes libre pour le meilleur et pour le pire, constata Shake. Il est vrai que plus on a de liberté, plus les choix à faire sont complexes mais nous n'avons pas à faire porter à Dieu le prix de cette liberté.

Shake se leva et alluma un cigarillo. À l'odeur, Sam devina qu'il ne contenait pas que du tabac.

— Qu'est-ce qui t'arrive?

— J'ai peur Shake.

— Pourquoi?

— Parce que je vais mourir.

— Arrête tes conneries!

Un coup de vent fit claquer la fenêtre. Sam se leva pour la refermer. Le soleil avait disparu. Des nuages sombres remontaient à toute vitesse vers le nord et plongèrent subitement la pièce dans l'obscurité. Shake voulut allumer une lampe, mais l'ampoule éclata.

— Je dois partir.

Sam s'apprêtait à descendre l'escalier lorsque Shake le retint par la manche.

— Attends!

— Quoi?

— Je ne t'ai pas tout dit l'autre fois...

Coupé dans son élan, Sam s'assit en haut de l'escalier. Même s'il redoutait ce qu'allait lui révéler son ami, c'est lui qui fit le premier pas.

— Tu la connais, n'est-ce pas? C'est pour ça que tu m'as téléphoné à l'hôpital.

— Grace Costello? Ouais, soupira Shake, je l'ai déjà rencontrée.

— Quand?

— Il y a dix ans.

— L'année de sa mort?

Shake approuva silencieusement de la tête.

— Lors de la fusillade avec Dustface, tu as cru que tu avais tué un client du dealer, n'est-ce pas?

— Oui, assura Sam. Il faisait sombre et je ne l'ai vu que de dos, mais je me souviens que c'était un homme avec une casquette.

— Ce n'était pas un homme, Sam.

Le médecin ne voulait toujours pas comprendre :

— Qu'est-ce que tu veux dire?

— Quelques secondes après que tu as tiré, Dustface a pris la fuite en entendant une voiture. Il a cru que c'était la police, mais c'était moi. Federica s'inquiétait pour toi et elle m'avait prévenu par téléphone.

— Je sais tout ça, confirma Sam.

Comme des flashs, les souvenirs des deux hommes remontaient à la surface avec une étonnante précision. En revivant mentalement cette pénible soirée, ils en retrouvaient l'atmosphère, le climat et jusqu'à l'odeur de la peur qu'ils avaient éprouvée alors.

Shake poursuivit :

— En entrant dans la pièce, j'ai tout de suite compris que les choses avaient dégénéré. Je voulais te protéger, Sam.

— Tu m'as dis de m'enfuir avec ta voiture. Je ne voulais pas, mais tu gueulais tellement que j'ai fini par partir, rappela Sam avec douleur, toujours rongé par un sentiment obsédant de culpabilité.

— C'est ce qu'il fallait faire, affirma Shake. Si un type comme toi finissait en taule à vingt ans, c'était à désespérer du monde. Tu devais terminer tes études. C'était une priorité. Pour toi ainsi que pour Federica et pour nous tous.

— Sans doute...

Shake continua :

— Je suis resté seul dans cette pièce. J'avais un peu peur moi aussi mais je savais que je pouvais gérer ça. Il suffisait que je fasse disparaître le cadavre. Je me suis agenouillé près du corps qui gisait face contre terre et je l'ai retourné. C'était celui d'une femme...

Sam était pétrifié.

— J'ai fouillé ses poches : elle n'avait pas de portefeuille, mais j'ai trouvé ses clés de voiture. Je suis ressorti du squat et, très vite, j'ai repéré son véhicule. Je ne devais pas le laisser dans la rue sans quoi les policiers allaient enquêter à Bedford. J'ai porté le corps de cette femme jusque dans sa voiture et je l'ai conduite loin d'ici pour être certain que l'on ne remonte jamais jusqu'à toi.

Sam restait interdit, incapable d'articuler la moindre phrase.

Shake termina son récit :

— Ce n'est qu'en lisant le journal, deux jours plus tard, que j'ai appris l'identité de cette femme : elle s'appelait Grace Costello et elle était de la police. J'en ai conclu qu'elle devait travailler comme agent infiltré chez les stups pour faire tomber ces connards de trafiquants.

Shake avait maintenant les traits tirés, comme si le fait de déterrer ces souvenirs l'avait fait vieillir de plusieurs années.

Sam, lui, était toujours sous le choc. Ses membres tremblaient et les battements de son cœur s'accéléraient.

Shake lui posa une main sur l'épaule.

— Tu sais pourquoi j'ai découpé cet article du *New York Times* qui parle de toi ? C'est pour le montrer aux gosses du quartier en leur disant : « Vous voyez ce type qui est devenu médecin, il est né ici, comme vous, dans ce quartier, dans cette merde. Il n'avait pas de père et sa mère s'est tirée à sa naissance. Et pourtant il a réussi. Il a réussi parce qu'il s'en est donné les moyens et parce qu'il n'a pas écouté les petits cons qui voulaient le détourner de son chemin. Ce type s'appelle Sam Galloway et c'est mon ami. »

— Merci, répondit Sam.

— Tous les deux, nous avons fait ce que nous pensions devoir faire, affirma Shake avec force. Et je ne vois pas à qui, sur cette terre, nous aurions à rendre des comptes.

— À elle, Shake, à Grace Costello...

Dans la tête de Sam, cette phrase sonna comme un rappel à l'ordre.

Il regarda sa montre : Grace lui avait fixé rendez-vous à 13 heures et il était presque midi.

— Je dois partir, annonça-t-il précipitamment.

Il sortit dans la rue en courant. Shake tenta de le retenir :

— Où vas-tu? s'inquiéta-t-il. Tu vas la voir, c'est ça ?

Heureusement Sam avait demandé au taxi de l'attendre. Il monta à l'arrière du véhicule.

— Je vais avec toi! décida le prêtre.

— Non, Shake. Cette fois, j'y vais seul!

Sam claqua la portière, mais ouvrit la vitre et se voulut rassurant :

— T'inquiète pas. Je te ferai signe.

La voiture démarra en trombe vers Manhattan, laissant Shake Powell sur les marches de l'église, en train de se demander comment interpréter cette dernière parole.

31

L'univers m'embarrasse et je ne puis songer
Que cette horloge existe et n'ait pas d'horloger.

Voltaire

12 h 1

Le taxi se traînait à l'entrée du pont de Brooklyn.

— Plus vite ! ordonna Sam.

Le chauffeur haussa les épaules en désignant la file de voitures qui roulaient au pas en raison du mauvais temps.

Pour la deuxième fois en une semaine, New York s'apprêtait à essuyer une violente tempête de neige. Le vent soufflait en rafales et à voir les nuages noirs qui s'amoncelaient au-dessus des gratte-ciel, on avait du mal à croire que le début de matinée ait pu être ensoleillé.

À l'arrière du véhicule, Sam fouilla dans sa poche pour attraper son paquet de cigarettes. Il n'en restait qu'une.

La dernière cigarette du condamné, pensa-t-il en l'allumant.

Le chauffeur le rappela à l'ordre en désignant un panneau *No Smocking*.

— *Please, sir !*

Sam baissa la vitre sans éteindre sa cigarette pour autant.

La confession de Shake l'avait fortement ébranlé, mais elle avait aussi éclairci bien des choses : c'est lui qui avait tué Grace et il allait mourir à son tour. Si cette révélation l'inondait de douleur, il comprenait en même temps que le prix à payer était à la mesure de son crime. Ainsi,

Grace était revenue pour se venger. Cela paraissait logique, encore fallait-il qu'il en ait le cœur net.

— Est-ce que vous avez un portable ? demanda-t-il au chauffeur.

— Portable ? répéta le Pakistanais en faisant semblant de ne pas comprendre.

— Ouais, un téléphone cellulaire, expliqua Sam.

— *No, sir.*

Sam soupira, puis sortit un billet de vingt dollars de son portefeuille qu'il plaqua contre la vitre du conducteur.

— Juste un appel !

Le chauffeur attrapa le billet et lui tendit un petit téléphone chromé qui venait d'apparaître miraculeusement dans la boîte à gants.

Lorsque l'argent précède, toutes les portes s'ouvrent, récita Sam en attrapant l'appareil.

Il composa son propre numéro et, comme prévu, c'est Grace qui répondit :

— Vous n'avez pas oublié notre rendez-vous, Sam...

— Ne vous inquiétez pas...

Il était en colère contre elle et le lui fit sentir :

— Vous saviez que ça finirait comme ça, n'est-ce pas ?

— De quoi parlez-vous ?

— Toute cette histoire à propos de Juliette, c'était un prétexte, une façon de m'attirer à vous. Dès le début, vous étiez là pour moi, pour vous venger...

— Mais me venger de quoi, Sam ?

Troublé, le médecin regarda à travers la vitre. Le ciel était gris comme de la cendre et la neige tombait maintenant à gros flocons. Grace feignait-elle l'étonnement ou ignorait-elle vraiment qui l'avait tuée ? Il insista :

— Arrêtez votre cinéma, vous savez très bien pourquoi c'est *vous* qu'on a choisie pour cette mission.

— Non ! jura-t-elle.

À la force de son démenti, Sam comprit alors avec effroi que Grace ne mentait pas et que c'est lui qui allait devoir le lui dire.

Mais il ne savait comment s'y prendre. Pas comme ça ! Pas au téléphone ! Il aurait aimé avoir Grace en face de lui pour accrocher son regard, mais il ne pouvait se permettre d'attendre. Alors, la voix tremblante, il se lança :

— L'homme qui vous a tiré dessus, il y a dix ans..., l'homme qui est responsable de votre mort et de tous les malheurs qui ont atteint vos proches...

Il s'interrompit quelques secondes, comme pour reprendre sa respiration, avant d'enfin lui avouer :

— Cet homme... c'était moi.

Comme elle restait silencieuse, il ajouta :

— J'ai voulu tirer sur Dustface pour essayer de vous sauver et je l'ai raté.

Sam perçut un souffle à l'autre bout du fil.

— Je suis désolé, Grace ! Désolé pour tout ce qui vous est arrivé !

Le souffle s'accéléra et se chargea de sanglots. Même si Grace ne disait rien, Sam pouvait sentir son désarroi. Il répéta simplement : « Désolé ».

Puis la communication fut coupée.

12 h 7

À cause de la neige, le taxi était maintenant bloqué à l'entrée de Manhattan. Toutes les voitures roulaient pare-chocs contre pare-chocs dans un concert de klaxons. Sam avait essayé de rappeler Grace mais elle avait éteint le portable. Il consulta sa montre : il avait encore un peu de temps jusqu'à 13 heures. Au pire, si la circulation ne s'améliorait pas, il descendrait à l'une des stations de métro de *downtown*. Mais quelque chose d'autre le tourmentait : si Grace n'était pas revenue pour se venger, n'avait-elle pas cédé trop facilement lorsqu'il avait proposé de prendre la place de Juliette ?

Il sentait qu'une pièce du puzzle lui échappait, même s'il ne savait pas laquelle. Pour ne rien arranger, un mal de crâne épouvantable le torturait depuis qu'il avait quitté Shake. Il plongea sa tête dans ses mains, boucha ses oreilles avec ses pouces et essaya de réfléchir. Le diable est toujours dans les détails, il le savait. Patiemment, il passa en revue les événements marquants de ces derniers jours : sa première rencontre avec Grace dans Central Park, cet article de journal daté du lendemain qui annonçait que Juliette était vivante, leur discussion autour de ce destin implacable contre lequel il serait vain de lutter, le message d'outre-tombe délivré par Angela grâce à ses dessins, cet accident de téléphérique mentionné par une dépêche d'actualité sur ce site Internet fantôme, cette phrase sur laquelle Grace avait insisté : *Il y a parfois des choses auxquelles on ne peut rien changer.*

C'était cela qui le gênait : si l'on ne peut rien changer à l'ordre des choses, pourquoi Grace avait-elle accepté de repartir avec lui plutôt qu'avec Juliette ? Ça ne collait pas.

Puis, soudain, un détail lui revint à l'esprit. Lorsque Grace lui avait montré la page web prédisant l'accident de téléphérique, il était presque sûr que l'heure mentionnée dans la dépêche était 12 h 30. Or, Grace lui avait fixé rendez-vous à 13 heures !

Cette fois, tout concordait. Grace l'avait manipulé en lui donnant volontairement une mauvaise heure. Elle avait bien compris qu'il n'abandonnerait jamais Juliette et qu'il ferait tout pour s'opposer à sa mort. Pour endormir sa vigilance, elle lui avait laissé croire qu'elle acceptait son sacrifice. Il lui avait fait confiance, mais elle n'avait pas tenu parole.

Et maintenant Juliette était en danger.

12 h 12

Si l'accident devait avoir lieu à 12 h 30, il ne lui restait même pas vingt minutes.

D'autorité, il récupéra le téléphone du *taxi driver...*
– Hé ! Vous aviez promis de ne faire qu'un appel ! –...
pour composer le numéro du portable de Juliette.

Première sonnerie.

Deuxième sonnerie.

Troisième sonnerie.

« Bonjour, vous êtes bien sur le portable de Juliette Beaumont, laissez-moi un message et je vous... »

Putain de répondeur.

12 h 14

De nouveau, il consulta sa montre. Trop tard. Il ne pourrait jamais être là-bas à temps en un quart d'heure, même en prenant le métro.

Le taxi était toujours scotché dans la circulation et n'avait pas dépassé Astor Place à cause de la neige qui tombait de plus en plus dru. Paniqué, impuissant, Sam ne savait que faire. Il tendit un billet de cinquante dollars au chauffeur et sortit sur le trottoir. Une succession d'éclairs zébra soudain le ciel, accompagnée de coups de tonnerre. Il leva les yeux, surpris par cet orage de neige. Même le climat devenait fou aujourd'hui !

Il regarda autour de lui. Il fallait qu'il tente quelque chose, mais quoi ? Une petite moto tout-terrain qui slalomait entre les voitures attira son attention. Sans réfléchir, il se jeta au milieu de la chaussée. Le motard pila juste devant lui. La roue arrière de la Suzuki glissa, la moto cala et tomba.

— Vous êtes malade ! hurla le pilote.

Sam s'avança vers lui, mais, au lieu de l'aider, il le projeta en arrière pour le déséquilibrer.

— Vraiment désolé, s'excusa-t-il, je n'ai pas le temps de vous expliquer.

En un clin d'œil, il enfourcha la moto. Il embraya, pressa le bouton du démarreur et le moteur s'emballa.

— Espèce de con, elle est encore en rodage ! lui cria le pilote.

Mais Sam était déjà loin.

12 h 17

Légère et maniable, la moto se faufilait dans la circulation à une vitesse impressionnante. Coup d'œil à droite, coup d'œil à gauche : Sam se concentrait pour ne pas avoir d'accident. À partir de maintenant, chaque seconde comptait. Tout en restant attentif à sa conduite, il réfléchissait à ce qu'il allait faire. Il lui restait une chance de sauver Juliette à condition qu'il la retrouve sur-le-champ.

12 h 19

Elle lui avait dit qu'elle demeurerait chez Colleen jusqu'au début de l'après-midi. C'est là qu'il devait la chercher. Il se souvenait de l'adresse qu'elle lui avait donnée : un petit immeuble au bout de Morningside Park. Un regard dans le rétroviseur, le clignotant puis une accélération pour dépasser plusieurs voitures et foncer vers le nord.

Lorsqu'il avait eu seize ans, Shake avait acheté une vieille 125 et Sam l'avait aidé à la retaper. Pendant tout l'été, ils avaient fait de la moto en se chronométrant autour du quartier.

C'est à ça qu'il repensait tandis qu'il remontait Broadway, Columbus Circle et Central Park West...

12 h 21

En atteignant Morningside Park, il repéra facilement l'immeuble de Colleen. Un coup d'œil pour vérifier les noms sur les boîtes aux lettres lui indiqua le sixième étage. L'ascenseur? Non, à pied. Malgré sa blessure, il monta les marches en quatrième vitesse, reprenant peu à peu espoir. Parvenu à la porte, il tambourina comme un forcené. Colleen, un pinceau à la main, portait un tee-shirt de l'université Columbia et une salopette en jean. Une longue tresse blonde dépassait de sa casquette de base-ball.

— Où est Juliette? cria-t-il en la prenant par les épaules.

Elle le regarda comme s'il était un fou furieux.

— Mais qu'est-ce qui vous arrive, Sam?

— OÙ EST JULIETTE? répéta-t-il en la secouant.

— Elle est partie, dit-elle en le repoussant.

— Quand?

— Il y a un quart d'heure. Quelqu'un est venu la chercher.

— Qui?

— Je ne sais pas... Une femme. Juliette avait l'air de la connaître et elles sont sorties ensemble.

— Comment était cette femme?

— Une brune, environ trente-cinq ans, avec une veste en cuir et...

Grace!

— Où sont-elles allées?

— Aucune idée.

Merde!

12 h 24

Il redescendit les escaliers encore plus rapidement qu'il ne les avait montés. Hors d'haleine, il reprit la moto, direction le téléphérique.

Ses craintes s'avéraient fondées : Grace était venue chercher Juliette pour l'emmener avec elle.

Les bras tétanisés sur le guidon, il roula aussi vite qu'il le pouvait. Il s'était débarrassé de son manteau et le froid polaire lui gelait les os. Des flocons de neige s'accrochaient à ses cheveux et virevoltaient devant ses yeux. Il devinait la route plus qu'il ne la voyait.

12 h 25

Il contourna Central Park par le nord, puis redescendit le long de la Cinquième Avenue. Il venait de dépasser le MOMA lorsqu'il rétrograda pour s'engager dans ce qu'il pensait être un raccourci et qui se révéla être un sens unique. Il descendit la rue à contre-courant sur quelques dizaines de mètres, débordant plusieurs fois sur le trottoir et se faisant rappeler à l'ordre par de vigoureux coups de klaxon, avant de pouvoir reprendre sa course folle.

Le sol glissait comme une patinoire et il redoutait d'avoir à freiner.

12 h 26

Il déboucha sur Grand Army Plaza à plus de cent à l'heure. Là, le vent le déporta mais Sam réussit à garder son équilibre. Il fut pris en chasse par une voiture de police et décida de ne pas s'arrêter. Il y était presque. À peine venait-il d'obliquer vers l'est au niveau de la Trump Tower qu'une averse de grêle s'abattit sur la ville. En moins d'une minute, une grosse quantité de glace s'accumula sur le sol, bosselant les carrosseries, éclatant les pare-brise, causant d'importants dommages aux lampadaires et aux vitrines.

En une minute, la rue fut transformée en patinoire, et l'équilibre de la moto ne résista pas à ces conditions extrêmes. Sam tenta de freiner, l'engin dérapa et glissa sur plusieurs mètres avant de percuter une voiture à l'arrêt.

12 h 27

Il se releva.

Son pantalon était déchiré, son coude était en sang et son épaule lui faisait atrocement mal. Mais il pouvait encore marcher. Il abandonna la moto sur le trottoir et parcourut les derniers cent mètres aussi vite que sa jambe le lui permit.

12 h 28

Sam déboula à l'embarcadère du téléphérique, au croisement de la Seconde Avenue et de la 60ᵉ Rue.

En temps normal, le tramway suspendu de Roosevelt Island reliait par les airs Manhattan à l'île Roosevelt, au milieu de l'East River. Cependant, à cause de la tempête, on avait déroulé un cordon de sécurité autour de la plateforme avec un large panneau jaune surmonté d'une tête de mort.

Pourtant, une dernière cabine s'apprêtait à quitter l'embarcadère pour faire le trajet à vide.

Sauf que cette cabine n'était pas vide...

12 h 29

D'où il était, Sam distinguait nettement la silhouette de deux passagers.

— Juliette ! Grace ! cria-t-il en s'avançant vers l'embarcadère.

Mais il était trop tard. Les portes automatiques venaient de se refermer et la nacelle commençait à prendre de la hauteur.

— Il faut arrêter cette cabine ! hurla-t-il pour couvrir le bruit du vent et des grêlons.

Mais personne ne l'entendit.

Impuissant, il se laissa tomber à genoux, tout en ne quittant pas des yeux la cabine qui s'élevait vers le ciel...

Les coups de tonnerre succédaient aux éclairs. Inexplicablement, la grêle se mélangeait aux flocons de neige qui tombaient toujours en abondance. Le tram survola l'East Side pour culminer à plus de soixante-dix mètres au-dessus du siège des Nations unies.

Le cœur de Sam battait à tout rompre et pendant un moment, il tenta en vain de se rassurer. *Et si Grace avait inventé tout ça ? Après tout, pourquoi cette cabine aurait-elle un accident ? C'est insensé. Personne ne peut connaître le futur. Il ne va rien se passer du tout...*

12 h 30

Il se laissait traverser par toutes ces questions lorsqu'un gros coup de vent heurta la nacelle de plein fouet et la déséquilibra. Le téléphérique dérailla de ses câbles porteurs et glissa sur plusieurs mètres avant de heurter un pylône dans un bruit de ferraille.

Il y eut une gerbe d'étincelles. Dans la cabine, les lumières grésillèrent, puis s'éteignirent. Pendant quelques instants, la nacelle sembla s'immobiliser, mais une nouvelle bourrasque acheva de la détacher pour la précipiter dans le fleuve.

32

Ce monde n'est qu'un pont. Traverse-le mais n'y construis pas ta demeure.

Henn, Apocryphes, 35

La neige qui tombait sans répit étouffait la ville sous une chape de nacre.

Sam déambulait dans les rues, écrasé par le poids du remords et de la culpabilité. Il avait de nouveau échoué à sauver la femme qu'il aimait. Et cette fois, il n'avait plus aucune excuse. La mort n'était pas arrivée par surprise, il avait eu tout le temps de la voir venir.

Alors qu'il se traînait au bas de Park Avenue, il aperçut son reflet dans une vitrine et ce qu'il vit l'épouvanta : son pantalon était lacéré, sa chemise pleine de sang et son visage, bleu par le froid, n'était plus qu'un masque blafard.

Tremblant de tous ses membres, il reprit son chemin de croix, repensant au soir où, en affichant les dessins d'Angela, il avait vu apparaître l'avertissement : *Grace dit la vérité.*

Oui, Grace disait la vérité : elle ne s'en irait qu'en emportant Juliette avec elle. Et c'est ce qu'elle avait fait.

La tempête et le froid avaient vidé les rues. Dans cet espace immaculé, Sam prit conscience qu'il laissait une traînée de sang dans son sillage et il se força à examiner sa blessure. Lors de sa chute de moto, son bras s'était empalé dans la pointe métallique du cale-pied. Ce qu'il avait d'abord pris pour une simple estafilade se révélait être une profonde entaille qui lui déchirait le muscle jusqu'à l'os.

Mais son corps brisé n'était rien comparé au reste. Tout en lui était vide. Il savait qu'il ne surmonterait pas cette nouvelle épreuve et que rien ne le retenait plus ici-bas.

Près d'Union Square, il passa devant le petit café français où l'avait conduit Juliette au matin de leur première nuit d'amour. Dans cette pièce aux couleurs d'autrefois, ils avaient plaisanté et mangé des tartines. C'est à ce moment-là qu'il était réellement tombé amoureux.

En la regardant rire et fredonner de vieilles chansons, il avait eu la certitude que c'était elle : la femme auprès de qui il voulait vivre pour toujours. Celle qu'il saurait protéger et qui le protégerait à son tour. Comme si le ciel avait envoyé un ange pour l'arracher à ses tourments.

En se rappelant combien ils avaient été heureux ce week-end-là, il fut envahi par un flot de détresse. Après avoir permis ce bonheur, pourquoi le destin exigeait-il maintenant une si cruelle contrepartie ?

Mais il savait parfaitement qu'il n'y aurait pas de réponse à cette question. Alors, épuisé et vaincu, il rendit les armes.

Il s'écroula dans la neige à quelques mètres de chez lui et ne chercha pas à se relever. Il était désormais plus mort que vivant.

Combien de temps resta-t-il ainsi allongé dans la neige ?

Longtemps...

Jusqu'à ce qu'il l'aperçoive, diaphane et irréelle, à l'autre bout de la rue.

Juliette.

Elle fit d'abord quelques pas, bravant la nuée de flocons qui tourbillonnaient. Puis, dans un silence de neige, il la vit courir jusqu'à lui.

Comme si le ciel avait envoyé un ange pour l'arracher à ses tourments...

Épilogue

Un jour plus tard...

Après s'être déchaînée pendant plus de vingt-quatre heures, la tempête repartit aussi vite qu'elle était arrivée. La brume venait de se lever et un soleil de fin d'après-midi dardait ses rayons derrière la ligne de gratte-ciel.

Partout, à New York, la vie reprenait son cours. Les chasse-neige déblayaient les rues, les gens s'armaient de pelles pour dégager leurs entrées et plusieurs gamins avaient sorti leurs snowboards.

Surgi de nulle part, un oiseau au plumage argenté planait au-dessus de Midtown. Il descendit en flèche à travers la lumière orangée qui enflammait les buildings, puis se posa sur le rebord d'une fenêtre de l'hôpital St. Matthew's.

Là, dans la chambre 606, Sam sommeillait, couché sur un lit, une jambe dans le plâtre et un lourd bandage autour de l'épaule. À ses côtés, lovée dans un fauteuil, Juliette était attentive à son moindre souffle. Lorsqu'il reprit conscience, un poste de radio posé sur la table de nuit égrenait en sourdine les dernières nouvelles.

... la violente tempête qui a dévasté Manhattan semble s'être apaisée et notre ville retrouve un semblant de calme. Les dégâts seront lourds : à Central Park, des centaines d'arbres ont été ébranchés, les rues sont pleines de verre brisé et les voitures cabossées ne se comptent plus...

Pendant quelques instants, Sam se laissa bercer par la voix. Lorsqu'il ouvrit enfin les yeux, Juliette était là et lui souriait.

Partagé entre espoir et anxiété, il se redressa sans bien comprendre encore ce qui lui arrivait. Juliette posa la main sur sa joue et se pencha pour effleurer ses lèvres.

En bruit de fond, le flash d'information continuait :

... les secours ont été sur la brèche toute la journée et les hôpitaux ont été pris d'assaut...

Dans la tête de Sam les questions se bousculaient.

— Tu n'étais pas dans le téléphérique ?

Juliette secoua la tête.

Sam était soulagé, mais quelque chose lui échappait encore. Il était certain d'avoir aperçu *deux* silhouettes dans la cabine. Si Grace était repartie sans Juliette, qui donc l'avait suivie dans le téléphérique ?

La réponse lui vint par la magie des ondes :

... après le tragique accident d'hier, le téléphérique de Roosevelt Island restera fermé plusieurs semaines pour procéder aux réparations. D'après les témoins, deux personnes étaient présentes dans la cabine au moment du drame. Les plongeurs continuent de draguer le fleuve, aucun corps n'ayant été repêché pour l'instant. La cabine a pu être remontée, mais les enquêteurs n'y ont trouvé que deux insignes de policier. Le premier appartiendrait à l'officier Mark Rutelli du 21ᵉ district, l'autre serait celui d'une détective morte il y a dix ans...

Sam ne put cacher sa peine. Ainsi, dans un dernier geste d'amour, Rutelli avait choisi d'accompagner Grace dans la mort. Juliette lui prit la main et demanda :

— Il s'agit de Grace Costello, n'est-ce pas ?

Sam la regarda d'un air étonné.

— Comment le sais-tu ?

— Parce qu'elle est venue me voir chez Colleen et qu'elle m'a laissé ça pour toi.

Juliette tendit la main vers la table de nuit pour y prendre une enveloppe. Elle sortit la lettre qui s'y trouvait et la lui donna.

Sam,

Lorsque nos chemins se sont croisés pour la première fois, il y a dix ans, l'enchaînement des circonstances a débouché sur un terrible drame. Mais vous n'en êtes pas responsable, Sam. Je me plais même à croire que dans un autre contexte, nous aurions pu être amis.

Merci d'avoir levé le voile sur le mystère de ma mort. Je connais désormais les réponses aux questions qui me tourmentaient.

Pour autant, je n'ai plus aucune certitude sur le sens profond de ma mission. Et si, depuis le début, je m'étais trompée sur ce qu'on attendait de moi ? Voulait-on vraiment que je ramène Juliette ou m'a-t-on envoyée pour sauver ma fille et me mettre en paix avec vous ? Je l'ignore.

Je ne sais qu'une chose : je ne vous enlèverai pas la femme que vous aimez.

S'il vous arrive de penser à moi quelquefois, faites-le sans peine et sans culpabilité. Dites-vous que je ne suis peut-être pas très loin et ne vous inquiétez pas trop pour moi.

En revanche, dans l'une des chambres de votre hôpital, il y a une adolescente de quinze ans qui n'a pas eu la vie facile. Elle a déjà un corps de femme, mais c'est encore une petite fille et c'est ce que j'ai de plus cher au monde. Vous l'avez déjà sauvée une fois ; elle a encore besoin de votre aide et de votre confiance. S'il vous plaît, continuez à veiller sur elle.

Voilà, l'heure tourne et je dois y aller.

J'ignore ce que je vais trouver de l'autre côté et quelles seront les conséquences de mes actes. Pour tout vous dire, j'ai un peu peur. Mais, au moment de partir, j'aime à croire qu'on m'a donné le choix. J'ai écouté mon cœur et il m'a dit de vous laisser Juliette.

Avais-je le droit de prendre cette décision ? Je n'en sais fichtrement rien, mais qu'importe...

... après tout, le ciel peut attendre.

                                                            Grace.

Remerciements

À Suzy.

À mes parents et à mes frères.

À tous les lecteurs de Et après... *qui, par une parole ou un courrier, m'ont témoigné leur attachement à cette histoire.*

À Bernard Fixot, Edith Leblond et Caroline Lépée. Travailler avec vous est un privilège.

Cet ouvrage a été composé et imprimé par

FIRMIN DIDOT

GROUPE CPI

Mesnil-sur-l'Estrée

pour le compte de XO Éditions
en mars 2005

Imprimé en France
Dépôt légal : avril 2005
N° d'édition : 777/01 – N° d'impression · 72930